D0481050

10
18

12, AVENUE D'ITALIE. PARIS XIIIe

Sur l'auteur

Anna Shevchenko est née en Ukraine en 1965. Parlant couramment sept langues, elle a servi d'interprète lors de nombreuses rencontres gouvernementales et a écrit deux guides culturels sur la Russie et l'Ukraine. *Héritage* est son premier roman.

ANNA SHEVCHENKO

HÉRITAGE

Traduit de l'anglais
par Valérie Dariot

10
18

FIRST ÉDITIONS

Titre original :
Bequest

© A. K. Shevchenko, 2010.
© Éditions First-Gründ, Paris, 2011,
pour la traduction française.
ISBN : 978-2-264-05470-8

À la mémoire de Fedir et Rosa

PROLOGUE

Cambridge, 1er avril 2001

C'est l'éclairage, se raisonne-t-elle. *C'est à cause de cet éclairage lugubre*. Le carrelage a un éclat luisant sous le tube de néon. La lumière artificielle a gommé ses taches de rousseur, et dans son halo bleuâtre il ne reste plus de lui qu'un masque blafard. Elle se tient au-dessus du chariot sans savoir quoi faire de ses mains.

D'un geste mécanique, elle remet en place le drap et lisse deux plis à peine visibles juste au-dessous de l'épaule. Par mégarde, elle effleure le chariot et écarte sa main aussitôt en sentant le froid du métal remonter du bout de ses doigts jusqu'à sa poitrine. La pièce est glaciale. *Pourquoi en serait-il autrement ?* se dit-elle. C'est dans la nature du lieu.

La porte est restée entrebâillée, et à travers l'ouverture elle aperçoit un homme, la taille ceinte d'un grand tablier de toile cirée, occupé à laver un autre chariot métallique. La mousse rougeâtre qui s'en écoule est un mélange de sang et de détergent. Les restes d'une autre vie que l'employé nettoie avec application. Quand il dirige son puissant jet vers un coin de la pièce, le martèlement de l'eau éveille en elle le souvenir du clapotis de la pluie sur le toit de tôle de leur abri, une semaine plus tôt.

Puis elle entend un autre bruit, plus proche celui-là. Des pas. Des chaussures noires à lacets bleu marine. Leur claquement, nerveux et impatient, est affecté d'un léger bégaiement, pareil à l'aiguille des minutes sur la pendule de leur bureau, pareil au bégaiement du propriétaire de ces chaussures quand il prononce son nom : « K-K-Kate… » Elle essaie de se rappeler ce qu'elle fait ici et tourne son regard vers le nouveau venu pour qu'il la renseigne. La chevelure en désordre, les traits empreints d'une calme intelligence, on le prendrait pour un professeur, mais c'est probablement l'air qu'ont tous les policiers dans cette ville universitaire.

Kate l'a taquiné ce matin-là au téléphone en l'entendant tenter de prononcer son nom de famille et buter sur ses nombreuses consonnes ponctuées de quelques voyelles dures, placées là pour faire bonne mesure : « Si c'est un nom imprononçable, alors c'est le mien », a-t-elle plaisanté. C'est toujours agréable de commencer la semaine par un zeste d'humour avec un parfait inconnu.

Mais cela se passait dans une autre vie, avant qu'il ne lui apprenne la nouvelle.

Après avoir confirmé l'heure et le lieu du rendez-vous, elle a quitté son bureau, pris un train puis sauté dans un taxi. Elle connaissait ce mécanisme de défense : en état de choc, les gens continuent de parler et d'agir comme si de rien n'était. Leur cerveau se coupe des émotions. Il les enferme sous un lourd couvercle et attend.

Bizarre que ce soit à elle qu'on ait demandé de venir, elle qui n'est ni une parente, ni une amie, ni même un représentant du consulat, juste une personne capable de l'identifier.

Dans la chambre réfrigérée, elle prend soudain conscience de s'être un peu trop attardée sur une simple reconnaissance du corps et s'empresse de hocher la tête. « Oui, c'est bien lui. » Puis, devant le regard perplexe de l'inspecteur, comprenant que les mots ne sont pas sortis de sa gorge, elle s'efforce de les expulser.

— Oui, c'est bien lui.

Elle prononce un nom à l'âpre consonance étrangère et, à bout de souffle, se tait.

— Merci, mademoiselle L-L-L... dit le policier, butant une fois de plus sur son patronyme. Merci, Kate.

Ils quittent ensemble le local. Arrivée en haut de l'escalier, dans le couloir éclairé par la lumière d'un après-midi gris, elle trébuche sur un récipient tapissé d'un sac couleur jonquille. La poubelle réservée aux déchets médicaux. *Pourquoi avoir choisi ce jaune déplacé dans un endroit pareil ?* se demande-t-elle. En dépit de son agacement, Kate se sent soulagée d'être enfin sortie de cette chambre froide, de ce sous-sol sinistre, soulagée aussi de ressentir enfin une émotion.

L'inspecteur principal passe une main dans ses cheveux, ajoutant encore à leur désordre. Il la bombarde de questions, qu'il répète inlassablement jusqu'à ce qu'elle lui réponde.

— Quelles étaient vos relations avec le défunt ?

Je le connaissais mieux que je ne me connais moi-même, pense-t-elle, mais elle déclare :

— Je le connaissais à peine.

— Pourtant, il vous a désignée comme la personne à contacter en cas d'accident dans ce pays. Savez-vous pourquoi ?

Elle hausse les épaules.

— Je n'en ai aucune idée. Peut-être parce que je suis avocate. Il aura pensé que je pourrais régler ses affaires au cas où...

— Au cas où qu-qu-quoi ?

Le bégaiement du policier s'accentue dans son empressement à l'interroger.

Incapable de se concentrer plus longtemps, elle rétorque :

— Au cas où, point final.

— Avez-vous en votre possession des objets qui auraient appartenu au défunt ?

Elle fait non de la tête, avec un peu trop de conviction peut-être.

— Quand avez-vous v-v-vu le défunt pour la d-d-dernière f-f-fois ?

Pourquoi s'entête-t-il à l'appeler le « défunt », comme s'il évitait de prononcer son nom ? Est-ce une technique policière pour dissocier les gens de la situation présente, afin qu'ils puissent calmement répondre aux questions avant d'être terrassés par le chagrin ?

L'homme la pousse vers la sortie, signe le registre et la laisse partir, sans toutefois oublier de l'avertir.

— Nous vous rec-c-c-contacterons. Veuillez ne pas quitter le p-p-p-pays.

En dépit du bégaiement, le ton est d'une fermeté sans appel.

Elle retrouve dehors les couleurs et les reliefs du monde extérieur, un monde dont elle ne fait plus partie. Elle n'est plus qu'une spectatrice d'une super-production en 3D intitulée *Scènes du quotidien*.

En voyant une ambulance passer devant elle toutes sirènes hurlantes et piler devant la porte des urgences, elle se souvient qu'elle se trouve dans un hôpital, un lieu destiné à sauver des vies.

Près de la porte du laboratoire de recherche, un garçon aux cheveux roux bavarde avec une jeune Japonaise dans un blouson de nylon brillant. Ses mains parlent pour lui. Il ferme les poings, les lève jusqu'à sa poitrine, puis ouvre ses paumes comme le ferait un prestidigitateur. Son charme de magicien semble agir, car la jeune femme ne cesse d'opiner et de sourire telle une poupée de porcelaine.

Près d'eux, une autre fille trop jeune pour être médecin essaie de garer sa Mini Cooper sous le panneau « *Réservé au personnel de l'université* ». La voiture proteste et fait entendre une série de détonations. Sur la carrosserie aux couleurs vives, les bandes blanches sont masquées par la rouille, mais le vert du capot est encore intact.

Kate passe devant le magicien, la poupée de porcelaine puis la voiture, et sent soudain comme un coup violent à l'abdomen. Pliée en deux par la douleur, elle n'a pas d'autre choix que de se laisser tomber au sol derrière un véhicule de police. Une vague de chaleur monte jusqu'à sa gorge et gagne son corps tout entier.

Non, elle n'est pas prête à encaisser sa mort, à supporter cette souffrance, à vivre avec la sensation nouvelle du danger qui la guette.

« Si vous r-r-retrouvez dans vos af-f-f-faires des ob-b-bjets ayant appartenu au défunt… » lui a dit l'inspecteur.

Trois objets, voilà ce qu'il lui a laissé, et le soin de se débrouiller toute seule avec eux. Un morceau de son rêve, celui qui allait sauver son pays. Lâchée dans le monde sans lui, elle demeure lestée de son terrible secret.

— Ça ne va pas ? s'enquiert l'inspecteur, réapparu devant elle.

Il semble soucieux au point d'en oublier son bégaiement.

— Laissez-moi vous raccompagner à la gare. C'est à moins de cinq minutes d'ici.

Dans la voiture, les questions du policier lui reviennent comme un écho à travers le bruit lancinant de la douleur.

— Où étiez-vous hier soir entre 19 heures et 23 heures ?

Elle se tourne vers lui.

— Vous m'avez parlé d'un accident. Vous ne seriez pas en train de me soupçonner, par hasard ?

L'inspecteur grimace et détourne la tête comme s'il venait d'apercevoir à travers le pare-brise une chose invisible pour sa passagère.

— L'analyse toxicologique n'a rien donné de probant... Bien sûr, nous n'excluons pas la thèse du suicide.

L'homme se tait, visiblement contrarié d'en avoir trop dit. Ils poursuivent leur trajet en silence. Quand ils arrivent à destination, en guise d'au revoir, il lui lance :

— Ap-p-p-pelez-nous si quelque-chose vous revient.

Elle doit continuer d'avancer si elle veut survivre. Elle place lentement un pied devant l'autre sur le bitume graisseux du quai. Elle ignore où ses pas la portent. Chacun est plus lourd que le précédent, tandis que les battements de son cœur s'accélèrent. De plus en plus lourd, de plus en plus vite. *Un train de douleur m'emporte...*

— À quelle heure est le prochain départ pour Londres ?

Elle doit s'échapper d'ici, fuir l'éclairage blafard du néon, fuir cet homme dans cette salle qui... qui était l'amour de sa vie. À cet instant précis, elle le revoit très nettement. Il s'éloigne d'elle sur ce quai, balayant sa frange de ses longs doigts fins. Elle l'appelle, mais quand il se retourne, ses traits sont floutés comme ceux d'un témoin anonyme dans un reportage.

Je n'arrive plus à voir ton visage, pourquoi ? se demande-t-elle dans un accès de panique. *Est-ce qu'il y a d'autres choses que tu me caches ?* Les propos embarrassés du policier lui reviennent en mémoire : « L'analyse toxicologique n'a rien donné de probant… »

Est-ce que tu te droguais ? Qu'est-ce que je ne sais pas de toi ? Avais-tu une autre identité ? Une autre femme ? Une autre vie ?

Le train entre en gare. *Fais-le pour lui, fais-le, fais-le…* Soudain, c'est comme une révélation. Elle sait quoi faire de son secret, où découvrir la vérité. Il lui suffit de sauter dans un avion, d'annuler quelques rendez-vous, de raconter quelques mensonges.

Écoute. Elle va jusqu'à employer l'une de ses formules favorites pour mieux le convaincre. *Je n'ai pas le choix. Je dois aller là-bas. Je dois le faire pour toi et pour le repos de ton âme, dussé-je ne jamais en revenir.*

PREMIÈRE PARTIE

Sur les traces du passé

« Une mémoire qui n'opère que dans le passé
n'a rien de bien. »
De l'autre côté du miroir, Lewis CARROLL (1832-1898)

λ

1

TARAS

Moscou, février 2001

C'est l'éclairage, se raisonne-t-il. *C'est à cause de cet éclairage lugubre.* Le carrelage a un éclat luisant sous le tube de néon. La lumière artificielle a gommé ses taches de rousseur et dans son halo bleuâtre il ne reste plus de lui qu'un masque blafard dans le miroir. Il se tient au-dessus du lavabo, sans savoir quoi faire de ses mains.

La pièce est zébrée par les ombres intermittentes d'une gigantesque enseigne lumineuse perchée sur le toit du bâtiment d'en face. Banque... Ifa.

Il n'y a personne d'autre que lui dans les toilettes. Il a donc largement le temps d'examiner son reflet tandis qu'il se savonne les mains. Son teint cadavérique, une tache noire sur sa lèvre inférieure, une étroite bande de duvet blond au-dessus de sa lèvre supérieure. A-t-il vraiment l'air plus vieux avec une moustache, ainsi que l'affirme sa logeuse ? Et qu'entend-elle par là ? Plus mûr, plus distingué ? Ou bien plus fripé et défait ?

Taras cherche sur son visage un indice de sa découverte du jour, une étincelle dans le regard, un sourire en coin, mais il ne voit que des yeux sans éclat sur un masque blême. Pourquoi a-t-il l'air aussi fatigué ? *C'est l'éclairage, forcément*, se répète-t-il. Puis il examine ses mains. C'est la cinquième fois qu'il les lave aujourd'hui. *Mieux qu'hier*, juge-t-il avec l'impartialité d'un entraîneur face à une jeune recrue.

Il ouvre ses paumes et les contemple d'un air indécis. Faut-il les essuyer avec une serviette en papier ou bien sortir dans le couloir en battant des bras tel un coq excité ?

Un peu de dignité, lieutenant Petrenko, l'admoneste l'entraîneur.

Taras pousse la porte des toilettes d'un coup d'épaule et marche vers la lumière accueillante du poste de garde au bout du couloir. Cette guérite de contreplaqué semble déplacée dans ce lieu, dont chaque colonne est un monument à la gloire du pouvoir. Le vigile qui l'occupe a l'air tout aussi incongru : le sergent à la mine grave et impassible d'autrefois a fait place à un colonel à la retraite qui boit de la tisane dans une tasse ébréchée à fleurs rouges et liséré doré. Le doux parfum des feuilles de framboisier sauvage, vieux souvenir d'enfance, emplit la guérite.

L'homme délaisse un instant son exemplaire des *Izvestia* pour regarder celui qui s'avance vers lui.

— Vous travaillez tard, lieutenant Petrenko. Vous ne célébrez pas la fête de l'Armée avec les autres ?

Le visage du colonel ne trahit aucune surprise. Le résultat d'un long entraînement ou bien la marque de son indifférence. Le temps où il radiographiait les pensées des gens est révolu. Il se contente désormais d'arrondir sa maigre pension de retraite.

Qu'achètera-t-il avec ce supplément de revenus ? se demande Taras en signant le registre de sortie. Un inhalateur importé des États-Unis pour soulager son angine de poitrine ? Une poupée Barbie pour sa petite-fille ?

Ce ne doit pas être facile pour un ancien colonel du K.G.B. de s'habituer à cette nouvelle époque d'abondance. Du temps de l'Union soviétique, les pénuries et les rayons vides étaient les clés de son pouvoir : « Nous avons tout, et eux n'ont rien. Nous avons les passe-droits, les réseaux, les relations, eux n'ont rien de tout ça. » À présent, la distinction entre « eux » et « nous » n'est plus qu'une affaire de compte en banque. La liberté et le choix vous sont offerts, à condition d'avoir de quoi les payer.

Taras ressent le besoin de parler à quelqu'un. Il s'apprête à regagner un appartement vide, et son propre reflet dans la glace n'est pas le plus enthousiasmant des interlocuteurs.

— Vous non plus, vous ne célébrez pas la fête de l'Armée, on dirait. C'est pourtant la vôtre aussi.

— Plus maintenant, ce temps-là est fini.

Le colonel hausse les épaules et regarde Taras par-dessus la monture de ses lunettes.

— Depuis qu'ils l'ont rebaptisée « fête des Défenseurs de la patrie », il y a presque dix ans, j'ai jamais pu m'y faire.

— Je connais ce parfum. C'est de la tisane de framboisier que vous buvez ? s'enquiert Taras pour changer de sujet.

Le visage du vieil homme s'éclaire.

— Du framboisier sauvage, précise-t-il. Il en pousse beaucoup autour de ma datcha. Chez nous rien ne se perd, lieutenant Petrenko. Ma petite-fille cueille les framboises, et Valentina Nikolaïevna, ma moitié, récolte les feuilles et les fait sécher. Cette tisane est un remède magique, vous pouvez me croire. Vous savez quoi ? J'en bois depuis que nous avons ces arbustes et je me suis aperçu que ça guérissait beaucoup plus de maladies qu'on ne le dit dans les livres. Le secret, c'est de récolter les feuilles à la fin du mois de mai, quand elles sont encore fraîches et pleines de sève…

Sans s'en apercevoir Taras s'est laissé captiver. Il écoute le vigile en opinant de temps à autre, une fois de plus réduit au rôle d'oreille attentive.

— Et je ne parle même pas de ses vertus pour certains problèmes typiquement masculins…

Il n'est pas si vieux après tout, songe Taras. Dans leur branche, les retraités sont des hommes encore verts. L'ex-colonel vient de marquer une pause, et Taras profite de ce court répit pour s'esquiver.

— Tout ça est passionnant, mais je dois y aller, je ne voudrais pas rater le dernier métro.

Ses pas résonnent dans le vaste hall comme si, caché dans l'ombre au-dessus de sa tête, un géant suivait chacun de ses mouvements.

Quand il pose la main sur la poignée de cuivre, Taras est immédiatement renseigné sur la température extérieure. Il pousse la porte, emplit ses poumons de l'air de la nuit moscovite, puis d'un pas alerte traverse la place déserte sans prêter attention aux voitures. Il est trop tard et il fait trop froid pour que des véhicules circulent encore. Quelques flocons de neige dansent autour de lui. Trois minutes à grimacer contre le vent, à sentir le bout de son nez insensibilisé par le froid, et enfin il peut plonger dans la bouche chaude du souterrain. Taras adore le métro de Moscou, la majesté des marbres gris à la station Maïakovskaïa, les accents patriotiques du granit rouge à la station Paveletskaïa, la nostalgie rafraîchissante des fresques ornées de joyeux paysans ukrainiens à la station Kievskaïa… Chaque fois qu'il glisse son jeton dans le tourniquet, s'engage dans l'escalator, puis qu'il grimpe dans une rame, il a la sensation d'abandonner le contrôle de sa vie. Il n'y a qu'ici, pendant ses trajets, qu'il peut s'avouer que tout dans son existence n'est qu'un ersatz, un substitut au rabais, à l'image de ce breuvage à la chicorée vendu pour du décaféiné à leur cantine. Même fadeur, même absence de goût, même déception. Et dire qu'il a seulement deux ans de plus que Jésus à l'âge de sa mort.

Taras travaille pour le F.S.B., le Service fédéral de la sûreté, mais au lieu d'intégrer l'unité de contre-espionnage dont il rêvait, il s'est trouvé relégué aux archives.

« *Concentré, déterminé, bon stratège* », disait son dossier à l'académie. Mais une autre mention accompagnait cette appréciation, une mention qui devait broyer toutes ses ambitions. « Nationalité : *ukrainienne.* »

Qui aurait pu penser que le temps qu'il obtienne son diplôme de l'académie du F.S.B. sur Mitchourinski Prospekt, l'Ukraine aurait basculé dans le camp des ennemis ?

Taras habite Moscou, ce qui fait l'envie de ses anciens camarades d'université. Mais il consacre l'essentiel de son maigre salaire au loyer d'un studio minable dans une cage à poules de Tchertanovo, une banlieue-dortoir en bordure du périphérique.

Certes, il paraît plus jeune que son âge. Ses biceps tendent encore le coton de son T-shirt et dans la rue des jolies filles l'observent à la dérobée, mais où recevrait-il sa petite amie s'il en avait une ? Sur son canapé aux ressorts déglingués ?

Une vraie petite amie, cela va de soi. Loussia, la vendeuse de fruits et légumes du coin de la rue, ne compte pas. Ils avaient fait connaissance autour d'un ananas, puis la conversation avait glissé sur le prix des clémentines et, pour finir, ils avaient croqué le fruit défendu.

Quatre années de rencontres à la sauvette arrosées d'alcool bon marché. Quand elle avait un verre dans le nez, Loussia l'interrogeait sur leur avenir et parlait de s'installer avec lui. De temps en temps, il lui arrive encore de soupirer au souvenir de sa poitrine et du regard coquin qu'elle lui lançait quand elle lui tendait son sachet de pommes comme à n'importe quel client.

Pourtant, il est soulagé de ne pas passer une autre soirée à se demander, en fonction des livraisons réceptionnées au magasin, si les mains de Loussia sentiront la banane ou bien le chou rance quand elles s'accrocheront à son cou.

Depuis qu'elle est partie, Taras en est réduit à scruter les *pletchevié*, les « épaulardes », sur son trajet entre la station de métro et la tour qui abrite son studio. Ces gamines en blouson synthétique et minijupe tapinent le long du boulevard périphérique. Parfois un routier s'arrête et les promène de ville en ville dans la sécurité illusoire d'une cabine de poids lourd, en échange de quoi elles n'ont qu'à balancer leurs jambes par-dessus ses épaules dans l'obscurité d'une aire d'autoroute. Taras en a ramassé une l'année dernière. Enfin, presque, car là encore sa tentative était vouée à l'échec.

Alors qu'il passait devant elle, une fille lui avait lancé un regard sous sa frange. Elle avait les yeux bruns et humides d'un chiot malade. Il ne lui avait pas adressé la parole. Il avait juste articulé « Viens » et elle avait hoché la tête. Elle souriait (de timidité ou de triomphe, il n'aurait pas pu en juger dans la lumière déclinante d'une soirée d'hiver) alors qu'elle le suivait en trottinant le long de l'étroit chemin ouvert dans la couverture de neige piétinée. Elle marchait la tête enfoncée dans les épaules, attentive à chacun de ses mouvements, en reniflant bruyamment. Tout à coup, la pensée lui était venue que même si elle paraissait plus vieille que son âge, cette fille était probablement mineure. S'il la ramenait chez lui, elle connaîtrait son adresse et risquerait de le faire chanter.

Bravo, Taras, voilà qui ferait avancer ta carrière, s'était-il dit. *C'est ça, vas-y ! Ruine donc ton avenir pour un instant de plaisir fugace.* Il s'était alors tourné vers la fille pour lui faire signe de décamper d'un geste. Elle s'était figée et, indécise, l'avait regardé en dansant d'un pied sur l'autre. Il avait refait le même geste, et alors seulement elle avait compris. Elle avait déversé sur lui un flot d'injures en battant la neige du bout de sa botte éraflée, avant d'abdiquer et de regagner son poste près du boulevard périphérique. Au fond, cette fille et lui étaient assez semblables. Provinciaux solitaires perdus dans la grande ville, ils rêvaient tous deux d'une autre vie.

Mais, à la différence de cette gamine résignée, lui n'avait pas encore renoncé, il conservait l'esprit combatif acquis grâce à son entraînement.

Connaître son ennemi, tel était l'intitulé d'un cours en cinq leçons qu'il avait suivi à l'académie et qu'il continuait de mettre à profit.

Première étape. Identifier son ennemi. Connaître son objectif, les armes à sa disposition et ses tactiques.

Dans le cas présent, la première étape était un jeu d'enfant. L'ennemi s'appelait « mégapole ». Son objectif : dévorer froidement de pauvres provinciaux. Ses armes : l'isolement, un emploi détesté, les souvenirs du passé. Ses tactiques : l'étouffement à petit feu de tout rêve et de toute ambition.

Deuxième étape. Pour combattre l'ennemi, oublier la colère et le ressentiment, rester concentré sur le travail à accomplir. L'autodiscipline est la clé.

De jour en jour, pas à pas, il menait son combat solitaire contre cette ville, soutenu par le coussin de buée que dégageait son souffle le dimanche matin dans le bassin d'une piscine à ciel ouvert, réconforté par les films américains sous-titrés qu'il louait au vidéoclub du quartier deux soirs par semaine.

La plupart du temps, il s'en sortait plutôt bien, sauf pour les souvenirs. Les souvenirs, c'était le pire. Ils étaient beaucoup plus difficiles à combattre. Ils pouvaient lui tendre une embuscade au moment où il s'y attendait le moins. Le frapper par surprise avec quelques notes d'une vieille chanson, un parfum flottant dans l'air ou un visage entraperçu dans la foule.

Mais Taras avait trouvé la parade. Trois soirs par semaine, à l'issue d'un trajet de quarante minutes dans un autobus bondé, il entrait au club, enfilait ses gants de boxe et n'avait plus rien d'autre en tête que son crochet du droit. Plus rien n'occupait son esprit que la pensée d'esquiver le prochain coup.

Habiter cette ville était pour lui une manière de se préparer à l'action. Il avait pris l'habitude de la regarder vivre, d'analyser ses mouvements et ses erreurs, d'observer ses victimes. En ce moment même, dans la rame qui gagne de la vitesse, il peut se livrer à un petit exercice. Les yeux mi-clos, Taras passe en revue les voyageurs qui l'entourent, un réflexe pris du temps de l'académie. Un couple dans un coin. L'homme, ventripotent, chauve et concupiscent, serre la femme d'un peu trop près et lui glisse quelques mots à l'oreille. De ses mains couvertes d'engelures, sa compagne joue nerveusement avec un bonnet blanc de mohair posé sur ses genoux et rit en renversant légèrement la tête en arrière. Il n'est pas difficile de deviner comment ces deux-là vont terminer la nuit.

Le wagon tressaute. Assis face à lui, un garçon vêtu d'un blouson de cuir noir bien trop léger pour un mois de février glisse de son siège, puis se redresse d'un bond. L'espace d'un instant, son regard vitreux passe à travers Taras pour se perdre dans le trou noir du tunnel, puis le jeune homme recommence à piquer du nez en se balançant sur un rythme syncopé. *Pas encore accro*, pense Taras, *mais déjà consommateur*.

Près de lui, un homme coiffé d'une toque de daim est plongé dans son journal. Son chapeau et son manteau en peau de mouton sont luxueux mais démodés. Son coude est appuyé sur un attaché-case en cuir verni dont les coins sont usés. *Un ingénieur en chef ou bien un directeur d'usine dans le secteur de la défense*, suppute Taras. Un personnage habitué à se déplacer dans une Volga noire avec chauffeur attitré. L'affaire est aujourd'hui moins florissante, et il en est réduit à prendre le métro. Alors, gêné, il cache son visage derrière le journal qu'il fait semblant de lire.

Argoumenty i Fakty, tel est le titre du périodique. Des arguments et des faits, voilà à quoi se résume le travail de Taras désormais. Étudier les faits et fournir des arguments.

Il y a sept ans, quand le F.S.B. a annoncé sa nouvelle « politique de transparence », des circulaires internes ont laissé entendre qu'à titre préventif il serait judicieux de procéder à un examen attentif des fichiers qui allaient être ouverts au public. Il n'aurait pas fallu qu'un journaliste fouineur, inconscient des conséquences de son acte, aille déterrer certaines affaires dans le seul dessein de provoquer un scandale qui lui vaudrait la célébrité. Quelqu'un s'est alors souvenu que le lieutenant Petrenko, embauché en juin à sa sortie de l'académie, était diplômé d'histoire. C'est ainsi que Taras a été muté aux archives du F.S.B. et chargé de passer au crible les vieux dossiers du prédécesseur du K.G.B., le N.K.V.D., service de sinistre mémoire, témoin de la paranoïa de Staline, des procès arbitraires, de l'allégresse d'un pays et de la terreur d'une nation.

Taras n'avait rien su des dérives tragiques du règne de Staline avant d'entrer à l'université. Pas un mot ne les évoquait dans ses cours d'histoire durant sa scolarité. Certes, il avait peu de chances d'apprendre quoi que ce soit dans son lointain village de montagne, où l'école occupait une grande pièce d'un seul tenant dans une miteuse *hata*, une maison traditionnelle ukrainienne à toit de chaume. Une dizaine d'enfants de tous âges y recevaient un enseignement lacunaire de la part d'un instituteur à la retraite qui faisait plus confiance à sa mémoire défaillante qu'aux livres loqueteux qui leur servaient de manuels.

En septembre, le jour de la rentrée, les élèves étaient accueillis par l'odeur écœurante de la peinture noire bon marché dont on avait fraîchement recouvert les graffitis ornant les tables. Les murs chaulés de la salle de classe n'étaient décorés que d'un portrait de Lénine accroché au-dessus du tableau noir et de deux planches de botanique, aux couleurs passées, masquant le plâtre écaillé sur le mur opposé à la fenêtre. Détestant l'école, Taras contemplait les deux affiches et comptait les punaises rouillées qui maintenaient la toile cirée sur l'appui de fenêtre en attendant la cloche qui lui rendrait sa liberté. Alors il pourrait s'élancer dans les rues du petit village endormi, franchir d'un bond la grande flaque qui ne s'asséchait jamais, longer le siège de la coopérative agricole, un bâtiment bas et tout décrépi dont le fronton était orné d'un drapeau aux couleurs délavées, passer devant le magasin du village perpétuellement cadenassé et courir au milieu des poules rousses ou noires qui s'ébattaient dans la poussière en compagnie de jeunes enfants morveux. Avant de prendre le chemin menant à la fraîcheur humide des bois emplis d'un parfum de champignons, jusqu'à la cabane de chaume toute de guingois et à son endroit secret au bout du potager, où, caché derrière les rangées de maïs et de tourne-sol, couché sur le dos, il contemplerait le ciel infini au-dessus de sa tête, rêverait d'un temps où, devenu un héros, il s'en irait très loin de là, porté par les nuages et par son imagination, et...

Cette soif de liberté est toujours enfouie en lui. Pendant ses heures aux archives, il lui arrive souvent de lever ses yeux fatigués des pages noircies de fines pattes de mouche et des verdicts dactylographiés à la hâte et, le regard fixé sur les murs verts qu'il a en horreur, reniflant dans l'air une odeur de peinture bon marché, de se sentir condamné, à l'image de ceux dont les destins s'empilent sur son bureau. Il y a dans ces dossiers une accablante infinité. Loin de diminuer, ils se multiplient et prospèrent, reprenant sans fin les mêmes formules : *Dix ans sans droit d'entretenir une correspondance... Condamné à mort par fusillade... Quinze ans de travaux forcés dans une colonie pénitentiaire à régime strict... Les enfants des ennemis du peuple seront confiés à un orphelinat...*

Il croit même les entendre. Pas tout le temps, pas tous les jours. Mais quand il a trop travaillé, quand les couloirs du service des archives sont déserts, il lui semble percevoir comme un écho lointain. Des voix gémissantes implorant la miséricorde, des aveux étouffés, des trahisons hésitantes. Ce trop-plein d'émotions le vide de toute son énergie. Il se sent comme un soignant chargé de veiller sur des malades au stade terminal, à cette différence près qu'ici il n'y a pas de fin.

Le dossier qu'il a pris sur les rayonnages ce matin porte le matricule N1247. Épais, soigneusement fermé par un ruban de coton effiloché retenant ses pages jaunies, rien ne le distingue des autres. Son titre, inscrit en haut à gauche, promet le grand frisson, le genre d'aventure dont raffolent les journalistes. Mais Taras reste de marbre en le lisant. Tous ces dossiers commencent comme des polars palpitants, mais au final ils ne contiennent que les sinistres comptes rendus d'interrogatoire de victimes innocentes, pour la plupart arrêtées sur dénonciation d'un citoyen bien intentionné qui a préféré garder l'anonymat.

À première vue, le dossier N1247 ne fait pas exception à la règle. Les deux premiers documents frappés de l'aigle bicéphale qui ornait jadis le sceau de la police secrète russe sont cousus à l'épais carton de la reliure avec du fil blanc ciré. Taras lit les dates : *Mars 1749... Juillet 1749...* Les lettres s'agrègent en nœuds reliés les uns aux autres comme autant de perles aux formes bizarres et composent des mots depuis longtemps disparus de la langue. Taras passe rapidement en revue le contenu du dossier. Les rapports qu'il contient couvrent près de trois siècles et concernent tous la même famille. Deux cent cinquante ans de surveillance policière. L'affaire devait être importante pour susciter autant de paperasse et de travail de terrain.

Viennent ensuite les rapports habituels dénonçant les membres de cette famille comme des ennemis du peuple et des espions à la solde des Britanniques, tous condamnés aux travaux forcés pour leur trahison envers la mère patrie.

Décembre 1923 : arrestation du « renégat », ambassadeur d'Ukraine à Vienne.

Novembre 1937 : compte rendu de l'arrestation et de l'interrogatoire d'Anatoli Poloubotko, professeur de mathématiques appliquées à l'université de Kiev.

Le dernier rapport est daté de mars 1962. Taras s'empare de son tampon « Confidentiel » comme il le fait dans toutes les affaires non classées, mais sa main se fige en l'air quand il reconnaît une signature familière au bas du document. Est-ce que... Est-il vraiment possible... Il se livre à un rapide calcul. Oui, c'est plausible. Son patron aurait eu dans les vingt-quatre ans à l'époque, c'était probablement l'une de ses premières affaires.

Taras rouvre l'épaisse chemise, notant au passage que le fil ciré qui en assemble les pages est légèrement lâche. Des feuilles en auraient-elles été arrachées ? Il lit au dos de la chemise la liste des gens qui ont eu ce dossier entre les mains avant lui. Tout est indiqué : leur grade, la date et l'heure. Les archivistes sont des gens méticuleux, en particulier ceux du N.K.V.D. Le registre compte dix-sept noms. C'est peu pour une affaire qui n'est pas encore classée. Puis Taras pointe scrupuleusement chaque document par rapport au sommaire collé à l'intérieur de la couverture. Au bout de deux bonnes heures, il finit par établir que trois pièces sont manquantes. Il se reporte à leur brève description au dos de la chemise.

Il s'agit de trois pièces décisives, des bombes de nature à modifier le cours de l'histoire.

À mesure que de nouveaux documents ont été versés au dossier, il semble que personne n'ait remarqué la disparition de ces pièces parmi les plus anciennes. Personne n'a jamais pris la peine de vérifier le contenu de la chemise dans son intégralité. Personne jusqu'à aujourd'hui. Si quelqu'un a dérobé ces papiers en vue d'un usage ultérieur, alors... Nouveau calcul. Le point de départ de cet éventuel usage ultérieur remonte à dix ans.

Taras lit le nom de l'archiviste inscrit en regard de la date du 17 novembre 1942, puis se renverse dans sa chaise et se balance d'avant en arrière, les pieds calés contre le mur. Les mains croisées derrière la tête, il ferme les yeux et sourit à sa bonne fortune, celle qui va enfin lui apporter la chance qu'il attend depuis si longtemps. Son imagination bâtit un grand escalier le menant à sa nouvelle carrière, aux missions excitantes. Il tient enfin l'occasion de s'échapper de ce trou.

Une telle occasion ne se présente qu'une fois dans une vie, et il a bien l'intention de ne pas la laisser s'échapper. Pas maintenant qu'il a vu la signature de son patron sous le compte rendu de mars 1962. Pas avec ce nom ressurgi de son propre passé inscrit à la date du 17 novembre 1942. Il sait où trouver les pièces manquantes de ce puzzle. Ou tout au moins il sait où commencer à les chercher.

Son statut de taupe des archives vient de prendre un tout autre sens. Il creusait patiemment en attendant ce moment. Les pages manquantes, si elles sont retrouvées, pèseront beaucoup plus lourd dans la balance politique que tous les arguments des parlementaires et toutes les projections des économistes. Elles bouleverseront l'équilibre géopolitique en Europe, elles changeront le cours de l'histoire et lui, Taras, tiendra le premier rôle dans cette aventure.

Taras quitte la chaleur du métro pour rejoindre la rue balayée par le vent. La neige durcie crisse sous ses pieds alors qu'il se hâte vers l'entrée puante de son immeuble. Le vide-ordures est obstrué. Une fois de plus, un petit plaisantin a fauché l'ampoule du porche. Dans l'ascenseur, les parois de la cabine sont couvertes de graffitis profondément gravés dans le plastique. Dès qu'il entre chez lui, au septième étage, Taras se dirige vers la salle de bains, où il se lave machinalement les mains. Il est tard, il a la tête ailleurs.

Il accomplit ensuite sa routine du soir : il emplit la bouilloire, prend le beurre et le fromage dans le réfrigérateur et sort le pain de son sac en plastique. Puis il s'assied à la table coincée entre le mur et l'appui de fenêtre. Le menton posé dans ses mains encore humides, il regarde dehors pendant que l'eau chauffe. Des cris lui parviennent de l'appartement de dessous. Il entend des bris de verre, le claquement d'une porte, puis la voix implorante d'un enfant. *Ces deux poivrots, ils ont encore oublié de nourrir Vassia*, pense Taras. *Le pauvre gosse réclame à manger.*

Boire du thé dans une cuisine exiguë en écoutant les scènes de ménage des voisins, quelle façon de célébrer la fête de l'Armée ! Il aurait peut-être dû se joindre à ses anciens copains de l'académie pour leur réunion annuelle. Mais il savait que tous parleraient de leurs marmots, de leurs vacances à l'étranger et de leur dernière promotion, un jargon qu'il ne maîtrise pas encore.

Bientôt, dans six mois tout au plus, lui aussi rentrera d'une mission spéciale, à lui aussi on confiera des tâches exigeantes. Une femme l'attendra peut-être, qui sait ? Une fiancée douce, patiente, fidèle et d'une beauté discrète. Un médecin ? Non, un médecin aurait des gardes de nuit. Or, il a besoin d'une femme qui reste à la maison et soit toujours disponible pour lui.

Une journaliste ? Trop dangereux, elle ne saurait pas tenir sa langue. Une institutrice serait parfaite. Au début, ils s'installeraient chez lui, jusqu'à ce qu'il ait les moyens de leur offrir un appartement plus grand. Elle hocherait la tête d'un air compréhensif quand il lui annoncerait : « Il faut que j'y retourne. Je ne sais pas quand je rentrerai. Ce soir, peut-être, ou bien la semaine prochaine. »

Quand il regagnerait son foyer, il lèverait les yeux vers sa fenêtre au septième étage et la devinerait penchée sur une pile de copies à la table de la cuisine. Tous les habitants de l'immeuble d'en face la regarderaient et penseraient : *Elle reste là à attendre patiemment son retour. Quel veinard, ce type !*

Un sachet de thé indien de mauvaise qualité et deux carrés de sucre blanc. Toujours le même rituel. Taras porte sa tasse à ses lèvres et continue de regarder dehors. Ici, personne ne s'embête à tirer ses rideaux et, dans les immeubles serrés les uns contre les autres, chacun peut suivre le feuilleton du soir. Taras en connaît par cœur tous les rôles. Quatrième étage, troisième fenêtre en partant de la gauche : un homme en maillot de corps et pantalon de jogging vautré sur son canapé fait signe à deux fillettes de s'écarter de la télévision. Il est tard, et les petites devraient être au lit, mais leur père s'en fiche. La mère, comme beaucoup d'autres en ville, fait la navette avec la Turquie pour rapporter à Moscou d'énormes ballots de vêtements destinés à être revendus sur les marchés. C'est ainsi qu'elle gagne le pain de la famille, mais elle ne voit jamais ses gosses.

Au sixième étage, dans l'appartement situé face au sien, la locataire en soutien-gorge est installée devant son miroir posé sur l'appui de fenêtre. Une femme âgée et solitaire qui applique son maquillage d'un mouvement circulaire, étudié et mécanique. Cinquième étage, deuxième fenêtre en partant de la droite : ils se disputent encore. Ou plutôt il la frappe encore. Taras ne voit pas le visage de la femme, mais n'a aucun mal à imaginer son expression soumise et ses traits déformés par la douleur quand le poing de son compagnon rencontre sa joue. Pourquoi ne le quitte-t-elle pas ? Ils n'ont pas d'enfant, pour autant qu'il sache. De plus, à en juger par les murs nus et le visage couperosé et bouffi de l'homme, l'argent du ménage doit être dépensé en vodka. Victime du sort de trop nombreuses femmes en Russie, elle croit, selon l'adage populaire, que s'il la bat, c'est qu'il l'aime. Ne voit-elle pas qu'elle pourrait faire un autre choix ?

Taras repense au dossier. Arguments et faits. Les faits, il les connaît. Il ne reste qu'à trouver les arguments. Son choix est plus difficile que celui auquel est confrontée sa voisine d'en face. À bien y réfléchir, il n'a pas trente-six solutions. Il peut éventer l'affaire, monnayer son secret ou bien tout garder pour lui.

Les deux premières options bouleverseraient la vie de millions de gens. La troisième n'est qu'une affaire à régler entre lui et sa conscience. Il se rappelle le conseil du colonel Sourikov, son professeur à l'académie : « Si tu n'as pas une vision d'ensemble de l'opération, commence petit et traite les problèmes au jour le jour. » Obéissant à ce précepte, Taras décide d'attaquer par une simple ligne du dossier N1247, celle qui contient le nom de l'archiviste inscrit à la date du 17 novembre 1942. Cela implique un retour dans son propre passé, dans la ville de ses études universitaires. Encore un dernier coup de téléphone pour s'assurer qu'elle est toujours vivante. Il lui rendra visite samedi. Ce sera un week-end de détente peuplé de ses souvenirs de jeunesse. Personne n'a besoin d'être au courant. Pas encore.

2

Lvov, Ukraine, mars 2001

La sonnette électrique de la porte d'entrée entonne sa mélodie, la même qu'à l'époque où il fréquentait l'université. Elle rejoue sans fin quelques notes mélancoliques d'une valse qui lui semble familière. Quelques années auparavant, ce carillon était encore une nouveauté. Taras s'en souvient bien, comme lui reviennent soudain en rafale tous les sons d'alors : les rires et les plaisanteries des étudiants et sa voix à elle, chaleureuse et ponctuée de quintes de toux. Sa porte était toujours ouverte. Entre eux, ils appelaient cette maison l'« annexe de la fac d'histoire ». Un surnom d'autant plus justifié que la saga familiale de cette femme s'inscrivait totalement dans l'histoire du pays : l'exil, les camps de Staline, les samizdats des dissidents qui circulaient sous le manteau.

L'endroit était également connu comme la « bonne soupe de Sara ». Taras n'avait jamais compris comment elle parvenait à les nourrir tous avec sa maigre pension. La rumeur était peut-être fondée, peut-être était-il vrai qu'elle recevait des dollars de Radio Liberté en mémoire du glorieux passé de dissident de son défunt mari. Quel était le prénom de cet homme ? Vassil, oui, c'était ça, Vassil Ivanovitch. Taras ne doit pas oublier de présenter ses condoléances. Il a appris sa mort il y a plusieurs mois en lisant la rubrique nécrologique d'un grand quotidien national.

Taras garde son doigt appuyé sur le bouton de la sonnette jusqu'à ce que Sara vienne lui ouvrir.

— Sara Samoïlovna, *zdravstvouïte* !

Il la salue en russe, car elle a grandi à Moscou et se sent plus à l'aise avec cette langue qu'avec l'ukrainien.

— Tarassik ! Ça fait longtemps que tu attends devant cette porte ? Quand je suis dans la cuisine, je n'entends pas toujours le carillon. Maintenant que mon mari n'est plus, ma vie s'en est allée, et la plupart du temps je ne réponds pas quand quelqu'un sonne à ma porte.

— La semaine prochaine, c'est le 8 mars, la journée de la Femme, alors…

Sur ces mots, il lui tend un bouquet. Il ne se souvient même plus quand il a acheté des fleurs à une femme pour la dernière fois.

Elle semble vraiment se réjouir de son cadeau et de sa visite. Elle est la personne la plus sincère qu'il ait jamais rencontrée, aussi bien dans la colère que dans la générosité. Un sourire couvre ses traits délicats d'un réseau de fines rides. Elle est toute menue, encore plus que dans son souvenir, mais son regard reste vif. Bien que vêtue d'une robe de finette informe, elle garde la beauté délicate d'une rose d'automne aux pétales fripés, à l'éclat solitaire.

Elle s'active autour de lui pour lui prendre son manteau et lui tendre une paire de pantoufles de feutre d'un vert délavé. En la regardant faire, Taras comprend qu'elle se donne ainsi du temps pour reprendre son souffle. Elle n'est plus aussi vive qu'autrefois, et le simple fait de venir lui ouvrir la porte a dû en coûter beaucoup à son corps fatigué.

Taras la suit jusqu'à la pièce qui lui sert de bureau et prend le temps d'examiner son reflet dans le miroir du vestibule. Son sweat-shirt Nike lui donne un air décontracté sans être négligé. La fine monture en métal argenté de ses lunettes est de fabrication allemande. Il espère qu'elle le remarquera. Il voudrait enfin être admiré d'elle et l'entendre dire : « Oh, Tarassik, comme tu as bonne mine ! Quand je pense qu'autrefois nous t'appelions notre "parent pauvre". Tu as bien changé depuis. »

À l'intérieur de l'appartement, il semble qu'un déménagement se prépare. Les tapis sont roulés le long des murs, les étagères ont été vidées, et des livres à reliure de cuir traînent un peu partout. Leurs piles poussiéreuses encombrent le canapé rouge démodé et, à travers la porte entrouverte, Taras voit d'autres ouvrages entassés sur le parquet de la chambre, au pied d'un lit des années 1950 au cadre orné de cônes en aluminium. Sara Samoïlovna s'excuse.

— Ne fais pas attention au désordre. Comme tu le sais sûrement, mon mari est décédé l'année dernière et nous essayons de faire le tri dans sa bibliothèque. Une grande partie sera donnée à l'université.

Il trouve étrange l'emploi de ce « nous », comme si elle consultait son défunt mari sur chaque titre de la collection.

— Ce travail occupe presque tout mon temps ces jours derniers, ajoute-t-elle avec un soupir plein de tristesse.

Taras n'a même pas le temps de se proposer de l'aider qu'elle a déjà déplacé une pile de livres pour lui faire de la place sur le canapé.

— Tarassik, assieds-toi. Moi, je préfère rester debout, lui dit-elle avec un rire malicieux. J'ai passé assez de temps comme ça sur la sellette dans ma vie.

Il a souvent entendu cette plaisanterie. Arrêtée pendant la guerre en tant qu'épouse d'un ennemi du peuple, Sara a passé sept longues années en prison et n'a été réhabilitée qu'après la mort de Staline. Sa toux persistante est une séquelle des camps. Elle semble avoir encore rapetissé depuis la dernière fois qu'il l'a vue. Quand il s'assied et qu'elle s'appuie contre le rebord du bureau, ils se retrouvent à la même hauteur, et Sara n'a plus à parler au slogan *Just do it* imprimé sur le sweat-shirt de son visiteur. Encore une de ses astuces pour défier la vieillesse.

Quel tempérament ! Tout occupé à admirer l'intelligence de cette femme, Taras entend à peine la question qu'elle lui pose.

— Alors, comment avancent tes recherches ? Tu en as de la chance, de travailler à Moscou !

Personne dans cette ville ne sait qu'il a passé vingt-deux longs mois à l'académie du F.S.B. ni qu'il travaille maintenant pour eux comme documentaliste. Sara le croit chercheur aux Archives nationales installées dans le fameux bâtiment bleu azur de l'Institut d'histoire et des archives, non loin de la place Rouge. Mais ce n'est pour lui qu'une couverture.

Il s'attendait à cette question et a déjà préparé sa réponse. Cependant, assoiffée de mots, Sara Samoïlovna continue de parler sans discontinuer. Le souffle court, entre deux inspirations sifflantes, elle soumet son visiteur au feu roulant de ses questions.

— Alors, dis-moi, est-ce que tu as une fiancée ? Tu es probablement trop occupé pour ça, tu travailles dur, comme toujours. Et puis les filles de Moscou ne sont pas les plus faciles à contenter. Quand tu commences à en fréquenter une, elle te prend tout ton temps. Crois-moi, je sais de quoi je parle ! J'aimerais tellement y retourner avec toi, retrouver le Moscou de mon enfance. La ville doit avoir énormément changé. Je ne reconnaîtrais sûrement plus rien. Je me rappelle mon quartier comme si c'était hier. Ses peupliers, ses étangs… J'ai encore la mémoire vive, tu sais. Trop vive parfois. Il y a tant de choses dans mon passé que je préférerais oublier. Mon Dieu, comme les temps ont changé ! Si quelqu'un m'avait dit il y a seulement dix ans que l'Ukraine prendrait son indépendance pacifiquement, sans effusion de sang, sans arrestations arbitraires, j'aurais ri. J'aurais dit à ce fou d'aller… Enfin tu me comprends. J'ai oublié beaucoup des jurons appris pendant mes années de captivité, mais je me rappelle très clairement l'entrée des chars soviétiques dans Prague en août 1968. À ce propos, tu te souviens de ces articles sur les Cosaques, ceux qui ont valu à mon mari d'être arrêté après la guerre pour déviationnisme nationaliste ? Je te les ai montrés un jour, tu t'en souviens ? Eh bien, écoute le dénouement de cette histoire : j'ai reçu un appel du rédacteur en chef d'un magazine national d'information me demandant l'autorisation de les publier à l'occasion de la commémoration des dix ans de l'indépendance de l'Ukraine. Il a même parlé d'organiser des lectures publiques, tu te rends compte ? Qui aurait pu croire qu'une chose pareille arriverait ?

Son corps desséché est alors secoué par une nouvelle quinte de toux. Taras la regarde avec inquiétude. Les lèvres de Sara se referment en formant un joli *O*. La toux s'arrête aussi soudainement qu'elle était venue, et le visage de Sara Samoïlovna s'éclaire d'un sourire.

— En parlant de souvenirs, enchaîne-t-elle. Quand tu m'as appelée, tu m'as parlé d'un projet pour le musée de l'Institut d'histoire.

Taras sourit à son tour.

— C'est exact. L'Institut a décidé de rendre hommage aux meilleurs de ses anciens étudiants et m'a chargé de créer un mémorial. Votre mari y a fait ses études dans les années 1930, et nous voudrions dédier une partie de l'exposition à ses travaux. Notre fonds détient une collection de ses publications à partir de 1947, hélas, nous ne savons rien de sa vie ni de ses recherches pendant la guerre. Peut-être avez-vous conservé des documents, des livres ou des lettres de cette époque ?

Il parle d'une voix enthousiaste et pleine d'assurance. Il a choisi la bonne tactique d'approche. Les souvenirs de son mari sont tout ce qu'elle possède, et Sara a le cœur généreux, elle sera ravie de partager son trésor avec le reste du monde. Elle pivote sur ses talons avec une agilité surprenante pour une femme de son âge et ouvre un tiroir du bureau. Elle en sort deux feuilles jaunies pliées en triangle, un mince livre relié de toile aux pages imprimées sur un papier gris de mauvaise qualité, ainsi qu'un carnet à couverture de moleskine noire. Elle les tend à Taras en disant :

— Regarde là-dedans si tu trouves quelque chose d'intéressant. Pendant que tu lis, je vais aller nous préparer un bon café turc très corsé, comme tu l'aimes.

Mon Dieu, pense-t-il, *elle se souvient même de ce détail.* Il se retourne pour la remercier, mais Sara Samoïlovna a déjà disparu dans la cuisine. C'est trop difficile pour elle. Personne n'a jamais vu cette femme pleurer, et ce n'est pas aujourd'hui que ça va commencer.

Taras commence par déplier la première des deux feuilles jaunies. Le papier est tellement vieux qu'il craint de le voir se réduire en poussière sous ses yeux. Il reconnaît l'écriture qu'il a déjà vue au dos du dossier N1247, celle de l'archiviste de 1942.

C'est une lettre du front. Trois lignes, trois lignes d'un soldat pour faire savoir à sa femme qu'il est toujours de ce monde :

Comment vas-tu, mon adorée ? Moi, je vais bien.
Tu me manques, et vous êtes toutes deux dans chacune de mes pensées.
Nous allons coller aux nazis la raclée qu'ils méritent, et je serai bientôt de retour auprès de vous.

Celle à qui était destinée cette lettre devinait-elle la vérité ? Les tranchées glaciales, le fracas assourdissant des détonations, la peur au ventre au moment de l'assaut ? Il faut à Taras plusieurs minutes pour replier la feuille de papier. Il ne prend pas la peine d'ouvrir le second triangle. Il sait qu'il contiendra les mêmes mots, et ce n'est pas ce qu'il cherche.

Il s'empare du livre. La couverture est ornée d'un dessin en noir et blanc représentant une silhouette féminine agenouillée et en deuil. Sous l'illustration, la date indique 1942. *Tristan et Iseut* annonce le titre en lettres rouges décolorées par le temps.

La première page est ornée d'une dédicace tracée à l'encre bleue.

Sara, ma chérie, tu as vingt ans aujourd'hui. J'aimerais te faire un plus beau présent en ces temps difficiles. Toutefois, ce livre parle d'amour, et j'espère qu'il nous guidera dans ce monde de malheur telle l'étoile du Berger. Je ne peux hélas t'offrir ni or ni diamants en ce jour, mais je sais que notre amour n'a pas de prix.

De quoi avait-elle l'air en ce temps-là ? se demande Taras. Il n'a jamais vu de photographie d'elle quand elle était jeune. Il doit demander à en voir, mais pas aujourd'hui. À sa prochaine visite, s'il y en a une.

Sur ce, il se saisit de l'épais carnet à couverture de moleskine. L'écriture qui noircit ses pages ressemble à un mince fil enchevêtré au quadrillage bleu d'un cahier d'écolier. Son métier d'archiviste lui a appris à déchiffrer les pattes de mouche illisibles, et rapidement il se plonge avec aisance dans ce journal et dans l'évocation d'un monde disparu.

18 septembre 1941
Félicitations, me voilà marié ! Jamais je n'aurais imaginé que cela se passerait ainsi. Notre ville étant très proche de la frontière occidentale, il était décisif d'évacuer les archives dans les meilleurs délais. Tout s'est fait dans la plus grande précipitation. Il avait été décidé en haut lieu de choisir l'Asie centrale, une région sûre et chaude en été. Nous devions donc nous rendre à Tachkent, la capitale de l'Ouzbékistan. Le train se traînait, marquant des haltes qui duraient parfois plusieurs heures, croisant en route des convois militaires en partance pour l'Ouest. Nous étions une quarantaine, enfermés dans un wagon de marchandises, tous mes collègues des archives. Le voyage a duré une semaine, jusqu'au jour où notre train s'est arrêté non loin d'une gare, au beau milieu de la steppe. Pour échapper à l'odeur de la paille rance, nous avons ouvert la porte coulissante. Aussitôt, nous avons été accueillis par le chant des grillons et par l'énorme disque rougeoyant du soleil déclinant. C'était un monde d'avant guerre. L'envie d'y faire un tour fut irrésistible.
Sara m'a suivi à travers les champs de maïs en plissant les yeux dans la lumière du couchant. Elle était venue travailler aux archives pendant ses vacances d'été, un mois avant notre évacuation. Des yeux noisette, un doux regard rêveur et une chevelure noire qu'elle coiffait en deux nattes étroitement tressées. Elle portait en elle une fragilité d'un autre âge, celui de Tchekhov ou

de Tourgueniev, un âge où des jeunes filles en longues robes blanches déambulaient dans des jardins sous des ombrelles de dentelle...

Je viens de relire mes notes et je n'en reviens pas. Moi, le directeur des archives du N.K.V.D., occupé par de telles pensées. Jamais je ne l'aurais imaginé il y a seulement trois mois. Serais-je donc amoureux ?

Je ne parviens toujours pas à m'expliquer comment tout cela est arrivé. J'ai entendu parler de ces gens qui font l'amour à l'enterrement d'un proche ou pendant une épidémie de choléra. Quand l'avenir vous fait peur, que vous êtes fatigué par le malheur et le désespoir de votre vie présente, quand votre corps et votre âme ne peuvent plus supporter la douleur, la passion charnelle est une puissante drogue qui vous procure un oubli passager. Je le comprends aujourd'hui.

Je me souviens de chaque caresse, de chaque baiser, mais je ne me rappelle pas m'être endormi. Quand nous nous sommes réveillés au petit matin, le train était parti et avec lui nos papiers d'identité et tous nos biens.

Il nous a fallu six heures pour rejoindre la gare. Et moi qui pensais que nous n'en étions éloignés que de cinq cents mètres. J'avais heureusement sur moi ma carte du N.K.V.D. Je ne m'en étais jamais servi auparavant, mais j'ai compris ce jour-là qu'elle pouvait accomplir des miracles.

Le chef de gare, un homme mal rasé et visiblement harassé, nous a offert du pain et du thé vert, puis il a réussi à nous trouver une petite place sur un train de réfugiés en partance pour Krasnodar, sur la mer Noire, d'où nous avons pu prendre une correspondance vers Tachkent.

Nous nous sommes enregistrés auprès du narkomat, dès notre arrivée dans la capitale ouzbèke, et c'est là que j'ai appris que mes bagages et tous mes documents personnels avaient été perdus. Heureusement, les dossiers des archives étaient intacts, mes collègues ayant soigneusement veillé sur eux. Le major Alexandrov m'a été d'une grande aide en me procurant un logement et des papiers temporaires.

Sara était semblable à un petit oiseau effarouché. Une enfant qui s'en remettait totalement à moi. L'abandonner était au-dessus de mes forces. Qu'aurait-elle fait sans passeport intérieur, sans habits de rechange et sans argent, à des milliers de kilomètres de chez elle ? Alors quand le major Alexandrov m'a demandé : « Qui est-ce ? », j'ai répondu : « Ma femme. » Je n'ai pas vu de surprise dans les yeux de Sara, juste des larmes. De bonheur ? De désespoir ? Je l'ignore et je n'ai jamais osé le lui demander. On lui a remis de nouveaux papiers d'identité sous son nom d'épouse, mon nom ! Pauvre Sara, elle se retrouvait mariée sans avoir eu droit à rien. Ni fiançailles, ni demande en mariage, ni fleurs, ni cérémonie.

24 octobre 1941

C'est aujourd'hui mon anniversaire. Est-ce que mes vingt-sept prochaines années passeront aussi vite ?

Me voilà donc à fêter mes vingt-sept printemps dans des circonstances plus qu'incroyables : marié à une jeune fille juive de dix-huit ans, logé dans la véranda d'une petite maison de Tachkent que nous partageons avec cinq familles occupant quatre autres pièces, et tentant par tous les moyens de rester sains d'esprit. Mais qu'importe, la guerre sera bientôt finie, et la vie reprendra son cours normal. Je me remettrai à écrire ma thèse et j'aurai une vraie vie de famille.

Il m'arrive de penser à Vera. Comment lui expliquerai-je ce qui s'est passé, une fois la guerre finie ?

31 décembre 1941

Une nouvelle année va commencer, mais la vie est si dure que nous ne sommes pas d'humeur à faire la fête. À la réception organisée par les archives pour le Nouvel An, nous avons eu droit à deux petits pains au saucisson. Un vrai régal, car nous n'avions vu ni saucisson ni beurre depuis notre départ de Moscou.

Cet hiver est le plus froid qu'ait connu Tachkent de mémoire d'homme, si l'on en croit les gens d'ici. Il fait – 40 °C dehors, et notre véranda vitrée, même équipée d'un poêle en fonte, est une glacière. Personne ne s'attendait à ce que la guerre se poursuive jusqu'à l'hiver, et ma pauvre Sara n'a pas de vêtements chauds à se mettre. Elle a décidé de continuer ses études ici et de suivre les cours magistraux de l'université de Leningrad, elle aussi évacuée à Tachkent.

Quand je la vois toute frêle marcher dans la neige dans ses sandales portées par-dessus mes chaussettes, avec pour tout vêtement un pantalon de pyjama et une vieille veste de lapin que lui a prêtée notre logeuse, mon cœur se serre de désespoir et de tendresse.

21 janvier 1942
En plus d'être marié, voilà que je vais maintenant devenir père.

Que sais-je de l'éducation des enfants ? Seulement ce que j'ai appris en m'occupant de Sara depuis six mois qu'elle partage ma vie. Elle fait de gros efforts, mais parfois son entêtement plein de naïveté ressurgit. Aujourd'hui, au marché, j'ai troqué mes tickets de pain contre un livre qui me sera très utile. La Formation du caractère, *par Robert Owen. L'éducation de mon futur enfant vaut bien que je reste une journée l'estomac vide.*

Vais-je écrire à Vera pour lui apprendre cette grande nouvelle ?

12 juin 1942
Je n'ai pas écrit depuis longtemps. Aujourd'hui la Pravda *publie le texte du traité d'alliance conclu entre l'Union soviétique et la Grande-Bretagne. Il s'appliquera pendant et après la guerre et durant les vingt prochaines années. Autrement dit, mon fils ou ma fille vivra son enfance et sa jeunesse dans la paix, contrairement à ma génération qui n'a fait que redouter la guerre à chaque instant. Qui sait, dans deux décennies,*

la guerre sera peut-être reléguée aux oubliettes de l'histoire. Si seulement c'était arrivé vingt-trois ans plus tôt !

5 juillet 1942
C'est une fille ! J'ai conduit Sara à l'hôpital hier soir, même si nous pensions tous deux qu'il était encore trop tôt. Ce matin, quand je me suis présenté, l'infirmière m'a annoncé que ma petite fille était née à 6 h 30. La mère et l'enfant vont bien.
Sara m'a écrit un petit mot pour me raconter ce qu'elle a traversé. D'ordinaire, son écriture est soignée, mais aujourd'hui c'est à peine si j'arrive à la déchiffrer tant ma Sara est affaiblie et épuisée. Elle a demandé un œuf dur, c'est tout ce qu'elle désire. J'en ai cherché au marché, en vain. J'étais même prêt à troquer mes souliers, mais je n'ai rien trouvé. Dans quel monde vient d'arriver ma fille qui n'a pas encore de prénom ! Si elle survit aux prochains mois, elle vivra jusqu'à cent ans, je le sais.
Je suis si heureux ! Les filles sont des êtres plus sensibles et délicats que les garçons, et être entouré d'un surcroît d'amour et de tendresse en ces temps difficiles est un vrai luxe.

5 août 1942
Cela fait exactement un mois aujourd'hui que ma fille est née. Natacha a bien grandi. Ses yeux ont changé de couleur et sont devenus plus clairs. Elle est si maigre que ses omoplates saillent dans son dos telles les deux ailes repliées d'un ange.
Sara était en train de lire Guerre et paix *avant d'entrer à la maternité, et c'est pour cette raison qu'elle a voulu donner à notre fille le prénom de l'héroïne de Tolstoï. Je n'ai pas fait d'objection. Cette enfant ressemble à sa mère et, comme elle, elle aura le tempérament spontané et candide de Natacha Rostova. Elle se trouve en ce moment à notre cantine. Pendant qu'elle déjeune d'un brouet à l'orge, elle m'a confié le bébé. Natacha*

dort, étendue sur un lit de dossiers que nous lui avons installé sur deux chaises réunies. Mon vieux gilet plein de trous lui sert de matelas. Comme on dit chez nous, cette fillette est née v pokhode i v bede, « dans les bruits de bottes et le malheur ».

Jusqu'à présent, l'éducation de mon enfant consiste à l'aider à endurer des conditions d'existence rudes. Que Robert Owen me pardonne !

La petite Natacha contribue déjà à nous nourrir, car sa carte de rationnement apporte un supplément de pain sur notre table. La vie est parfois drôle.

1er septembre 1942

C'est aujourd'hui la rentrée universitaire. Comme Natacha a de la fièvre, Sara n'a pas pu la déposer à la crèche. Elle a passé la matinée à pleurer. Elle n'a que dix-neuf ans, et ces derniers mois ne lui ont guère apporté de joie. Je suis censé la soutenir moralement, mais ce n'est pas facile. Depuis deux mois, les bulletins à la radio répètent inlassablement le même refrain : « Rien de nouveau sur aucun front... »

J'ai honte de l'admettre, mais en ce moment mes espoirs d'une vie meilleure se limitent à rêver du jour où nous pourrons manger tout notre content.

Kostia, mon vieux copain de fac de passage à Tachkent pour une semaine, nous a rendu visite. Sa famille s'est réfugiée au Kazakhstan, dans une étable située près de la gare de Tchelkar. Pour toute nourriture, ils ont du riz et de la viande de chameau. L'hiver, les murs de l'étable sont gelés. Il faut que je les aide à venir s'installer ici, en espérant que l'hiver prochain sera moins rigoureux. Kostia et moi avons évoqué les anciens amis. Dont Micha et Valentin, qui ont tous deux péri au front, trois mois à peine après leur incorporation. La guerre se rapproche de jour en jour. Kostia est sans nouvelles de Vera, et de mon côté je n'ai pas écrit pour lui annoncer mon mariage et la naissance de ma fille.

Un arôme de café envahit la pièce, précédant Sara Samoïlovna qui entre avec une tasse de porcelaine blanche maculée d'éclaboussures marron. Elle la pose sur le bureau et la fait glisser loin du bord. La tasse laisse une auréole sur la surface cirée. Elle n'est qu'à moitié pleine, mais Sara Samoïlovna semble contente du résultat.

— Qui est Vera ? s'enquiert Taras d'un ton un peu trop brusque.

La vieille femme s'empourpre. Les pétales fripés de ses joues se colorent de rouge. Elle sourit avec une pointe de coquetterie.

— Vera était la fiancée de mon mari avant la guerre. Ils ont fait leurs études ensemble, mais ensuite mon mari a été évacué avec les archives, tandis qu'elle est restée à Moscou. Le plus drôle, c'est que la guerre terminée nous sommes devenues d'excellentes amies et…

Mais Taras n'écoute plus, car il lit la dernière page du journal.

17 novembre 1942
Je viens d'apprendre qu'il existe un projet de centraliser toutes les archives régionales quand la guerre sera finie et de les rapatrier à Moscou. J'ai dû rapidement prendre une décision. Ce que je viens de faire peut paraître condamnable, mais seulement si l'on réfléchit à court terme. Il faut que je le fasse, non pour moi-même, mais pour les générations futures, pour ce temps où ma patrie redeviendra libre et indépendante.

Sara Samoïlovna se penche par-dessus son épaule.

— C'est la dernière chose qu'il ait écrite dans son journal, deux jours avant de partir au front. Vois comme il était triste de quitter sa petite fille. C'était dur pour moi de rester à Tachkent, mais encore bien plus pour lui de nous quitter.

— C'est très intéressant, Sara Samoïlovna.

Taras toussote pour masquer le tremblement d'excitation dans sa voix. Il se demande ce qu'elle répondrait s'il lui disait : « Oh, non, Sara Samoïlovna, ce qu'il a noté dans son journal n'a rien à voir avec vous ni avec Natacha. Votre mari parle des documents qu'il a soustraits en novembre 1942 au dossier N1247 du N.K.V.D. J'ai lu sa signature dans ce dossier. Il a travaillé dessus pendant la guerre… »

Mais Taras se tait. Il doit savoir maintenant si d'autres papiers étaient rangés avec le journal. Il va s'y prendre avec finesse. L'air de rien, il commencera par des généralités, avant d'entrer dans le vif du sujet.

— Comment avez-vous réussi à préserver ce journal pendant toutes ces années ? commence-t-il par demander.

— Oh, c'est mon mari qui l'a conservé.

Sara Samoïlovna n'est pas femme à accepter des louanges imméritées.

— Nous ne l'avons retrouvé qu'après son décès. Nous étions en train de trier les livres destinés à la bibliothèque de l'université quand nous l'avons vu sur la deuxième étagère. Il était caché avec d'autres papiers derrière les volumes de l'histoire des villes ukrainiennes. J'ai réalisé plusieurs copies du journal. Je trouve sa lecture tellement passionnante. Si tu en veux une pour le mémorial…

— Ce serait fantastique ! s'exclame Taras.

Cette copie du journal lui serait très utile, car elle constituerait une preuve. Certes, pas aussi utile que les documents dérobés en 1942. Sept pages, voilà tout ce qu'il lui faut. Quatre manuscrites et trois tapées sur une vieille machine à écrire dont le *O* et le *A* seraient légèrement décentrés. Sept pages qui, si elles étaient rendues publiques, provoqueraient la déflagration d'un pays tout entier. Sept pages qu'un État n'oubliera jamais, et qu'un autre ne pardonnera jamais.

Votre mari était un homme très courageux, pense Taras. Car il en faut, du courage, pour vivre en portant un secret pareil.

Ses yeux tombent sur une photo du petit-fils de Sara Samoïlovna exposée sur une étagère. Un visage piqueté de taches de son au sourire familier.

— Il poursuit ses études à l'étranger, tu sais, explique Sara Samoïlovna, suivant la direction de son regard. Nous sommes très fiers de lui.

Taras prend une grande inspiration avant de l'interroger à propos de ces fameux papiers retrouvés avec le journal, mais elle le devance et lui donne d'elle-même la réponse.

L'espace d'un instant, il fronce les sourcils et détourne la tête, puis contemple dehors, contre la maison d'en face, un échafaudage dont la passerelle oscille au vent comme son propre cœur après ce qu'il vient d'entendre. Il ne regarde pas son hôtesse et ne fait aucun commentaire. Ravie et fière, Sara Samoïlovna continue de déverser un flot intarissable de paroles jusqu'à ce qu'il ne puisse plus y tenir.

Soudain, il se lève et colle ses lèvres à la fine chevelure grise de la vieille femme. D'une voix sonore il lui annonce que son avion décolle à 18 heures et qu'il doit encore rendre visite à des amis. Après l'avoir remerciée pour son délicieux café et sa précieuse contribution au mémorial, il parvient encore à esquisser un sourire, puis sort en serrant de toutes ses forces la photocopie du journal. Il se retourne une dernière fois et la voit appuyée au chambranle de la porte, masquant sa déception derrière un sourire lumineux et juvénile. Elle espérait qu'il resterait plus longtemps. Elle lui avait préparé son bortsch préféré, aux champignons et à l'ail, sans viande et…

Elle y a probablement passé la matinée, songe Taras. Mais qu'importe. À son âge, elle doit être habituée à voir les gens partir.

Les allées enneigées du parc Striski se trouvent à cinq minutes de marche de la rue pavée où elle habite. Il gravit la colline au pas de course, distançant des hordes de touristes essoufflés restés à la grille d'entrée en contrebas. Le temps est froid et ensoleillé. De son promontoire, il embrasse du regard la vieille ville. Les vestiges d'une présence aristocratique dont il a gardé le souvenir ont bel et bien disparu : la place médiévale et son café arménien, le café turc chauffé sur un lit de sable chaud, les artistes dans les cours et les moulures de stuc à la façade des maisons aux couleurs vives, près du cimetière Litchakivske. Les tramways se fraient un chemin dans la foule sombre et grouillante, et des kiosques en contreplaqué ont poussé comme des verrues à tous les coins de rue. Il est seul au-dessus du tohu-bohu de la ville.

Taras dispose ses pensées en trois tas, pareils à trois tas de neige.

Premier tas. Maintenant au moins il sait que les documents ont été retrouvés avec le journal. Son intuition ne l'a donc pas trompé. C'était bien ici qu'il devait commencer. Il sait désormais où ces papiers se trouvent, et du coup sa quête en devient plus personnelle.

Deuxième tas. Il doit se rendre en Angleterre au plus vite. Ce ne sera pas facile, mais pas impossible non plus.

Troisième tas. Il doit informer son patron et obtenir son aide. Karpov a beaucoup de relations et saura tirer les bonnes ficelles pour lui obtenir les autorisations nécessaires. Taras a beaucoup d'arguments en sa faveur. Le tout est de les utiliser à bon escient.

En un certain sens, il a eu raison de venir ici. Sara Samoïlovna a confirmé ses soupçons et l'a aidé à rétrécir le champ de ses options. Pourtant, il n'arrive pas à lui pardonner ce qu'elle lui a dit, ni ce qu'elle l'oblige à faire sans le savoir.

3

Moscou, mars 2001

Le silence devient pesant. Il faut vite briser la glace tant qu'elle n'est encore qu'une mince couche de givre. Taras a conscience qu'un mot ou un geste maladroit risque de ruiner tous ses efforts. Il a répété l'opération dans sa tête des dizaines de fois et s'est exercé à toutes les expressions faciales en s'observant dans la glace pendant ses lavages de mains rituels. Il s'est même chronométré. (« Si vous ne pouvez pas exposer votre cas en sept minutes, c'est qu'il n'a rien d'intéressant », encore une maxime du colonel Sourikov.) Il choisit sa place avec soin dans le réfectoire en sous-sol, où règne une ambiance de monastère. Le bourdonnement des conversations étouffées et le tintement de la vaisselle y résonnent comme dans une cave. Son patron parvient à l'entendre par-dessus le bruit des voix et le cliquetis des assiettes, mais ce coin reste malgré tout assez calme pour éviter d'attirer inutilement l'attention.

Taras a martelé chacun de ses mots comme s'il énumérait les différents points d'un exposé. Il a évoqué en passant la nécessité d'aller en Angleterre, entre autres étapes de l'opération. Le chef du service des archives l'a écouté, mais n'a pas levé le nez de son plat pendant ces sept minutes.

Il n'a fait aucun commentaire, n'a posé aucune question. À présent, les deux hommes restent assis en silence, et Taras regarde son patron manger. Les filaments sur son visage couperosé remuent lentement au rythme de sa mastication. Comment cet homme a-t-il réussi à rester à son poste quand d'autres plus jeunes que lui de dix ans étaient poussés à prendre leur retraite ? Avec qui trinque-t-il ?

Karpov engloutit sa salade de chou huileuse, puis s'attaque avec application à sa viande panée insipide. Il grimace, comme si son cerveau était relié à son estomac et que son repas lui donnait la migraine. Taras connaît bien son chef. C'est un homme réfléchi qui pèse soigneusement le pour et le contre en toute situation. Le temps qu'il avale la dernière bouchée de sa viande, puis ramasse méticuleusement les miettes de chapelure frite avec le bout de sa fourchette, Karpov a pris sa décision.

— Gardons ça pour nous, commence-t-il, ça nous évitera des rapports interminables et trois mois d'attente au bas mot pour obtenir une autorisation. D'autant qu'il serait facile de recopier ces rapports et de les communiquer à mes anciens amis, nos rivaux des autres services de renseignements. Les gens feraient n'importe quoi pour de l'argent de nos jours. Si je suis entré au K.G.B. voilà quarante ans, ce n'était pas par appât du gain. Pour le pouvoir, pour les privilèges, peut-être, mais ça non plus ne comptait pas beaucoup à mes yeux. Le travail était tellement passionnant à l'époque. Chaque jour, on nous confiait des tâches différentes. Il fallait caviarder les articles des journaux, censurer les chansonniers, faire la chasse aux revues dissidentes qui circulaient sous le manteau, empêcher les juifs qui émigraient de livrer nos secrets à l'Occident…

Taras est habitué à ces longues évocations du passé. D'ordinaire, après avoir entonné le refrain du bon vieux temps, Karpov annonce son intention de quitter le service.

— Rien n'est plus comme avant, Taras. Les méthodes ont changé, les gens se tirent dans les pattes. Dès demain je démissionne, j'en fais le serment. Je vais semer de la pelouse à la place du potager de ma femme sur notre datcha de Malakhovka et j'aurai enfin le temps de lire des livres d'histoire. Je commencerai par les Mémoires du maréchal Joukov, car j'ai la chance de posséder une édition originale de 1969.

Parfois il évoque les joies et les dangers de la pêche sous glace, plus rarement il se lance dans une tirade sur la piètre qualité de l'enseignement de l'histoire dans l'école que fréquente son petit-fils.

Taras attend.

Son chef vient d'attaquer sa gelée au citron, et Taras se demande combien de temps il lui faudra pour avaler la première bouchée. Dans l'assiette, le reste de l'entremets tremblote, et Karpov grimace. Soit parce que ses papilles ont enfin réagi au goût de la gelée, soit parce que ce tremblotement est contraire à son caractère d'homme de précision et de mesure. Il déplie sa serviette en papier, s'en tamponne les lèvres et se racle la gorge avec un bruit nasillard.

— Ce dossier N1247 offre une lecture assez palpitante, finit-il par dire. Surtout le rapport sur le voyage de cette *devitsa*, la jeune Sofia. Quelle aventure ça devait être de traverser l'Europe seule il y a plus de deux siècles ! Fallait-il que l'enjeu soit de taille pour qu'elle prenne ce risque. Quand je pense que ce mot de *devitsa* était autrefois employé pour désigner une jeune vierge. La pureté ayant déserté notre époque, on l'utilise désormais pour parler des filles d'un certain genre. Intéressante évolution, vous ne trouvez pas ?

Karpov délaisse l'observation de sa gelée et fixe Taras de son regard bleu délavé.

— Avez-vous lu attentivement le dossier, lieutenant ?

— En effet, Nikolaï Petrovitch, répond Taras.

Il devrait appeler son patron par son grade de colonel, mais l'homme préfère qu'on s'adresse à lui par son prénom et son patronyme. C'est moins formel, plus chaleureux. Sait-il qu'aux archives on le surnomme « papa » ?

Karpov examine d'un air soupçonneux les morceaux de fruits secs flottant dans le liquide brunâtre qui emplit son verre.

— Eh bien, vous êtes historien, alors donnez-moi votre avis de professionnel !

Taras comprend la question ou plutôt ce qu'elle cache. Il va devoir jouer serré.

— Je trouve très curieux, dit-il, qu'après deux cent cinquante ans l'enquête s'interrompe du jour au lendemain et que rien de nouveau n'ait été consigné dans le dossier depuis 1962. L'affaire n'est pas close, comme vous le savez, et toute nouvelle investigation débutant aujourd'hui pourrait se révéler très dommageable.

— Désastreuse, mon garçon, elle serait désastreuse.

Karpov insiste sur ce dernier mot et, levant le nez de son verre, fixe Taras droit dans les yeux. Inutile d'en dire plus. Ils se sont compris.

— Vous savez, enchaîne Karpov. Quand j'ai commencé à travailler pour le service, je ne me souciais pas de savoir si mes collègues étaient géorgiens, ouzbeks ou ukrainiens. Nous formions une équipe, nous étions là pour travailler ensemble. Je ne suis pas sans savoir ce qu'on disait à l'époque, que la *piataïa grafa*, la question numéro cinq portant sur la nationalité dans tous les documents officiels, était plus qu'une simple formalité : elle était un verdict. Vos chances d'intégrer une bonne université et vos rêves d'une belle carrière étaient sérieusement compromis si votre réponse à cette question n'était pas la bonne. Mais, pour être franc, le problème se posait surtout si vous étiez juif. Aujourd'hui on n'imaginerait pas que votre nationalité puisse vous empêcher d'obtenir une promotion.

Il ne regarde pas directement son interlocuteur en prononçant ces mots, mais Taras est convaincu que c'est de lui que parle son chef. Karpov pêche dans son verre une tranche de pomme fripée qu'il dépose dans son assiette, près de la gelée au citron qu'il a à peine touchée, et reprend :

— Nous pourrions essayer de réparer les dégâts.

Qui englobe-t-il dans ce « nous » ? s'interroge Taras. Taras et lui-même, ou bien lui-même et ses copains de beuverie aussi puissants qu'invisibles ?

— Dans trois jours, c'est la journée de la Femme, enchaîne son supérieur. J'ai de plus en plus de mal à trouver des idées de cadeau pour ma chère et tendre après trente-sept ans de mariage. Elle sera folle de joie quand je lui annoncerai que son présent lui arrivera tout droit d'Angleterre. Elle devra patienter un peu pour l'avoir, bien sûr, car il va me falloir une semaine pour vous obtenir un passeport et un visa. À propos, vous vous débrouillez en anglais ?

— Pas trop mal, Nikolaï Petrovitch.

Taras hoche sobrement la tête en s'efforçant de masquer sa fébrilité. Ça y est, son voyage est approuvé.

Karpov n'a pas besoin de connaître les difficultés que Taras a rencontrées pendant ses cours d'anglais à l'académie. Il n'a pas besoin de savoir que les phrases qu'il essayait d'apprendre en s'assoupissant sur son manuel étaient effacées comme par enchantement de sa mémoire le lendemain matin. Le jeune homme passait des heures à noter des mots sur des étiquettes blanches qu'il collait un peu partout chez lui, au-dessus du lavabo, près de son lit, sur son bureau. Au laboratoire de langues, il écoutait sans fin les mêmes exercices de prononciation au point de voir une vieille Anglaise hanter ses nuits. Toute menue et tirée à quatre épingles dans son chemisier à col cravate, elle le saluait sur la couverture de son livre d'anglais, étirait ses lèvres en un sourire aimable et reprenait inlassablement la même question avec une politesse glaciale : « *Would you like a cup of tea, Mr Priestley ?* » Elle n'était jamais satisfaite des intonations de son élève, des *R* et des *S* qu'il prononçait sans subtilité. Taras frémit encore au souvenir de ce cauchemar.

En rentrant chez lui, il se remémore sa première mission en langue étrangère pour l'académie, son baptême du feu en quelque sorte. Elle avait eu lieu dans une chambre, au rez-de-chaussée de l'hôtel Ukraïna. Le service de sécurité de l'établissement avait fait appel à lui pour interroger un fermier du Hertfordshire pris en flagrant délit d'échange illégal d'argent. Le changeur, personnage sans vergogne, avait farouchement nié son implication, sachant pertinemment que glisser discrètement quelques billets aux gens de la sécurité arrangerait son affaire. Mais le fermier terrifié était passé aux aveux sans tarder. Il ignorait qu'il était interdit de changer de l'argent dans la rue. Plusieurs touristes de son groupe l'avaient fait et avaient obtenu un bien meilleur taux que celui proposé par l'hôtel. Taras avait été ravi et étonné de constater qu'il comprenait parfaitement ce que disait l'homme, mais il est vrai que ses propos étaient assez répétitifs. « J'ai été accosté par cet individu... Il m'a demandé si je souhaitais changer de l'argent... »

Si seulement tous les British parlaient comme ça, j'aurais obtenu une bien meilleure note à mon test de compréhension, songe Taras tout en scrutant les gens qu'il croise dans l'escalator.

Évidemment, il ne pouvait pas parler à Karpov de son habitude de regarder deux fois par semaine des D.V.D. de films américains sous-titrés en russe. Connaissant son chef, cet aveu n'aurait fait qu'éveiller ses soupçons. Du reste, les expressions apprises au hasard des dialogues n'auraient sans doute pas enthousiasmé Karpov : « On va s'éclater, ma poule... », « Sans déc', vieux, t'as la tronche ravagée. » C'est décidé, il va s'acheter quelques cassettes dès ce soir et se mettre à lire l'édition anglaise du *Moscow Times*.

Arrivé chez lui, Taras suit sa routine habituelle : il se lave les mains, va dans la cuisine, allume la bouilloire, sort le beurre et le fromage du réfrigérateur puis le pain de son sachet de plastique, et il regarde dehors.

Au cinquième étage, deuxième fenêtre à droite : la lumière de sa lampe devrait être plus forte, comme ça le vieil homme n'aurait pas besoin de tellement se pencher sur son livre. Tous les soirs, une tasse de thé posée sur la table près de lui, ce retraité lit jusqu'à une heure avancée de la nuit et prend des notes. À son âge, le monde de l'imaginaire est le seul refuge face aux changements qui bouleversent le pays.

Taras a lui aussi de la lecture qui l'attend. D'un déclic, il ouvre la serrure de son attaché-case – en vrai cuir, pas en simili, son premier achat après avoir obtenu son poste – et sort ses notes. Ce jour-là il a passé quatre heures à recopier à la main certaines pièces du dossier. Il lit le premier document :

Procès-verbal de l'interrogatoire d'Oxana Poloubotko, née le 23 mars 1943.

Kiev, 18 mars 1962

Conclusions et résolutions

Sujet à maintenir sous surveillance.
Isolement recommandé.
Garder en vie, au cas où l'identité ait besoin d'être uti-lisée à l'avenir.

4

OXANA

Kiev, mars 1962

Le bourdonnement monotone lui rentre sous la peau. Elle ouvre les yeux. L'énorme ventilateur qui ronronne sur le bureau de son interrogateur ne parvient pas à dissiper le brouillard de fumée de cigarette qui emplit la pièce dépourvue de fenêtre. La lampe orientée vers son visage est aveuglante. Elle ne peut pas voir l'homme et l'imagine sous les traits d'un gigantesque poisson au regard vitreux et inexpressif, aux écailles poisseuses, à la bouche déformée et haletante.

L'homme-poisson du K.G.B. a de l'énergie à revendre. Elle ignore depuis combien de temps il la garde ici et ce qu'il attend d'elle.

— Nom ?

— Oxana Poloubotko.

— Date de naissance ?

— 23 mars 1943.

— Profession ?

— Étudiante.

— Mais encore ?

— Je suis inscrite en seconde année à la faculté d'histoire de l'université de Kiev.

— Avez-vous un lien de parenté avec Anatoli Poloubotko ?

— Oui, c'était mon grand-père.

— Que savez-vous de lui ?

— Qu'il a été fusillé en 1937 pour trahison envers la nation, c'est tout.

— Avez-vous un lien de parenté avec Oleg Poloubotko ?

— Oui, c'était mon père.

— Vous souvenez-vous de lui ?

— Oui, très bien. J'avais dix ans quand il a été arrêté, un mois avant la mort de Staline. Il n'a été relâché qu'un an plus tard et a succombé à la tuberculose à son retour de Magadan en 1954.

— Étiez-vous au courant de ses recherches généalogiques ?

— Oui, je sais qu'il était très fier de ses origines cosaques.

— Que vous a-t-il confié de ses recherches ?

— Seulement que notre nom de famille avait le pouvoir de changer la destinée de notre pays.

— A-t-il envoyé une lettre à Londres ?

— Oui, en 1953, juste avant son arrestation. Il disait vouloir réhabiliter le nom de mon grand-père.

— A-t-il reçu une réponse ?

Elle commençait à être fatiguée de tout ça.

— Vous savez très bien que non, puisqu'il a été arrêté un mois plus tard.

— Avez-vous écrit à Londres ?

— Oui, il y a un mois.

— Pourquoi maintenant ?

— Eh bien, j'ai pensé que les temps avaient changé, tellement de choses ont été publiées depuis un an sur la réalité du règne de Staline ! Je voulais prouver que mon grand-père n'était pas un traître à la solde des Anglais et que mon père n'avait falsifié aucun document. Quel mal y a-t-il à vouloir laver leur nom ? Leur réhabilitation est importante pour ma mère et pour mes futurs enfants.

— Êtes-vous en possession de documents concernant cette affaire ?

— Non.

— Avez-vous reçu des lettres ou des documents quelconques de Londres ?

— Non.

L'interrogateur marque une pause. Le nuage de fumée s'épaissit, il devient de plus en plus difficile de respirer. Combien de temps vont-ils encore la garder enfermée ici ?

— Nom ?

— Oxana Poloubotko.

— Date de naissance ?

Elle ferme les yeux. Elle a besoin de respirer, mais aussi de boire et de dormir. Ils vont bientôt la relâcher, et cette pièce enfumée ne sera plus qu'un mauvais souvenir. Seule sa robe imprégnée de l'odeur du tabac lui rappellera que cette nuit était bien réelle.

La laisseront-ils quitter le bâtiment par le tourniquet comme une banale secrétaire ou bien la feront-ils remonter dans ce camion de livraison de pain pour ensuite la relâcher quelque part en ville ?

Tout s'est passé si vite. Elle rentrait chez elle après une soirée à l'université. Il était minuit passé quand elle avait quitté la lecture de poésie, et la moitié du public se trouvait encore dans la salle.

Cette soirée avait été pour elle une révélation. Les jeunes poètes avaient une manière de déclamer très différente de l'optimisme scandé des compositions soviétiques. La vague décadente des nouvelles intonations aux voyelles appuyées suscitait des désirs inconnus et des pensées interdites. Elle s'imaginait sous les hauts plafonds d'un appartement surplombant la Seine, loin de cette salle peuplée de garçons en chemises de nylon et cravates étroites à la dernière mode et de filles aux jupes cloche assorties à la couleur du bandeau dans leurs cheveux. Elle avait mis ce soir-là sa robe verte, celle que sa mère avait taillée dans une pièce de soie appartenant à sa grand-mère. Oxana se demandait encore comment la vieille femme avait réussi à la préserver au gré des déménagements, des arrestations et des saisies. La robe était la copie conforme d'un modèle qu'Oxana avait vu dans un magazine apporté à la fac par une amie. Coupée si près du corps que la jeune fille pouvait à peine bouger. Sa mère l'avait bien mise en garde : l'étoffe de soie était si ancienne qu'elle pourrait facilement se déchirer. Quand elle portait cette merveille, Oxana devait se mouvoir lentement et avec grâce, s'asseoir le dos droit et lever sa main d'un mouvement délicat. À la voir, personne n'aurait deviné que ses manières à l'élégance très hollywoodienne étaient dues à quelques coutures risquant de craquer.

En sortant du bâtiment, elle avait longé le théâtre récemment restauré et emprunté un raccourci qui grimpait en pente raide sur la colline. Sur sa gauche se dressait un bâtiment sombre et baroque : la maison aux chimères, qu'ils appelaient entre eux la « maison aux cauchemars ». Ses statues grises et immobiles dans la lumière du jour prenaient vie dès la nuit tombée : des éléphants aux trompes dressées en gargouille, des sirènes en pleurs, des grenouilles sautant des murs, un poulpe gigantesque glissant lentement vers elle le long de la façade. En arrivant en haut des marches, elle s'était arrêtée pour reprendre son souffle.

L'air nocturne était chargé de givre. L'hiver résistait à l'arrivée du printemps, mais en dépit du froid tout le monde ne parlait que du nouveau « dégel politique », ainsi que le nommaient les journaux. Plusieurs professeurs avaient autorisé leurs étudiants à remettre en question certains passages de leurs manuels, des expositions de peinture contestaient les affiches de propagande soviétique, des 45 tours achetés au marché noir demandaient en anglais aux jeunes filles si elles étaient « seules ce soir ». Mais les disques d'Elvis échangés sous le manteau étaient souvent boudés en faveur de cet autre trésor qu'était un exemplaire de la revue *Inostrannaïa Literatura*, un mensuel littéraire qui publiait des traductions d'Erich Maria Remarque et d'Hemingway.

Comme tout le monde ce printemps-là, Oxana était d'humeur primesautière. Sacha, son fiancé, devait rentrer de Moscou le vendredi suivant, et elle ne contenait plus son impatience. D'autant plus qu'elle lui avait préparé une surprise. Le pianiste américain Van Cliburn était de passage à Kiev, et elle avait réussi à troquer un flacon de parfum letton appartenant à sa mère contre trois billets d'entrée. Un pour Sacha, un pour elle et un pour sa mère à qui il faudrait bien avouer un jour quel prix lui avait coûté ce récital. Peut-être glisserait-elle ça dans la conversation pendant qu'ils rentreraient chez eux, et que sa mère, la tête encore pleine de musique, goûterait l'un de ces moments de plaisir trop rares dans sa vie.

Oxana avait déboutonné son vieux manteau, un geste de vaine coquetterie, car les rues étaient désertes à cette heure de la nuit, à l'exception d'un camion qui déchargeait du pain devant une boulangerie. Le temps de songer qu'il était un peu tôt pour livrer des petits pains frais, des mains puissantes s'étaient emparées d'elle. En une fraction de seconde, une palette avait été sortie de l'arrière du véhicule, et la fille à la robe verte avait pris sa place. Il n'y avait bien sûr pas de pain à l'intérieur, juste une odeur âcre de transpiration. Elle n'avait pas eu le temps d'avoir peur, car le trajet jusqu'à leur destination n'avait pas pris plus de trois minutes. Ayant habité dans cette partie de la ville toute sa vie, elle n'avait pas besoin d'un dessin pour savoir où ces hommes la conduisaient. Par habitude, elle allongeait le pas quand elle devait passer sous les fenêtres grillagées du quartier général du K.G.B. Son grand-père y avait été amené après son arrestation, puis son père. Elle n'aurait jamais dû accepter que sa voisine lui tire les tarots. La femme avait sorti une carte du tas et pris une expression soucieuse. Elle avait battu le jeu et de nouveau la même carte était sortie. « Une malédiction sur ta famille », avait-elle murmuré sans regarder Oxana.

La même voix revient, cherchant à la contrôler à travers la fumée, la lumière aveuglante et le bruit.

— Bien, reprenons. Avez-vous jamais reçu une lettre de Londres ?

— Non.

— Êtes-vous en possession de documents concernant cette affaire ?

— Non.

Le silence soudain est plus assourdissant que les questions de son interrogateur. L'homme est en train de prendre des notes. Elle voudrait lui demander quand elle pourra rentrer chez elle, mais la fumée lui brûle les poumons et lui pique les yeux. Elle craint, si elle ouvre la bouche, que sa voix se transforme en cri et que ses larmes coulent à torrents.

5

TARAS

Cambridge – Londres, mars 2001

Pour préparer son voyage, Taras a appliqué la règle des trois questions, cette règle que notait chaque semaine au tableau le colonel Sourikov pendant toute l'année consacrée aux techniques d'intervention. Où ? Quand ? Comment ? Chaque fois, leur professeur tapotait le tableau noir en faisant crisser sa craie et ajoutait : « Notez bien que la question du pourquoi ne se pose pas pour vous. Quelqu'un y a déjà répondu au déclenchement de l'opération. À votre niveau, vous n'avez que trois paramètres à définir : où, quand, comment. »

Pour la première question, Taras n'avait pas le choix. Où ? Ce serait forcément à Cambridge.

En descendant du bus, il ne sort pas son plan de la ville. Il a appris son itinéraire par cœur. Inutile de se perdre et de devoir demander son chemin, au risque d'attirer l'attention.

En arrivant devant le panneau « *Résidence privée du directeur, accès interdit* », il marque un temps d'arrêt et sourit en se souvenant de ce que leur disait Sourikov : « La propriété privée est une invention des capitalistes étrangère à notre sens de la commu-

69

nauté et à notre mode de vie. Chez nous, rien n'est privé. »

Enfin, il aperçoit le bâtiment du collège, en tout point semblable à la représentation qu'il s'en était faite, avec sa tour crénelée et ses trois coqs noirs sur les armoiries ornant son portail. Un gros homme coiffé d'un chapeau melon garde l'entrée. Il ne dit rien, mais n'a pas besoin de parler pour faire sentir à cet étranger qu'il n'est pas le bienvenu ici. Un touriste, rien de plus, un simple promeneur qui a pris le plus long chemin pour regagner son petit hôtel sur Chesterton Road et profite de l'occasion pour tenter d'entrevoir un autre monde. Aux portes du collège, il s'arrête sous le panneau annonçant « *Accès interdit aux bicyclettes et aux chiens* » et se trouve emporté dans un flot d'étudiants. La majorité d'entre eux porte une tenue paradoxale, associant un T-shirt à manches courtes et une écharpe aux couleurs du collège.

« Rien n'est plus triste qu'un Anglais parcourant les rues de Moscou dans ses souliers de gentleman à fine semelle en plein cœur de l'hiver. Si vous l'invitez à se réchauffer autour d'un verre, il sera à vous corps et âme », une autre perle de sagesse du colonel Sourikov. Taras n'a aucun mal à comprendre ce que voulait dire leur professeur quand il voit les bras nus hérissés de chair de poule d'un garçon en maillot bleu qui traverse la rue devant lui.

Il se demande combien parmi ces jeunes hommes seraient prêts à rejoindre les rangs de ceux que l'on a surnommés les *Magnificent Five*, les espions britanniques à la solde de l'Union soviétique ? Combien d'entre eux l'ont déjà fait ? Finiront-ils, comme Kim Philby, qui hantait un appartement moscovite dans un vieux gilet de laine ? Autant de questions qui pourront attendre, car Taras doit encore trouver une réponse à son « quand » et à son « comment ».

Juste devant le pont, une fête foraine bat son plein sur le terrain communal de Midsummer Common. Taras se fraye un chemin à travers une cacophonie de rires et de musique dans l'éclat éblouissant des lumières, puis s'arrête devant une affiche annonçant : « *Voyante extralucide. Votre avenir dans une boule de cristal. A prédit le destin de la princesse Anne.* » Dessous, quelqu'un a ajouté au feutre noir et en lettres capitales : *RÉSULTAT GARANTI.*

Assise près de l'affiche, une femme qui lui rappelle Sara Samoïlovna, en plus âgée, tricote une interminable écharpe. Elle lève brièvement les yeux de son ouvrage pour lui demander :

— Ça te dirait de connaître ton avenir, jeune homme ? Cinq livres, c'est donné.

Taras se demande un instant comment il justifierait cette dépense sur ses notes de frais (« Investissement pour le futur » ?) avant de passer son chemin.

— Non, merci.

Mais, dans son dos, la voix grinçante lui lance :

— Tu connais les ficelles, jeune homme. Pourtant, fais bien attention de ne pas t'emmêler les pieds.

Qu'est-ce que c'est que cette histoire de ficelles ? Sans doute une expression idiomatique, se dit-il. Il faudra qu'il consulte son dictionnaire. De l'autre côté de la rue, sur la pelouse, des dizaines d'étudiants profitent des premiers beaux jours du printemps. Le nom qu'il a lu sur son plan lui revient en mémoire : pelouse de Jésus. S'il prend l'allée qui la traverse en diagonale, il pourra tourner ensuite à gauche en longeant la berge, puis franchir la rivière pour retrouver Chesterton Road. En arrivant à un pont de bois, il s'arrête au milieu pour laisser passer un couple d'étudiants.

— Darren, stop ! Attends-moi.

Taras tourne la tête en direction de celle qui a crié et voit un enfant s'engager sur le pont, tandis que sa mère, une femme obèse et visiblement harassée, tente de le rattraper. Elle traîne derrière elle une poussette vide qui la ralentit. Le petit garçon interprète l'ordre de sa mère comme un encouragement à continuer, étant donné qu'il se met à escalader le parapet à claire-voie.

— Regarde, maman, des fleurs poissons.

Le garçonnet en équilibre sur la balustrade se penche dangereusement vers l'eau. Sans précipitation, Taras s'approche et doucement, comme il saisirait un chaton, glisse ses deux mains sous les aisselles du bambin. Il le soulève puis le repose sur ses deux jambes, le laissant seul affronter les remontrances de sa mère.

— Oh, merci beaucoup ! s'exclame celle-ci, le souffle court. Cet endroit est tellement dangereux. Un enfant est mort ici l'année dernière.

— Comment est-ce arrivé ? s'enquiert Taras.

— Il est tombé à l'eau. La rivière est peu profonde, mais il s'est brisé la nuque en heurtant l'écluse. Vous voyez ces lis ? Sa mère en jette un bouquet ici chaque semaine. Il est emporté par le courant quand l'écluse s'ouvre pour laisser passer une péniche.

Taras distingue effectivement à la surface de l'eau quelques pétales blancs parmi les branches arrachées, les mégots de cigarette et les papiers gras flottant près du muret de l'écluse.

Soudain la femme laisse échapper un nouveau cri.

— Darren, stop ! Attends-moi. Attention, une voiture arrive, ne traverse pas la rue. Darren, je t'interdis !

Elle adresse un petit signe d'adieu à Taras et reprend sa course quotidienne derrière son fripon de fils.

En voilà un qui a de la chance, songe Taras. *Il vit sa vie sans se soucier des dangers qui le guettent à chaque coin de rue.*

Refrénant son désir de sauter, il regagne son hôtel à grands pas. Il a un plan à mettre au point, et cette femme vient de lui donner une idée.

Le lendemain, du téléphone de sa chambre, il appelle Karpov à sa datcha et doit attendre une éternité avant d'entendre la sonnerie retentir à l'autre bout de la ligne. Après les banalités d'usage à propos de la pluie et du beau temps, la conversation s'oriente sur la liste des cadeaux que Taras doit rapporter d'Angleterre. Un équipement de pêche pour Karpov et une boîte de Lego pour son petit-fils.

— Donnez-moi votre avis. Pensez-vous qu'une taille B conviendra ?

Taras sait que son patron ne parle pas de la lingerie pour sa femme, mais du plan B de leur opération.

— Oui, parfaitement, répond-il. La taille B ira très bien. Cambridge est une ville charmante, merci. Mais un peu trop calme pour moi. J'irai peut-être faire un tour à Londres demain.

Sur ces mots, il raccroche et se lève, bien décidé à agir. Il ne va pas rester enfermé dans cette chambre à atermoyer. Il ira à Londres demain, puis il reviendra ici effectuer un travail de reconnaissance avant de préparer la suite de l'opération.

Le train de midi avance à travers champs, ramenant vers la capitale quelques rares passagers munis d'un billet aller-retour pour la journée. Le compartiment étant presque vide, Taras peut disposer de quatre sièges et d'une tablette. Il n'a pour compagnon de voyage qu'un vieil homme qui ronfle dans un coin et un couple de collégiens qui ont séché les cours pour se bécoter.

Il ouvre son attaché-case et en sort son dossier.

Mai 1748. Secret d'État. À Son Excellence le général Poustovitov, chef de la police secrète, Saint-Pétersbourg. Rapport de l'agent Khristoforov Zakhar sur la devitsa *Sofia Poloubotko, petite-fille du défunt colonel des Cosaques Pavlo Poloubotko.* Donessenié.

La jeune personne voyage à présent en France. Nous recommandons la poursuite de la surveillance et demandons à Son Excellence la permission d'informer notre ambassadeur à Londres, le comte Saltikov.

Donessenié, *en voilà un mot étrange et désuet*, songe Taras. Un mot à double sens qui désigne à la fois un rapport administratif confidentiel et une chose amenée à son terme. Est-ce parce que chaque *donessenié* apporte avec elle son lot de mensonges et de trahisons ?

Lors de leur déjeuner, Karpov lui avait conseillé de prendre avec lui le rapport concernant le voyage de Sofia : « Quelle aventure ça devait être de traverser l'Europe seule il y a plus de deux siècles ! Fallait-il que l'enjeu soit de taille pour qu'elle prenne ce risque. »

6

SOFIA

Champagne, mai 1748

Elle a perdu toute notion du temps. Le grincement des roues fatiguées de sa voiture reprend sans fin la même rengaine monotone.

Son carrosse qui lui a semblé si luxueux au début du voyage en comparaison du *poloukartok*, la calèche dont se servait son père pour se rendre à la foire, n'est maintenant plus qu'angles et arêtes, si bien que ses coudes et son dos portent les marques de chaque ornière traversée sur les mauvaises routes de France. Elle qui pensait que ses longues chevauchées hivernales à travers la steppe de leur *houtir*, leur ferme isolée, l'avaient préparée à cette épreuve.

« Sofia est un vrai garçon manqué », disait-on d'elle dans sa famille. Quand elle était petite, pendant que les autres filles jouaient avec leurs poupées de paille, Sofia, elle, était juchée sur un cerisier du verger ou occupée à galoper à travers les pâturages, quand elle n'était pas cachée dans un recoin obscur à tenter de déchiffrer les livres à reliure de cuir sortis de la *skrinia* qui lui venait de son grand-père. Cette lourde malle de chêne, le portrait de son aïeul et deux candélabres en argent étaient tout ce que sa famille avait réussi à sauvegarder de leur ancienne demeure. Un jour, sa mère lui avait montré une gravure d'un grand manoir à Tchernigov. Sa famille avait abandonné celui-ci en toute hâte après avoir appris d'un informateur bien intentionné que la trop fameuse police secrète russe s'apprêtait à perquisitionner chez eux. « Tu sais, Sofia, nous étions très riches autrefois », lui avait confié Olena d'une voix étranglée par l'émotion.

Mais Sofia ne se sent pas pauvre aujourd'hui. Au *houtir*, ses parents ont dix domestiques pour les aider, ils possèdent un moulin, une vingtaine de ruches, un troupeau de trois cents vaches grises d'une race très recherchée lors des foires et ils sont en outre autorisés à chasser dans les bois du *sotnik*, la plus grosse fortune foncière de la région. Sofia est plutôt contente de sa vie. On ne l'a vue pleurer qu'une seule fois, quand son père a vendu son étalon préféré avec quarante autres chevaux à un maquignon de Breslau. Sofia avait quinze ans à l'époque. En apprenant la nouvelle, elle n'a ni geint ni hurlé comme l'aurait fait une fille de ferme. Elle a simplement quitté la cour, le regard vide. Mais sa démarche et ses épaules pleuraient pour elle. Blessée, amère, elle se sentait trahie et pleine de ressentiment.

Cette nuit-là, les torches d'une battue sillonnèrent les bois de leur lueur frénétique à sa recherche. « La pauvre petite risque de faire une mauvaise rencontre, et de nos jours les hommes peuvent être plus dangereux que des loups. »

Sofia rentra à l'aube. Elle traversa la grande salle pour aller embrasser l'*obrazok*, après quoi elle se roula en boule sur un banc, la tête tournée vers le mur. Elle sentait encore sur ses lèvres le goût métallique de l'argent recouvrant l'icône familiale. À chaque inspiration, elle humait l'odeur de la terre battue se mêlant à celle du bois vermoulu et du bouquet de menthe séchée suspendu à une poutre au-dessus de sa tête. Puis, à chaque inspiration, tout doucement son souffle emporta sa douleur.

Le jour de son seizième anniversaire, alors qu'elle revenait de l'écurie avec son père, elle prononça d'une voix tremblante la phrase qu'elle avait répétée des centaines de fois dans sa tête.

— J'ai bien réfléchi, *tato*. Je veux entrer à l'académie de Kiev.

— C'est impossible, avait répondu Iakov Polou-botko, soulagé de savoir que cette fois sa fille ne parviendrait pas à ses fins. Seuls les garçons de la noblesse y sont acceptés.

— Mais je suis noble, avait protesté Sofia.

— Certes, mais tu sembles oublier que tu es aussi une fille, avait répondu Iakov d'un ton patient.

— Pourtant, cette école a été fondée par une femme, *tato*. Et notre Panas y a déjà une place réservée, alors que tu sais très bien qu'il ne veut pas y aller et qu'il s'intéresse bien plus à l'escrime et au tir au pistolet. Je suis décidée à faire des études, coûte que coûte. Je veux découvrir le monde. As-tu déjà oublié ce qui est arrivé à ton ami Olexeï ?

L'histoire d'Olexeï Rozoum, le fils de l'aubergiste, était légendaire au village. Ce jeune berger qui menait le troupeau de moutons familial d'un air rêveur chantait dans le chœur de la petite église située sur la route de poste menant à Tchernigov. « Tu ne vaux rien comme berger, autant que tu chantes », avait décrété son père en bougonnant.

Le destin s'était présenté à Olexeï sous la forme d'un homme à double menton qui fleurait bon le tabac de luxe. Ce courrier impérial aux ordres de la tsarine Élisabeth était parti chercher en Hongrie un coûteux vin de Tokay quand il avait fait halte à l'auberge pour changer ses chevaux et se reposer avant de reprendre la route de Saint-Pétersbourg. Il était sur le point d'ouvrir sa boîte de tabac à priser en argent quand il avait soudain entendu la voix d'Olexeï, une voix pure, angélique et parfaitement incongrue entre les murs noircis de suie de cette salle d'auberge.

Le courrier était reparti avec lui. À vingt-deux ans, ce garçon ignorant mais doué d'un talent rare allait connaître la fortune à la capitale. Quelques années plus tard, celui qui avait pris le nom d'Alexis Razoumovski devenait l'un des premiers choristes de la chapelle impériale et recevait le titre de comte puis celui de maréchal. La rumeur disait même que la tsarine n'était pas sensible qu'au charme de sa voix.

Iakov avait regardé sa fille. Il savait que, s'il refusait, Sofia partirait. Elle ne s'enfuirait pas, mais partirait la tête haute, sans un regard en arrière.

— Réfléchis bien, lui avait-il répondu. Souviens-toi qu'en grec Sofia veut dire « sagesse ».

Cet automne-là, Panas Poloubotko était entré à la *Sodales Minoris Congregationis* et s'était installé dans une chambrette à la *boursa*, un foyer pour étudiants situé sur les berges du fleuve, non loin de l'académie. Il existait deux confréries, la *Sodales Majoris*, réservée aux philosophes et aux théologiens, et la *Sodales Minoris*, destinée aux étudiants novices. La scolarité durait en tout treize ans, mais beaucoup prenaient le cursus en cours de route, passaient deux ans à l'académie, puis partaient parfaire leur éducation dans les universités de Bologne, de Strasbourg, de Berlin ou de Königsberg. D'autres encore partaient faire leur service militaire ou entraient à la chancellerie.

Jusque-là, personne n'avait soupçonné que Panas était en réalité Sofia. La vie à la ferme lui avait donné une constitution vigoureuse et le velouté de ses joues imberbes ne semblait étonner personne, car certains étudiants étaient encore bien plus jeunes qu'elle. Vêtue d'un large manteau bleu marine, les cheveux coupés au bol, Sofia se plongea dans un monde de cours magistraux et de controverses avec l'enthousiasme du néophyte. Elle défila sous la bannière de sa congrégation jusqu'à la laure pour assister au débat public mensuel. Elle chanta les psaumes dans les rues pour récolter un peu d'argent, puis, une pièce de monnaie dans le creux de sa main, elle courait au Cabinet de lecture, une librairie regorgeant de toutes sortes de trésors, ou bien à la boutique d'art tenue par un commerçant lombard. Sa pièce ne lui permettait pas d'acheter grand-chose, mais elle passait des heures à rêver de ce qu'elle pourrait acquérir quand elle aurait suffisamment économisé.

Son année à l'académie fut marquée par la première visite officielle dans leur ville d'Élisabeth, impératrice de toutes les Russies, un événement considérable. Kiev se situait à la frontière de l'Empire, et la fille de Pierre le Grand avait fait de nombreuses haltes au cours de son voyage pour visiter lieux de pèlerinage et monastères. D'après les bruits qui circulaient, la tsarine fatiguée par son périple était de fort méchante humeur et furieuse du récent complot ourdi contre elle. Craignant qu'elle ne trouve pas leur ville à son goût, les Kiéviens n'avaient pas ménagé leurs efforts ni regardé à la dépense pour les préparatifs de l'accueil solennel du convoi impérial.

La procession fit son entrée par la Porte d'Or, où un comédien déguisé en Kiy, l'un des quatre fondateurs de la ville, s'avança vers le premier carrosse sur un chariot attelé de deux chevaux ailés et offrit à la souveraine les clés de la cité vassale. La visiteuse fut accueillie par les étudiants de l'académie grimés en dieux et héros grecs. Sofia, travestie en Apollon, ne pouvait détacher ses yeux de l'impératrice. Mais qui était cet homme en uniforme de maréchal assis près d'elle dans son carrosse ? N'était-ce pas Olexeï, leur pastoureau à la voix d'or ? Sofia le contempla en pensant qu'il ne serait pas le seul de leur village à connaître un destin hors du commun. *Un jour, moi aussi, je rentrerai au village, et* Tato *sera fier de moi. Qui sait, Olexeï aussi sera peut-être fier de moi.*

Le coup de pouce du destin arriva trois mois plus tard. Plongée dans l'étude de son manuel *De institutione grammatica*, elle suait sur les déclinaisons latines quand sa porte s'ouvrit. Sofia avait oublié combien son père était grand. Il emplissait de sa stature tout l'espace de sa minuscule chambrette.

Elle se leva pour se ruer dans ses bras.

— *Tato !* J'ai tellement de choses à…

Puis elle remarqua la ride soucieuse barrant le front de son père.

— Est-ce que tout va bien à la maison ? murmura-t-elle d'une voix sans timbre.

Iakov s'assit sur le lit, le regard tourné vers la fenêtre.

— Ta mère et ta sœur te saluent affectueusement. Panas dit que tu lui manques.

Il tourna son visage vers elle. Son expression était si triste que Sofia, l'estomac noué, entendit à peine ce qu'il lui disait.

— Je suis content que tu te plaises ici. Je t'aime plus que tout, tu le sais. Et j'ai en toi une confiance absolue. J'ai besoin de ton aide, Sofia. Pour une affaire de la plus haute importance, plus importante que tes études. J'ai reçu une lettre de France. Tu dois partir pour Londres sans tarder. Suis-moi, et je t'expliquerai ce qu'il en retourne en chemin.

Le premier réflexe de Sofia fut de protester. Elle n'était pas prête, elle n'avait passé qu'une année à l'académie, et ce n'était pas assez. En y réfléchissant bien, c'était suffisant pour le latin, mais pas pour la rhétorique ou la philosophie. Non, décidément, elle ne pouvait pas faire ce qu'on attendait d'elle. Elle sombrait dans un océan de craintes et de questionnements à une telle vitesse que pour ne pas se noyer, elle finit par bredouiller :

— Oui, père. Quand dois-je partir ?

Cela fait maintenant un mois qu'elle voyage sous le déguisement d'un étudiant partant poursuivre son cursus dans une université allemande. Iakov avait tout d'abord suggéré qu'elle prenne le bateau jusqu'à Sitch, la capitale cosaque sur le Dniepr, puis traverse la mer Noire sur un navire marchand, mais sa mère n'avait rien voulu savoir. Elle gardait en mémoire les récits de voyageurs qui se racontaient pendant les longues soirées d'hiver et avait glissé à Sofia dans le creux de l'oreille :

— De nobles veuves en partance pour les lieux saints tombèrent dans une embuscade tendue par les Tartares dans la steppe et… (Elle avait encore baissé le ton, comme si elle redoutait que les brigands l'entendent.) Tous leurs biens leur furent dérobés, et les pauvres femmes furent vendues en Crimée sur le marché aux esclaves de Kava.

Iakov avait souri sous sa moustache d'un noir de jais, mais le masque d'affliction qu'Olena arborait depuis trois jours l'avait finalement convaincu d'envisager d'autres alternatives.

Sofia pouvait suivre la rivière par la route. Le lin et le chanvre produits dans la région étaient transportés dans des barges, puis par voie terrestre à travers le territoire de la Russie jusqu'à Riga, sur la Baltique, d'où ils étaient expédiés vers l'Angleterre. Mais Sofia s'était insurgée contre cette idée. Les lourdes barges de trente tonnes qui voyageaient sur la Desna lui évoquaient les gros escargots qui vivaient dans un coin de leur jardin potager envahi par les mauvaises herbes. Sous leur lourde coquille, ils avançaient paresseusement en laissant derrière eux un filet de bave. Elle préférait cent fois rejoindre une caravane de *tchoumaki*, ces marchands cosaques qui traversaient l'Europe avec leurs cargaisons de sel, de céréales, de cuir et d'étoffe de lin.

Elle s'était tournée vers son père en l'implorant.

— Leurs routes sont sûres et empruntées par beaucoup de convois. Nul ne sait mieux que ces marchands quand il convient de prendre la route ou de s'arrêter.

En outre, plusieurs familles de *tchoumaki* vivaient au village, et ses chers parents seraient plus rassurés de savoir qu'un voisin veillerait sur elle pendant son voyage.

Sa mère avait détourné la tête en marmonnant des prières pour contempler la lueur vacillante de la veilleuse devant l'icône qu'elle avait reçue en dot. Iakov avait fini par se ranger aux arguments de leur fille. En secret, il était fier de sa curiosité et de son esprit aventurier. « Un vrai tempérament de Cosaque », aimait-il à dire.

La caravane des *tchoumaki* devait traverser la Pologne et la Prusse, en suivant presque tout du long la piste appelée *hostinets*. Cette route large et poussiéreuse était bordée de prairies sauvages, où l'herbe haute touchait le ventre des chevaux qui y vivaient en liberté et traversait des villages de chaumières aux murs chaulés.

Les marchands avaient partagé avec Sofia le code ancestral du voyage, qui se transmettait de bouche à oreille depuis des générations. La jeune fille avait appris comment transformer la caravane en une petite forteresse la nuit. Elle aimait leur nourriture simple et leurs plaisanteries bon enfant, mais par-dessus tout elle adorait les histoires qu'ils échangeaient le soir autour du feu, des histoires qui parlaient des temps anciens et des authentiques Cosaques, ceux que l'on appelait les « nouveaux chevaliers de l'Europe », plusieurs centaines d'années auparavant. Elle entendit la légende des *kharakterniki*. Ces Cosaques indestructibles et sans peur résistaient aux flammes et pouvaient vivre sous l'eau, ils avaient le don de se métamorphoser en animaux et de lancer à mains nues des boulets de canon chauffés à blanc. « Ils étaient dans la guerre comme des poissons dans l'eau, Sofia. Périr sur le champ de bataille était leur souhait le plus cher. »

Il n'y avait qu'une seule histoire qu'elle n'aimait pas. C'était celle de la règle d'or qui interdisait la présence de femmes dans l'État cosaque sous peine de mort. Sœurs, amantes ou mères, toutes devaient être bannies.

— Pourquoi ont-ils instauré cette règle ? avait-elle demandé à un vieux *tchoumak*.

— Ces hommes étaient des soldats astreints à une discipline de fer. Ils n'avaient pas de temps à perdre avec l'amour et le mariage, lui avait-il répondu avec un clin d'œil.

Sofia avait froncé les sourcils et s'était mordillé la lèvre, mais n'avait plus posé de questions.

Après Varsovie, elle avait dû poursuivre sans eux sa route jusqu'en Bohême, pour ensuite rejoindre Nuremberg et Nancy, fief des ducs de Lorraine. Toutefois, elle n'était pas complètement seule, puisque Vassil, un valet au service de sa famille, l'accompagnait en qualité de cocher. La guerre en Europe avait pris fin, mais les routes étaient toujours hantées par des bandits de grand chemin. La voiture de Sofia avait été arrêtée une fois, sur la route d'Olys. Serrant dans sa main la crosse du lourd pistolet turc de son père, Sofia s'était préparée à se défendre. Mais les malandrins avaient vite renoncé à perdre leur temps avec un étudiant sans le sou. Comment auraient-ils pu deviner que les ferrures du carrosse étaient garnies de pièces d'or patiemment incrustées par Iakov ?

— Nous voici arrivés, Sofia, lui annonce enfin Vassil.

Sofia se penche à la fenêtre et aperçoit une petite église en grès. Son dôme est surmonté d'une flèche pareille au bec d'un oiseau assoiffé attendant désespérément une goutte de pluie. La voiture franchit un pont sculpté de monstres à la face triste et s'arrête sur l'autre rive. Sofia descend, s'étire et se délasse les jambes.

Devant elle, un portail est orné d'un blason représentant deux épées en croix. Une allée bordée de peupliers mène à un château. Sofia marche d'un pas incertain jusqu'à la rivière, puis se penche pour s'y rafraîchir et s'asperger le visage. Dans l'eau ridée par l'onde elle distingue son reflet, celui d'un étudiant fourbu dans un manteau bleu froissé et couvert de poussière. *Il est temps de redevenir toi-même*, se dit-elle. Un sourire aux lèvres, elle s'avance en direction du château, contente que cette partie de son périple soit enfin terminée.

« Nous arrivons en gare de London King's Cross. Veillez à ne rien laisser derrière vous. » Taras entend cette annonce avec satisfaction. Il range dans sa serviette le dossier relatant le voyage de la jeune femme, par-dessus celui d'Oxana, avant de le caresser d'un geste presque tendre. Il doit maintenant partir à la recherche de ces deux femmes que plusieurs siècles séparent et qui pourtant partagent le même nom et le même secret. Un secret qui n'en restera plus un très longtemps.

7

TARAS

Londres, mars 2001

— Un visiteur vous attend à la réception, mademoiselle Fletcher, annonce Amy de sa voix gazouillante. Non, il ne peut pas prendre un rendez-vous demain. Il dit que c'est urgent et qu'il doit repartir ce soir. Il vous attend depuis déjà une heure. Non, Kate ne peut pas le recevoir. Elle s'est absentée. Vous êtes la seule au bureau.

— Mlle Fletcher va vous recevoir, monsieur Voï... Vich... Vichnevski, poursuit du même ton la jeune femme en s'adressant cette fois à l'homme qui attend. Kate a dû s'absenter. C'est regrettable, car elle aussi porte un nom étr...

Elle se reprend très vite et enchaîne :

— Un nom pareil au vôtre et serait plus apte à répondre à votre problème. Kate est notre spécialiste de l'Europe de l'Est.

Son sourire est un peu plus que professionnel, car ce M. Vichnevski est un homme fort séduisant, qui plus est vêtu d'un élégant costume digne d'un tailleur de Savile Row.

Taras lui rend son sourire. Il est très content de lui, car il a réussi à apprendre le prénom de cette

87

fille, Amy, et à identifier son accent de l'Essex. En outre, il est sur le point d'être reçu par l'un des associés seniors d'un prestigieux cabinet d'avocats, et tout cela grâce à trois petites heures d'interrogatoire à l'hôtel Ukraïna. Si seulement il avait eu un peu plus de temps pour s'entraîner avant son voyage. Que dit le proverbe ? « C'est en forgeant... »

Un bruissement d'étoffe vient le tirer de ses pensées.

— Monsieur Vichnevski, je suis désolée de vous avoir fait attendre. En quoi puis-je vous aider ?

Taras n'a pas le temps d'analyser la construction grammaticale de la phrase qu'il vient d'entendre. Il se tourne vers cette voix sans timbre et répond :

— Baron Vichnevski, pour vous servir. Dans sa grande mansuétude, le gouvernement polonais a restitué son titre à ma famille. Je suis confus de me présenter sans rendez-vous, mais je dois quitter Londres ce soir et j'ai besoin de m'entretenir avec quelqu'un d'une affaire familiale extrêmement confidentielle... Votre firme est réputée pour sa discrétion et son efficacité. Je peux compter sur vous, n'est-ce pas, mademoiselle Fletcher ?

Il marque une pause, attendant l'assentiment de son interlocutrice.

— Mais certainement. Nous pouvons parler ici, dans la salle d'attente, il n'y a personne d'autre que nous.

Elle lui désigne le fauteuil beige qu'il occupait il y a encore un instant.

Mlle Fletcher n'a pas un physique des plus attrayants. Tailleur gris, cheveux gris, teint gris. Taras songe qu'il ferait bien d'obtenir d'Amy le nom de famille de cette autre avocate prénommée Kate pour sa prochaine visite. Si toutefois il y a une autre visite.

Mlle Fletcher fixe un point au-dessus de sa tête, puis se tourne vers la réceptionniste.

— Ce tableau bleu et blanc près de la pendule, il est nouveau ? Je ne l'avais jamais remarqué. Qui l'a choisi ? En plus d'être hideux, il ne correspond pas du tout à l'image de professionnalisme que nous voulons donner.

Sur ce, elle traverse la pièce d'un pas martial sans laisser à Amy le temps de répondre. Taras examine la toile de plus près quand il passe devant elle. C'est une œuvre très impressionniste, une image imprécise composée d'une myriade de points bleus et blancs. À l'évidence, elle n'est pas assez nette pour Mlle Fletcher, qui a fait de la clarté son arme.

Ils s'installent dans un coin de la pièce. Mlle Fletcher le visage orienté vers la fenêtre, Taras face à elle et au tableau. Il reprend ses explications là où elle les a interrompues.

— Ainsi que je vous le disais, il s'agit d'une affaire extrêmement délicate nécessitant la plus grande discrétion. Mon arrière-grand-père a fui la Pologne au début du XXe siècle. Mon pays traversait alors des temps très troublés, mais mon père a malgré tout réussi à vendre ses brasseries et à transférer son argent à Londres. Notre titre nous a été rendu, mais si nous voulons récupérer les brasseries qui appartenaient autrefois à notre famille, nous devons les racheter à l'État. Pour ce faire, nous avons décidé d'utiliser l'argent placé à Londres par notre bisaïeul. Nous voudrions connaître la marche à suivre pour réclamer notre héritage et savoir combien de temps il nous faudra attendre avant de récupérer cet argent.

— Ce n'est pas aussi simple, monsieur Volich… Ce n'est pas aussi simple, baron.

En tout cas, l'affaire semble assez simple pour elle, et Taras n'a nul besoin de poser d'autres questions. Mlle Fletcher est en terrain connu. Le droit est son domaine, mais elle ne possède aucun talent de communicatrice. Une heure plus tard, Taras ressort du cabinet en possession de toutes les informations nécessaires sans avoir fourni aucun renseignement le concernant ni d'adresse où le joindre.

En quittant Lincoln's Inn, il décide de faire une promenade sur les berges de la Tamise le temps de digérer ces nouvelles données. Il se gorge du spectacle et du brouhaha de l'animation autour du fleuve, sans prêter attention ni aux émanations polluées ni au vacarme rageur s'élevant du flot des voitures coincées pare-chocs contre pare-chocs sur sa gauche.

Las de survoler la capitale anglaise, les nuages se sont dispersés pour quelque temps laissant enfin une chance au soleil de se montrer. *Cette ville est un vrai caméléon,* songe Taras, avec ses immeubles qui passent du gris au jaune sous les rares rayons du soleil, ses parcs et ses squares qui dessinent des taches vertes sur sa peau de lézard. Son rythme aussi change. Du silence feutré des clubs et des galeries autour de Saint James, son pouls s'accélère sous les façades austères de la City et se transforme en une pulsation frénétique sur la musique techno qui s'échappe des bars et des boîtes de nuit de Soho.

Caméléon lui aussi, Taras se plaît dans cette capitale aux multiples visages. Il est très fier du nom qu'il s'est inventé, du titre de baron dont il s'est affublé et de son costume luxueux. Sans parler de l'accent polonais qu'il a dû longuement s'exercer à imiter. Il a suivi le manuel d'intervention à la lettre : localisation, établissement d'une chronologie, et tout ça sans révéler l'objectif de sa mission.

Il est venu bien préparé. Karpov lui a fourni une liste des cabinets juridiques travaillant avec les pays de l'Est. Taras a passé des heures à étudier le plan de

Londres et le profil de chacune de ces firmes jusqu'à arrêter son choix sur ce cabinet de bonne réputation, mais pas trop prétentieux, un cabinet de milieu de gamme qui a fort judicieusement installé ses locaux à mi-hauteur de la rue.

Taras soupèse les informations qu'il vient de soutirer à Mlle Fletcher. S'il faut plus d'un an à un baron polonais pour obtenir son héritage, alors pour un pays au bord de l'effondrement économique, et compte tenu de l'importance des sommes impliquées, il faudrait encore beaucoup plus longtemps. Mais le jeu en vaut la chandelle. Il détient peut-être le billet gagnant, l'unique chance de survie de son pays.

« *Esprit analytique, bonne faculté à évaluer une situation dans son contexte* », telle était l'appréciation inscrite dans son livret scolaire lors de sa sortie de l'académie. Il comprend pleinement quelles conséquences fâcheuses pourraient avoir ce jeu et quels conflits il pourrait déclencher. Pour l'heure, il est seul à pouvoir interrompre le processus. Il se rappelle ce qui était imprimé sur le T-shirt que son copain Adamov, de l'académie, lui a offert l'année dernière : « *Un grand destin m'attend, mais rien ne presse.* »

Dans la salle de bains de sa chambre d'hôtel, il prend un peu plus de temps que d'habitude pour se laver les mains, tout en s'exerçant dans la glace à afficher son sourire franc et timide. Il est prêt pour la prochaine étape.

8

KATE

Londres, mars 2001

C'était l'éclairage, se raisonne-t-elle. *C'était à cause de cet éclairage lugubre.* Elle se tient au-dessus du lavabo, les yeux clos, les bras ballants. Elle se souvient vaguement du night-club. Une salle pleine à craquer, une piste de danse trop petite, zébrée d'ombres mouvantes, un éclairage bleuté donnant aux visages un teint livide et presque cada-vérique. Ou alors c'était à cause de la musique élec-tronique. En tout cas, ce n'était pas ce qu'elle avait bu, elle en était certaine. Elle n'avait consommé qu'une coupe de champagne et un peu de vin blanc trop acide. Par la suite, Philip lui avait vanté les mojitos. Elle n'en avait bu que deux... Peut-être plus. Elle ne s'en souvient plus.

Une fanfare joue sous son crâne. Sa tête est sur le point d'exploser. Elle soulève ses paupières lourdes et se tourne lentement vers le réveil sur la table de chevet. Sans surprise, elle constate qu'elle est déjà en retard. Il faut qu'elle lève le camp sans tarder si elle veut arriver à temps au colloque. À tout prendre, mieux vaut y assister et faire bonne figure qu'expli-quer à Carol Fletcher qu'elle a raté la conférence parce qu'elle a fait la fête jusqu'au petit matin. Il faut bien le reconnaître, sa chef est une avocate hors pair, mais elle entretient des relations plus étroites avec la paperasserie juridique qu'avec ses semblables.

La partie de son cerveau qui a déjà émergé tente d'évaluer la situation. Philip est parti à son travail. Donc, pas la peine de compter sur son aide. De toute façon, Kate serait probablement incapable d'aligner deux mots. Sa bouche est sèche comme un vieux parchemin, sa langue, pâteuse.

Kate farfouille à tâtons parmi les tubes et les flacons posés sur la tablette de la salle de bains : un Kleenex roulé en boule, une barrette de plastique qu'elle pensait avoir perdue, mais impossible de mettre la main sur une boîte d'aspirine. Il va falloir qu'elle descende au rez-de-chaussée. D'ordinaire son sac à main est un capharnaüm de choses plus étonnantes les unes que les autres, encore faut-il retrouver ce satané sac.

À quelle heure sont-ils rentrés ce matin ? Elle essaie de se remémorer leur soirée dans un club très privé de Londres. Elle revoit le public de poseurs ultrabranchés affectant l'indifférence, mais scrutant du coin de l'œil l'arrivée des *people*. Elle se rappelle l'expression triomphante de Philip quand le serveur a prié un groupe de gens installés sur un canapé d'angle de se lever pour leur céder cette place qu'il avait réservée. La musique était si forte qu'il était impossible de se parler, et Kate ne s'en plaignait pas, au contraire. Depuis quelque temps, le couple ne trouve plus grand-chose à se dire, et la nomination de Philip à New York n'est peut-être pas une mauvaise chose en fin de compte.

« Kate me rendra visite un week-end sur deux, ce sera génial », avait-il expliqué à Mark et Alex en caressant d'un air absent le genou de celle-ci, un geste qu'il n'avait plus eu depuis longtemps, peut-être l'effet des nombreux cocktails qu'il avait ingurgités.

Dans l'espoir de se débarrasser une fois pour toutes de sa gueule de bois, Kate entre dans la douche et après un instant d'hésitation tourne le robinet d'eau froide. Le jet glacé lui remet peu à peu les idées en place, et le problème qu'elle tente de repousser depuis bientôt trois mois revient en force : sa relation avec Philip. De quand date ce mur d'indifférence entre eux ? Cimentées par les silences et les malentendus, ses briques de verre se sont empilées jour après jour. Ils continuent de se voir à travers elles, voire de s'entendre quand ils crient assez fort, mais leurs disputes stériles ne font que renforcer ce mur dressé entre eux.

Il y a peu, alors qu'elle faisait la queue au rayon traiteur de son supermarché, elle s'est amusée à lire les descriptions des différents fromages exposés sur le présentoir. À en croire les spécialistes gastronomiques employés par le magasin, on pouvait les classer en cinq catégories selon leur degré d'affinage : extrafort, fort, mi-fort, doux et très doux.

Au tout début, sa relation avec Philip avait été extraforte. Ils s'étaient rencontrés dans un pub bondé pendant la semaine d'orientation inaugurant l'année universitaire. L'alcool qui coulait à flots échauffait les esprits, et dans l'excitation générale quelqu'un avait poussé Kate vers lui d'un coup de coude involontaire. En lui heurtant le dos, elle avait senti ses omoplates sous le fin coton de sa chemise et respiré son odeur, mélange de lavande et de fumée de cigarette. Soudain, le parfum artificiel d'une lessive avait réveillé chez elle la nostalgie de sa famille qu'elle venait de quitter. Elle était restée un court instant plantée là, en proie à la détresse, et Philip s'était retourné. Ce soir-là, ils avaient échoué dans la chambre de Kate. Tous les deux très éméchés, ils s'étaient jetés l'un sur l'autre avec avidité. La tendresse entre eux était venue plus tard.

À partir de ce jour, ils étaient devenus inséparables. Une fois, pendant la traditionnelle *Rag Week* marquant la rentrée, ils avaient déambulé toute une journée à travers le campus, attachés l'un à l'autre par le coude et la cheville tels deux frères siamois. Un grand moment de rigolade. Philip étudiait les mathématiques et elle, l'histoire.

Pour Philip, le choix de Kate était une source inépuisable de plaisanteries.

— Allons, sois honnête, comment peut-on sérieusement s'intéresser aux soulèvements populaires en Angleterre sous le règne des Plantagenêts ? lui disait-il en se gondolant. Franchement, à quoi ça te servira dans la vie ?

— Tu ne veux décidément pas comprendre, répondait inlassablement Kate. Tu connais McPherson, notre professeur d'histoire médiévale, celui qui porte des pulls qu'on dirait tricotés par sa grandmère ? Écoute un peu ce qu'il a écrit : « L'histoire, c'est d'abord et avant tout l'histoire des vraies gens, celle des vies détruites par de mauvaises décisions politiques, des jeux de pouvoir entre les individus et de leur influence sur le destin de millions de personnes. » J'ai été plongée dans cette histoire dès ma plus tendre enfance. Quand j'étais petite, Baboussia, ma grand-mère paternelle ukrainienne, me racontait des légendes cosaques. En l'écoutant, j'imaginais un courageux jeune homme traversant les flots sur une *tchaïka*, un colonel enfourchant son cheval après une longue beuverie. Contrairement à tes formules mathématiques, ces gens ne sont pas secs et figés. Si tu veux savoir à quoi me sert d'étudier l'histoire, laisse-moi t'expliquer : ça m'ouvre l'esprit et m'inculque des compétences qui me seront très utiles quand j'aborderai le droit.

Leur université était un établissement prestigieux et, lors des journées portes ouvertes où les recruteurs des plus grandes entreprises venaient sélectionner leurs futurs collaborateurs, Philip avait rapidement trouvé un emploi dans un grand cabinet d'audit de la City, pendant que Kate poursuivait ses études à la faculté de droit.

Cette année-là, ils ne s'étaient pas souvent vus et, quand ils s'appelaient, ils ne parlaient plus le même langage. Philip n'en avait que pour son nouveau job et la vie londonienne, tandis que Kate tentait sur le tard d'atteindre la perfection académique. Celle-ci étant restée hors de sa portée, elle avait néanmoins réussi à décrocher un poste dans un cabinet juridique londonien, certes pas très important en taille, mais de bonne réputation.

Quand ils avaient décidé de s'installer ensemble sous le même toit, Kate n'avait pas tardé à découvrir que Philip n'était plus celui qu'elle avait connu en fac. En chemise blanche et cravaté, il affichait un sourire poli de façade qui n'avait plus rien à voir avec le sourire désarmant qu'elle avait adoré. Ils louaient une maison dans un quartier huppé de la capitale, et leur adresse était de celles dont Philip pouvait se vanter devant ses collègues de travail. Ils dînaient dans les endroits où il fallait se montrer et fréquentaient les gens avec qui il fallait être vu. Philip voyageait beaucoup, travaillait tard, sortait le soir avec ses clients et, quand il rentrait, il était trop fatigué pour parler. De plus en plus souvent, Kate dînait seule face à ses angoisses qui ne lui laissaient aucun répit. Tel un enfant enfermé dans le noir, elle avait peur de rester, peur de partir, peur de crier.

Quand d'extrafort, le goût de leur relation était devenu doux puis presque sans saveur, Kate avait compris combien l'amour était fait de toutes petites choses. Un regard, une caresse, un petit mot laissé à l'élu de son cœur.

Après avoir ouvert les rideaux, elle colle le bout de son nez contre la vitre froide. Ce geste apaise momentanément sa migraine et lui donne une idée du temps qu'il fait dehors. Elle se tourne vers la penderie en évitant son reflet dans le miroir des portes. La coupe déstructurée de sa chevelure châtain est une malencontreuse erreur imputable à une styliste encore stagiaire. Il va falloir forcer sur le maquillage pour masquer ses cernes bleus et donner un teint d'abricot à ses joues blafardes. Elle n'a jamais été très douée pour la peinture à l'école, mais aujourd'hui elle n'a pas le choix.

Elle s'efforce de ne pas penser au colloque qui l'attend. Elle n'a aucune envie d'y aller. À ses yeux, ce n'est que du temps perdu, mais Carol a insisté.

— Ce sont d'excellentes occasions de développer son réseau professionnel, surtout pour la jeune et ambitieuse avocate que vous êtes.

Cette femme a le chic pour décocher l'argument imparable. *Si c'est pour devenir comme vous, merci bien*, avait pensé Kate, mais face aux lèvres pincées de sa chef, elle avait ravalé ses objections. Dans la bouche de Carol, un conseil sonnait comme un verdict sans appel. Kate venait d'être condamnée à passer quatre heures en compagnie d'une centaine de parfaits inconnus faisant semblant d'écouter les mêmes lieux communs répétés en boucle. Le temps qu'elle arrive sur les lieux du rassemblement, avec un peu de chance, sa peine sera réduite à une petite heure.

Elle sait pourquoi elle a été invitée : la conférence doit traiter des évolutions politiques en Europe de l'Est, de la « nouvelle donne », comme ils disent. On la suppose à juste titre intéressée par le devenir de l'Ukraine. Du reste, c'est à son nom ukrainien imprononçable qu'elle doit d'avoir été recrutée par le cabinet.

Quand le Rideau de fer s'est levé, la communauté ukrainienne qui s'était exilée en Angleterre après la Seconde Guerre mondiale pour des raisons multiples et à l'issue de parcours divers, se découvrant soudain une nostalgie pour ses origines, s'est lancée à la recherche de parents restés au pays. Ces gens partaient revoir les villes et les villages où ils avaient grandi et finissaient à force d'obstination par retrouver la famille dont ils avaient été séparés. Parfois, ils insistaient pour léguer un héritage à celle-ci, peut-être dans l'espoir de retrouver leur terre natale après leur mort. D'ailleurs, c'était le cas de beaucoup d'entre eux qui avaient pris la précaution de mettre de côté le coût de leurs funérailles sur leur lieu de naissance.

Au cabinet où travaillait Kate, l'un des associés seniors avait tout de suite vu s'ouvrir cette nouvelle niche. Il avait un voisin ukrainien et savait combien cette communauté était fermée et repliée sur elle-même. Perpétuant fidèlement leurs traditions, respectant scrupuleusement leurs fêtes religieuses, ses membres se méfiaient de ceux qui n'étaient pas des leurs, même après de longues années passées en terre étrangère. Pour rédiger leur testament et régler leurs affaires, il était donc logique que ces gens préfèrent s'adresser à une jeune avocate au patronyme ukrainien plutôt qu'à un Smith ou un Jones, même plus expérimenté.

Mais la nostalgie est un mal contagieux. Kate avait beau se répéter qu'il ne serait pas professionnel de sa part de s'impliquer personnellement, elle finissait par consacrer de plus en plus de temps à écouter ses clients lui raconter leur vie, à s'occuper d'organiser leurs voyages ou leurs funérailles et à rechercher leurs parents perdus de vue, en délaissant sa mission première qui était l'exécution testamentaire.

Même si elle ne parlait pas l'ukrainien, elle adorait la musique mélodieuse de cette langue et comprenait quelques mots entendus dans les prières que récitait sa grand-mère. Baboussia était arrivée d'Allemagne en Grande-Bretagne après la guerre. Elle ne parlait jamais de son passé. En une seule occasion, elle avait raconté à Kate l'histoire d'une jeune adolescente obligée par les nazis de grimper dans un train en compagnie d'autres Ukrainiennes. D'abord envoyée dans un camp de travaux forcés, elle avait ensuite travaillé chez un fermier allemand. La famille de ce cultivateur s'était montrée gentille avec elle et lui avait offert quelques tasses en guise de cadeau d'adieu. Kate n'avait pas demandé le nom de cette jeune fille, mais à compter de ce jour, dès qu'elle allait chez sa grand-mère, elle jetait un coup d'œil à la dérobée à l'intérieur du buffet. Sur l'étagère du haut, près des *pissanki*, les œufs de Pâques peints de couleurs chatoyantes dont la vieille dame était si fière, se trouvait un service en porcelaine de Saxe. Douze tasses avec leurs soucoupes ornées d'un délicat motif fleuri. Les pétales bleus étaient pareils à des veines courant sous la peau laiteuse d'une noble dame. La maison de Baboussia était pleine d'un bric-à-brac d'objets fascinants. Des coussins de broderie rouge et noire, des fleurs en plastique dont le violet vif les faisait paraître plus artificielles encore, une icône dans un cadre d'argent ciselé, des livres écrits dans un mystérieux alphabet

C'était un univers de fantaisies et d'illusions, où la petite Kate trouvait à s'abstraire du monde jusqu'à ce que sa grand-mère l'appelle à table d'une voix douce mais ferme.

Un jour qu'elle jouait à être une princesse invitée pour le thé chez sa grand-mère la reine, elle avait pris dans le buffet l'une des tasses de porcelaine. Malgré toute sa délicatesse, la tasse lui avait échappé des mains et s'était brisée sur le sol dans un craquement à peine plus sonore qu'un murmure.

Le temps s'était arrêté. Sur le mur, la Vierge aux yeux en amande avait serré contre son sein l'Enfant Jésus en posant sur Kate un regard chargé de reproches. Sur l'étagère du buffet, onze jolies tasses pleuraient la disparition de leur sœur.

Son monde merveilleux lui était devenu hostile. Désormais, elle n'était plus pour lui qu'une menace, une présence étrangère, une vilaine sorcière. Une heure plus tard, Kate n'était toujours pas remise du choc. Prostrée sur le divan, les mains serrées entre ses genoux, elle se balançait d'avant en arrière. Tous les efforts de sa grand-mère pour la réconforter, pour la distraire et la sortir de son mutisme n'avaient eu pour résultat que de modifier le rythme erratique de son balancement nerveux. En désespoir de cause, la vieille dame avait ouvert la porte du buffet. Elle en avait sorti ses tasses adorées et les avait brisées les unes après les autres sous les yeux ébahis de la petite fille en disant :

— Tu vois ? Tu as pour moi beaucoup plus de prix que ces choses en porcelaine.

C'était un beau spectacle, de voir le geste gracieux de Baboussia et d'entendre le son harmonieux que produisaient les tasses en se brisant. C'était comme une valse à trois temps que Kate regardait, hypnotisée.

Elle avait cessé de se balancer. Quand la sixième tasse avait touché le sol, elle s'était levée d'un bond. Accrochée aux jupes de sa grand-mère, elle s'était mise à psalmodier une prière en ukrainien qu'elle avait souvent entendu Baboussia murmurer. Les paroles qu'elle avait gravées dans sa mémoire sans en comprendre le sens sortaient maintenant de sa bouche telles des perles, reprenant une mélodie qu'elle connaissait depuis toujours sans avoir jamais osé la chanter à voix haute. Ce jour-là, pour la première fois de sa vie, elle s'était frottée à la réalité et avait commencé à entrevoir la difficulté d'affronter la perte des choses qui nous sont chères. Son monde imaginaire l'avait laissée partir, et la prière de Baboussia était devenue pour elle un rituel qu'elle invoquait pour éprouver sa force.

Le réveillon de Noël de sa grand-mère était un autre rituel. Chaque année, le 6 janvier, toute la famille se rassemblait autour de la table pour le repas sacré. Cette date correspondait à la veille de la Nativité selon le calendrier julien et la tradition orthodoxe. Kate adorait cette fête. À l'école, elle était la seule à célébrer deux fois Noël et surtout elle recevait une montagne de cadeaux de Baboussia.

La table dressée pour la nuit sainte était chaque année un chef-d'œuvre composé d'une dizaine de plats. Mais c'était à peine si Kate touchait à son assiette tant elle attendait avec impatience qu'on serve enfin le *koutia* – « un Christmas pudding liquide », comme elle l'avait un jour décrit à l'une de ses camarades d'école, confectionné à partir de graines de pavot cuites à la vapeur, de blé, de raisins secs, de miel et de noix. Son cœur battait la chamade, anticipant le moment où, autour de la table, les conversations tranquilles des ventres rassasiés se tairaient tandis que sa grand-mère ferait son entrée solennelle en portant sa grande soupière. C'était un de ces rares moments où tous communiaient par le palais, où sa mère souriait à son père, où son petit frère encore bébé se tenait enfin tranquille. Kate était toujours la première servie. Elle tenait le rôle principal dans la cérémonie de la première bouchée. Baboussia lui demandait d'un air anxieux :

— Alors, comment tu le trouves ?

À quoi Kate rendait son verdict de fin gourmet en pesant chacun de ses mots.

— Pas mauvais. Je peux en avoir encore ?

Manger du *koutia* en toute autre occasion de l'année aurait ôté la magie de cet instant. Dès lors, Kate attendait impatiemment le prochain réveillon, sa prochaine heure de gloire où elle pourrait exercer son droit d'assentiment.

Mais, en dehors de ce second Noël et de la mélodie des prières de son enfance, ses racines ukrainiennes n'ont jamais eu une importance primordiale dans sa vie, étant davantage un écho du passé, un truc peu banal à raconter ou à taire à ses nouveaux petits amis afin de leur expliquer les origines d'un nom de famille dont les voyelles roulent sur un surcroît de consonnes.

Son nom n'est jamais orthographié correctement, et Kate le constate une fois encore en lisant l'écriteau qui la regarde du fin fond de la salle où se tient la table ronde. Pour atteindre sa place elle va devoir passer devant l'intervenant qui est en train de parler. D'ordinaire, elle en mourrait de honte et préférerait rester près de la porte en attendant la fin, mais aujourd'hui, avec la fatigue et la migraine qui engourdissent ses pensées, elle se moque de savoir ce que les autres penseront d'elle.

Alors qu'elle se demande si elle va longer le mur puis rejoindre sa place par une rapide embardée finale ou bien, la tête rentrée dans les épaules, foncer à travers la salle, le président de séance annonce le dernier intervenant en la personne du ministre ukrainien des Finances. Un murmure d'intérêt non feint parcourt l'assistance, et pas seulement parce que ce discours sera le dernier. L'homme est jeune, dynamique et parle un anglais étonnamment fluide. Kate se dit que c'est le moment ou jamais de rejoindre sa place et prend son élan.

— Que savez-vous de mon pays ? demande alors le jeune ministre. Peut-être que ses terres noires sont les plus fertiles d'Europe ou bien qu'il est pollué par les radiations de Tchernobyl…

Il marque une pause.

Kate s'avance, sans quitter des yeux sa place, mais n'arrive pas à la rejoindre à temps. Elle se fige au milieu de la salle, sous les regards de désapprobation, tandis que le ministre reprend :

— L'Ukraine est peut-être pour vous le pays des champions de football et des jolies filles.

Un rire s'élève dans la salle, et Kate en profite pour foncer vers sa chaise. Elle se sent rougir, comme si ces rires lui étaient destinés. Enfin, elle arrive à sa place, tandis que le ministre poursuit son exposé d'un ton plus sérieux.

— L'Ukraine est encore méconnue à l'Ouest, pourtant c'est le deuxième pays d'Europe par sa superficie, le cinquième par sa population et…

Kate parvient enfin à se détendre et laisse son esprit vagabonder. Elle consulte la liste des participants sur le programme qui lui a été remis à l'entrée. Ce sont pour la plupart des représentants de sociétés désireuses de se développer dans les pays émergents. Mais il se trouve aussi parmi eux des analystes financiers, des étudiants en sciences politiques et une poignée de journalistes. Tous ces gens ont déjà passé deux heures à écouter, affichant l'expression étudiée de l'auditeur en pleine concentration. Kate remarque un jeune homme assis en face d'elle. À bien y regarder, il n'est peut-être plus si jeune, mais sa frange et les taches de rousseur sur son nez lui donnent un air juvénile. *Un de ces éternels adolescents qui donnent l'impression de ne jamais vieillir*, pense-t-elle en l'observant. L'« Ado », comme elle l'a d'emblée surnommé, écoute, la tête penchée en avant, le regard au sol. Est-il accablé par le discours de l'intervenant ou essaie-t-il lui aussi de se remettre d'une nuit trop courte ?

Kate reporte son attention sur le ministre. Ses larges épaules tendent l'étoffe de son costume chaque fois qu'il porte la main à sa mâchoire carrée de footballeur ou plaque ses larges paumes sur son pupitre pour appuyer ses propos. Kate songe que pour convaincre Carol elle va devoir lui rapporter autre chose de cette rencontre que son admiration pour le physique avantageux du jeune politicien.

Une prise de conscience qui tombe à pic, puisque c'est le moment où l'orateur prononce la conclusion de son discours.

— Mais mon pays recèle bien d'autres trésors cachés. Trouvez-les, travaillez à nos côtés et vous profiterez vous aussi de ces richesses.

Cette dernière phrase est accueillie par un concert de rires d'approbation, d'applaudissements de soulagement et de chaises raclant le sol.

— Bien dit, maintenant, je crois que nous avons mérité un bon déjeuner, lâche un participant à cravate jaune assis à côté de Kate en s'adressant à son voisin – costume noir de la City, cheveux impeccablement plaqués en arrière.

Aucun des deux hommes ne fait attention à elle. Les trois heures de supplice qu'ils viennent d'endurer côte à côte ont visiblement établi entre eux une forme de connivence.

Kate scrute les visages inconnus qui l'entourent, soupire, puis se dirige vers la sortie, fendant l'assistance en plein travail de développement de réseau : quelques miettes de rumeurs lâchées l'air de rien dans la conversation, le tout saupoudré d'une pincée de contacts exploitables. En dépit de ses efforts, elle n'arrive pas à avancer. Elle ne comprend pas tout de suite pourquoi, jusqu'à ce qu'elle sente une poigne ferme la retenir par la manche de sa veste.

Elle se retourne, agacée de ce contretemps, et reconnaît l'Ado qui était assis face à elle. Il est plutôt grand et se tient au-dessus d'elle sans lâcher sa manche.

— Excusez-moi, mais je n'ai trouvé que ce moyen pour vous empêcher de vous éclipser. J'ai besoin de vous parler, c'est important.

Il parle avec un accent difficilement identifiable, peut-être d'Allemagne ou d'Europe de l'Est. Le ton implorant de sa voix et son sourire désarmant ont rapidement raison des réticences de Kate. Elle répond à son sourire et lui dit :

— Je ne crois pas vous avoir déjà rencontré.

— Non, en effet, mais j'ai lu votre nom sur le carton marquant votre place. Il est ukrainien, n'est-ce pas ?

Kate hoche la tête à contrecœur.

— J'ai vu sur la liste des participants que vous êtes avocate, poursuit l'Ado. Et je pense que vous êtes la personne qu'il me faut.

Kate l'examine de plus près. Ses lunettes cerclées de métal ne masquent pas les taches de rousseur sur son nez, ses yeux verts légèrement tombants lui donnent l'air d'un clown triste. Il se tient un peu voûté, comme s'il voulait paraître moins grand qu'il n'est, et quand il parle il balaie sa frange d'adolescent du bout de ses longs doigts fins. *Des doigts de chirurgien ou de dentiste*, songe Kate qui secoue aussitôt la tête pour chasser ces pensées oiseuses. Cet homme est trop jeune pour avoir besoin d'un testament, mais a l'âge requis pour être un héritier. Une conversation avec lui pourrait avantageusement remplacer tout le travail de réseau qu'elle n'a pas fait, et Carol serait satisfaite. Kate consulte sa montre. Elle a une heure devant elle avant de retrouver sa chef au bureau, largement le temps d'avaler un expresso dans un petit bar italien qu'elle connaît près du métro.

— Que diriez-vous d'un café, monsieur… ? demande-t-elle à l'homme de son ton le plus professionnel.

Elle peut le considérer comme un client désormais et fera passer l'addition en note de frais, juste pour embêter Carol.

— Andreï, répond-il avec un autre sourire.

Pendant qu'ils marchent vers le café, l'Ado lui explique qu'il est chercheur spécialisé dans l'étude des conséquences sociales entraînées par les changements politiques et qu'il a eu la chance inouïe de décrocher une bourse à Cambridge. Son directeur de recherche est un professeur encore jeune qui a séjourné plusieurs fois en Europe de l'Est, et Andreï passe des heures à discuter avec lui des causes réelles à l'origine des transformations fulgurantes qui viennent de bouleverser la carte politique de l'Europe. L'homme parle un anglais correct, sans trop de fautes jusqu'à présent, bien qu'avec un léger accent qui appuie les *R* et durcit les *S*. Pour une raison que Kate ne s'explique pas bien encore, il évite son regard, et son geste de balayer sa frange devient plus nerveux.

Quand ils s'installent sur les hauts tabourets du bar, Kate regrette déjà de lui avoir proposé ce café. Ses deux coudes posés sur le Formica du comptoir, elle tourne vers lui un regard impatient.

C'est alors qu'il lui pose une question à laquelle elle ne s'attendait pas.

— Qu'avez-vous pensé du discours du ministre ?

Génial, pense-t-elle. Il l'a observée pendant la conférence et a noté son manque total d'intérêt. Sa déception est en train de tourner à la franche hostilité.

— Il m'a paru plutôt convaincant, répond-elle. J'ai apprécié son humour, ça nous change des financiers assommants et guindés. Pourquoi me posez-vous cette question ?

— J'aimerais que vous regardiez ça. Comme vous pouvez le voir, ces documents ne sont pas en anglais, j'y ai joint ma propre traduction. J'ai passé un temps fou à tenter de trouver les mots justes en m'aidant du dictionnaire.

Soudain, le clown triste se métamorphose sous ses yeux en un magicien brandissant avec assurance une chemise en plastique transparent qu'il vient de faire surgir du néant.

Kate étudie l'écriture appliquée avec ses *T* barrés d'un trait net et ses *I* au point bien marqué. L'écriture d'un enseignant désireux d'inspirer l'envie d'apprendre. Mais Kate n'a jamais aussi peu éprouvé cette envie. Elle est crevée, en retard pour sa réunion au bureau, et la fanfare continue de jouer du tambour sous son crâne. D'un geste lent, elle repousse le dossier.

— J'aimerais beaucoup le lire, mais je suis en retard et je dois vraiment partir. Nous pourrions nous revoir à un moment mieux choisi. Laissez-moi votre numéro.

Elle est déjà descendue de son tabouret, quand une fois de plus il la retient par la manche.

— S'il vous plaît, ne partez pas encore. Jetez juste un coup d'œil à ceci.

Décidément, ce garçon est très impulsif, se dit Kate, *à moins que tirer les gens par la manche soit une coutume dans son pays*. Elle ouvre à contrecœur la chemise plastifiée, histoire de gagner du temps et de trouver une dérobade. Mais, à peine sa lecture commencée, Kate est totalement captivée. Car ce dossier ne contient pas que des pages recopiées d'une écriture de maître d'école. L'histoire qu'il renferme est proprement passionnante. Quelque chose d'énorme, à condition bien sûr que tout soit vrai.

— Il y a une faute d'orthographe, fait-elle remarquer. (C'est une déformation professionnelle chez elle : en tant qu'avocate, elle est habituée à vérifier scrupuleusement chaque mot.) « *Hitman* » ne s'écrit pas « *hetman* ».

L'homme part d'un rire si communicatif qu'elle ne peut s'empêcher de lever le nez du dossier et de sourire, bien que sans comprendre pourquoi sa remarque déclenche chez lui une telle hilarité.

— Je n'ai pas fait de faute d'orthographe, dit-il. Je n'ai pas écrit « *hitman* », comme un tueur à gages, mais « *hetman* ». Ce mot désignait au XVIe siècle le chef suprême de l'armée cosaque, puis le chef élu d'un clan cosaque.

— Oh, je connais les Cosaques, le coupe Kate. Petite, j'étais un vrai garçon manqué. Je grimpais dans les arbres, je jouais au football. Chaque fois que je rentrais chez nous avec les genoux écorchés, ma grand-mère me disait : « Ne pleurniche pas. Montre-moi que tu es une vraie Cosaque. » Je précise qu'elle est ukrainienne. Mon enfance a été bercée par les histoires de Cosaques.

Penché vers elle, Andreï la fixe d'un regard intense et l'écoute sans en perdre une miette. Gênée, Kate s'interrompt soudain. Qu'est-ce qui lui prend de confier ses histoires d'enfance à cet homme qu'elle vient tout juste de rencontrer, à ce chercheur étranger qui pourrait de surcroît devenir un client du cabinet ?

— Eh bien, si vous en savez aussi long sur les Cosaques, vous devriez d'autant plus vous intéresser à cette affaire, lui répond-il. Que diriez-vous de gagner…

Il fait apparaître un stylo et note un nombre sur le coin d'une serviette en papier tachée de café. La somme est assez rondelette pour éveiller l'intérêt de Kate. D'autorité, Andreï lui rend le dossier.

— C'est ce qu'il vaut aujourd'hui ? demande Kate en regardant le montant inscrit sur la serviette.

— Non, c'est ce que vous serez payée si vous m'aidez.

Il semble beaucoup plus calme à présent. Sa frange, immobile depuis un moment, laisse apparaître son front haut, et Kate se fait la réflexion qu'elle le préfère avec sa mèche sur le côté. Il reprend la serviette pour inscrire un autre nombre encore plus astronomique que le précédent.

Kate sent le rouge lui monter aux joues. Elle secoue la tête d'un air incrédule.

— C'est impossible, c'est…

Son regard se pose sur la une d'un exemplaire du *Financial Times* que quelqu'un a abandonné sur le comptoir.

— C'est plus que le P.I.B. des Pays-Bas.

Puis, reprenant une expression favorite de Carol, elle ajoute d'une voix ferme :

— Franchement, tout ça sent la magouille à plein nez.

Andreï l'enveloppe d'un regard grave.

— Ce n'est pas si difficile à vérifier, reprend-il d'un ton glacial. Et si c'était vrai ?

— Dans ce cas, ce serait…

Kate suspend sa phrase, cherchant le mot juste.

— Ce serait tentant. Mais dites-moi : comment vous êtes-vous procuré ces documents ?

— Ça prendrait trop de temps de vous l'expliquer. Mais, si voulez vraiment le savoir, je vous propose une nouvelle rencontre. Alors je vous raconterai tout. Puis-je compter sur vous pour ne parler de ce dossier à personne ?

Kate pense au rapport sur le colloque de ce matin qu'elle va devoir rédiger à l'intention de la terne vieille fille qui lui sert de boss. Puis elle regarde Andreï. Cet homme est soit terriblement naïf, soit très bon comédien. Il a l'air tellement sérieux qu'elle se retient pour ne pas rire. La main sur le cœur, elle déclare :

— Je vous en fais le serment.

Tout en pensant qu'ils n'ont plus besoin que d'une lampe de poche et d'une cabane dans les arbres pour vivre une grande aventure. Elle note le numéro de téléphone qu'il lui donne, puis sort en lui adressant un signe d'adieu. Tandis qu'elle se dirige vers le métro d'un pas tranquille, elle se retient de dévaler l'escalier sous le regard d'un client potentiel.

Quand elle arrive en trombe au bureau, avec une bonne demi-heure de retard pour sa réunion avec Carol, elle se demande quel nouveau sermon l'attend aujourd'hui. La vision du tableau blanc et bleu dans le hall d'accueil réussit à la calmer. Quand elle est fatiguée et sur les nerfs, son regard prend l'acuité d'un faucon. Plus aucun détail ne lui échappe. Elle note au passage les myriades de taches de couleur composant la toile et pense « pointillisme ».

Elle recule de quelques pas, cherchant le bon angle pour regarder la toile. Quelqu'un s'est déjà penché sur la question, car c'est d'un canapé prévu pour le repos des visiteurs que Kate trouve la meilleure vue sur le paysage nébuleux et tout empreint de calme. C'est de la thérapie par l'art. Simple, réconfortante et efficace. Il suffit de rester assis et de contempler. Mais la contemplation n'est certainement pas l'état d'esprit dans lequel se trouve Carol en ce moment.

Dans l'ascenseur, Kate se demande comment elle peindrait sa patronne. Quand elle arrive devant le bureau de Carol, elle se dit que des formes géométriques seraient sans doute ce qui la représenterait le mieux. Des lignes droites et nettes tracées à la règle avec la mine d'un graphite très dur.

Mais, contre toute attente, Carol Fletcher n'est pas d'humeur querelleuse. Son emploi du temps est bien trop chargé pour ça. Elle lève simplement la tête pour demander à la nouvelle venue comment s'est passée la conférence, puis se replonge dans un monde de paperasserie où les avocats qui arrivent avec trente-cinq minutes de retard à une réunion n'ont tout simplement pas leur place. Kate enveloppe sa chef d'un regard presque tendre. Avec quelques retouches, un peu de rouge à lèvres, d'ombre à paupières et une pointe de Terracotta sur les joues, on arriverait finalement à en faire un tableau plaisant.

Elle sent quelque chose lui gratter le coude. La chemise plastifiée. Elle dépasse de son sac et exhale un parfum de mandarine artificielle, sans doute celui du détergent dont le bar se sert pour nettoyer son comptoir.

Comme sa réunion avec Carol est maintenant annulée, elle a le temps de finir de le lire. Elle s'installe à son bureau et sort une feuille de papier ligné sur laquelle Andreï a noté sa traduction du premier document.

13 février 1922
Vienne
URGENT ET CONFIDENTIEL

Au Commissaire du peuple chargé des Affaires étrangères, de la part de l'ambassadeur de la république socialiste soviétique d'Ukraine en Autriche.

Tovaritch Svechnikov !

Des circonstances exceptionnelles exigent que je vous informe sans délai d'un entretien que j'ai eu aujourd'hui. J'ai toutes les raisons de penser que ledit entretien pourrait avoir des conséquences de la plus haute importance pour l'avenir de notre État socialiste indépendant...

9

Vienne, février 1922

Plongé dans les souvenirs de sa gloire passée et de sa déchéance présente, il a perdu toute notion du temps. Le carillon de la pendule lui rappelle qu'il est 18 heures, l'heure pour lui de rentrer.

Février à Vienne est un mois humide. La neige fondue forme une boue grise qui colle aux chaussures, et le vent vous glace jusqu'aux os. L'ambassadeur vient de passer trois heures dehors par ce temps inclément pour l'inauguration d'un nouvel immeuble d'habitation au coin de Johannesgasse. Le bâtiment, qui servira au logement des ouvriers, est équipé d'une buanderie avec des lave-linge, d'une salle de bains commune, d'un jardin d'enfants et d'une vaste cour intérieure. Voilà bien les sociaux-démocrates, toujours pressés de priver les gens de leur intimité !

Ils étaient tout aussi pressés de l'entendre exposer ses théories socialistes. Lui, le représentant d'un nouvel État communiste en plein cœur de l'Europe, un État appelé à prospérer, nourri au lait du socialisme, pendant que le reste du continent tenterait de s'extirper de la crise économique. Après deux heures passées debout, par un froid mordant, l'ambassadeur avait été invité à prononcer un discours. Il avait alors pris la parole pour souligner combien il était important de construire non pas de simples habitations, mais des foyers, ainsi que de prendre une part active à l'*Arbeiterkultur* et à son réseau de compétitions d'athlétisme et de cours de musique.

L'ambassadeur s'était abstenu de dire que le socialisme n'était pas une affaire de jardins d'enfants et de pataugeoires. Certes, il était nécessaire de créer des symboles, tels ces immeubles d'habitation, afin d'illustrer le rôle que jouerait le prolétariat à l'avenir. Certes, il fallait placarder de grandes et belles affiches ornées de slogans percutants pour remplacer les icônes des saints et les portraits du tsar. Mais le socialisme, c'était encore autre chose. Le socialisme était une affaire de contrôle des masses. Il était bien plus facile d'avoir la mainmise sur une société dont tous les membres sont égaux. Pas égaux dans le bonheur, mais égaux dans la croyance en un bonheur futur.

De ses doigts encore gourds et rougis par le froid, il range des papiers sur son bureau. Fatigué, il ne rêve que de se coucher, mais il sait qu'ils ne le laisseront pas en paix. Sa fouine de secrétaire passe son nez dans l'entrebâillement de la porte, cherchant à renifler l'atmosphère des lieux.

— Un visiteur vous attend, *tovaritch possol*.

En dépit de son accent ukrainien, sa façon de prononcer le mot *tovaritch* reste abrupte et sèche. *Il y a cinq ans à peine, les gens m'appelaient encore « maître », non « camarade ambassadeur »*, pense l'homme assis à son bureau. Et personne n'aurait osé me déranger pendant ma sieste au château. Heureusement il a eu la présence d'esprit de parier sur le bon cheval. Après la révolution, les gouvernements et les États étaient proclamés comme les résultats des grands prix. Son champion avait remporté la course, aiguillonné par la rage et l'odeur du sang. Un bon mélange pour les mutineries, mais pas suffisant pour diriger un pays. Cette clique du gouvernement, tous des géants aux pieds de porcelaine aussi fragiles que ces figurines si recherchées à Vienne de nos jours. Des objets bizarres et inutiles, sans la beauté d'une vraie sculpture ni l'utilité fonctionnelle de la terre cuite. Aucun artisan aussi doué soit-il ne peut valoriser un matériau de départ grossier et de piètre qualité. Ces bandits rouges ne sauront même pas administrer la propriété familiale qu'ils lui ont confisquée. Dieu merci (à considérer que ces athées Le remercient encore), au moins ont-ils assez de bon sens pour comprendre que les hommes comme lui, instruits, cultivés et disciplinés, sont un atout inestimable pour un gouvernement.

À son poste, il joue un rôle politique déterminant, car l'ambassade est l'une des toutes premières représentations étrangères de l'État indépendant d'Ukraine. Il vit dans le centre de Vienne en pleine reconstruction. Son appartement, élégant et spacieux, est meublé dans un style épuré. Les compositions modernes qui ornent ses pièces sont l'œuvre de l'atelier Wiener Werkstätte, dont le travail est exposé au musée de l'Art et de l'Industrie. Une fois de plus il a dû sacrifier le plaisir au pouvoir, le luxe au fonctionnel, l'or et le velours des bals de l'opéra aux harangues prononcées d'une voix métallique, troquer les flûtes à champagne contre les verres à vodka, et la brique chaleureuse de son château contre le béton gris des logements sociaux de Vienne la Rouge.

— Votre visiteur se nomme Grigor Poloubotko et il est propriétaire d'un magasin de produits ukrainiens dans le nord de l'Argentine, *tovaritch possol*, lui annonce son secrétaire dans l'entrebâillement de la porte. Il insiste. Il dit que l'affaire qui l'amène est de la plus haute importance. Dois-je lui demander de partir ?

L'ambassadeur n'ignore pas que beaucoup de ses compatriotes se sont établis en Amérique latine. Des fermiers alléchés par la promesse d'hectares de terre inexploitée ont traversé la moitié du globe pour s'apercevoir à leur arrivée que les terres en question se trouvaient à plus de mille kilomètres au sud de Buenos Aires, dans une jungle infestée de fourmis et de serpents et dont le sol rouge ne se prête pas à la culture du blé. Et pourtant ces hommes se sont entêtés. Ils ont bâti des *hatas* chaulées avec un puits dans le jardin et labouré leurs champs en s'en remettant au ciel.

L'ambassadeur est intrigué et flatté à la fois. Ce boutiquier a fait une longue route pour venir le trouver à Vienne.

— C'est bon, fais-le entrer, ordonne-t-il.

Visiblement mal à l'aise dans le bureau cossu du diplomate, l'homme va s'installer dans un petit coin de la pièce. Il est solidement charpenté, ses gestes sont nerveux et empruntés, ses doigts se glissent dans le col empesé enserrant son épais cou de taureau, boutonnant et déboutonnant un veston à la coupe démodée. Son visage large et hâlé affiche un mélange d'empressement et d'incertitude que l'ambassadeur connaît bien. Les fermiers de ses terres affichaient autrefois la même expression quand ils venaient lui présenter une requête.

En voilà un qui veut rentrer au pays, songe le diplomate en le regardant. La rumeur du projet d'égalité sociale et de fermes collectives est arrivée jusqu'à lui, et il est impatient de participer à l'édification du socialisme. Sa patrie lui manque. L'ambassadeur a entendu cent fois la même histoire. Ses yeux tombant sur les chaussures de l'homme, il se met à envier ces bons croquenots dont il aurait eu bien besoin aujourd'hui, au lieu de ces souliers lacés qui prennent l'eau. Il aurait les pieds au sec maintenant.

Après une longue minute d'un silence embarrassé, l'ambassadeur commence à perdre patience. Il n'est pas sans savoir que le succès d'une négociation dépend en grande partie du juste chronométrage des blancs dans la conversation. Trop courts, vous perdez la main. Trop longs, vous suscitez l'hostilité.

Il fait signe à son visiteur d'approcher en espérant que l'homme ne remarquera pas ses chaussures crottées ni le bas de son pantalon détrempé. L'homme interprète son geste comme une invitation à parler.

— *Pane*, je m'appelle Grigor Poloubotko.

Le fait qu'il s'adresse à lui en l'appelant « maître » le fait immédiatement grimper dans l'estime de son hôte.

— Je suis propriétaire d'un magasin à Apóstoles, dans la province de Misiones, en Argentine. Nous étions six familles à nous établir là-bas en 1897 et désormais nous formons une large communauté de près de dix mille âmes. Nous avons une église comptant pas moins de trente-deux icônes que nous avons fait venir du pays et une école ukrainienne pour nos enfants. En plus de mon commerce, j'exploite une ferme. Je cultive du thé argentin que l'on appelle *yerba maté*, du maïs et du coton.

De toute évidence fier de sa réussite, sa voix enfle peu à peu. Il s'exprime dans un dialecte de l'ouest de l'Ukraine truffé d'archaïsmes et fait porter l'accent tonique sur la fin de ses phrases à la manière des Espagnols. Tout en faisant gigoter ses orteils engourdis par le froid sous la table, l'ambassadeur attend le « mais » qui va suivre. En vain.

— En mars de l'année dernière j'ai reçu des journaux de Buenos Aires et j'en ai pleuré de joie, poursuit Poloubotko, tandis que l'ambassadeur scrute son visage raviné.

Les rides autour des yeux sont profondes comme des crevasses sur une terre aride, et l'ambassadeur s'imagine ces sillons absorbant les larmes avant qu'elles ne coulent jusqu'aux joues.

— Le 21 mars 1921, le président argentin a été le premier en Amérique latine à reconnaître l'État indépendant d'Ukraine. Nous attendons tous la venue à Buenos Aires du premier ambassadeur ukrainien, poursuit le commerçant.

Ce n'est pas demain la veille, bougre d'idiot, pense le diplomate. Parce que l'Argentine a reconnu le mauvais pays. Non pas la république soviétique d'Ukraine, mais le gouvernement de la république populaire d'Ukraine déclaré illégitime et désormais en exil. Il était inutile de faire un aussi long voyage pour ça. Préférant économiser sa salive, il hoche la tête, toussote, puis il répond d'une voix sonore :

— J'informerai notre gouvernement des succès remportés par nos compatriotes en Argentine. Je suis certain que les relations entre nos deux pays en seront renforcées.

— Je vous en remercie. Toutefois, je pense pouvoir faire quelque chose pour aider l'Ukraine indépendante, enchaîne le visiteur. Il s'agit d'une affaire urgente et de la plus haute importance. Voilà pourquoi j'ai décidé de venir vous trouver sans attendre.

Nous y voilà, pense l'ambassadeur. *J'avais raison, comme d'habitude. Il veut négocier son retour au pays.*

— Comme je vous l'ai déjà dit, ma famille est arrivée en Argentine en 1897, enchaîne Poloubotko. J'étais encore un enfant à l'époque, mais j'ai gardé un souvenir très précis de ce voyage jusqu'en France, puis de la longue et pénible traversée par bateau. On nous avait promis des terres, mais nul ne nous avait préparés aux distances immenses qui nous attendaient en Patagonie. Je me rappelle qu'il y a encore dix ans j'allais à Buenos Aires en calèche, et c'était un voyage interminable. Aujourd'hui, grâce à Dieu, nous avons le chemin de fer jusqu'à Posadas. Bref, si je suis revenu, c'est pour rencontrer un représentant de l'Église catholique d'Ukraine et lui parler de nos jeunes. Car, voyez-vous, en grandissant, ils partent pour la grande ville, où ils oublient la langue et les traditions de leurs parents.

L'ambassadeur perd patience. Ce fermier a peut-être le temps de bavasser là-bas, dans sa jungle, mais il semble oublier qu'il s'adresse à un éminent personnage, un homme très occupé qui a eu de surcroît une longue journée.

— Pouvez-vous aller droit au but, *tovaritch* Poloubotko ? l'interrompt-il.

Le visiteur accélère son débit, mélangeant dans sa hâte des mots ukrainiens et espagnols, si bien que même un linguiste aussi distingué que l'ambassadeur a du mal à le suivre.

Excédé, celui-ci se lève.

— Je suis navré, camarade Poloubotko, mais je suis attendu à une réunion.

Le visage du fermier prend alors une expression implorante.

— Je le répète, l'affaire est de la plus haute importance. Je suis en possession d'un document qui pourrait apporter à l'Ukraine indépendante la somme de...

Trois heures passées dehors dans un froid glacial m'ont faussé l'ouïe, pense l'ambassadeur avant de demander à son visiteur de répéter la somme.

D'un geste emprunté, l'homme qui jusque-là jouait nerveusement avec les boutons de sa veste fait glisser ses doigts jusqu'à sa poche. Il en tire une feuille de papier pliée en quatre et la tend à son hôte, puis s'écarte de la table et, décidant de laisser ses boutons tranquilles, il enfonce ses mains dans ses poches.

Il n'échappe pas à l'ambassadeur que le fermier a serré les poings avant de les faire disparaître. *Il protège ses outils de travail*, songe, amusé, le diplomate en dépliant la feuille. Il lit et relit plusieurs fois la page d'écriture manuscrite, et son expression se transforme. Ses sourcils se soulèvent, ses lèvres forment un *O* de surprise.

Désormais, son visiteur a la haute main sur la suite de leur entretien. Avec l'assurance d'un homme qui ne doit sa survie qu'à sa force de caractère, à l'habileté de ses mains et à la finesse de son intuition, il reprend :

— Comme je vous l'ai dit, pour rejoindre l'Argentine en partant d'Ukraine, nous avons traversé la France. Le document que vous venez de lire fut remis à mon père par une famille française qui l'avait conservé pendant plus de cent cinquante ans. Ce que vous avez entre les mains est une copie, l'original se trouve chez moi à Apóstoles. J'ai jugé préférable de ne pas le transporter tant que les circonstances n'exigeront pas sa production. Comme vous pouvez le voir, *pane*, les clauses de ce testament font qu'il est aujourd'hui possible de réclamer l'héritage pour la première fois en deux cents ans.

Pourquoi ne le fais-tu pas sans le partager avec quiconque, gros benêt ? voudrait lui demander l'ambassadeur, mais se ravisant, il se contente de ne formuler que le début de sa question.

Le fermier hoche la tête et se gratte le cou sous son col.

— Je ne peux pas réclamer cet argent, car la seconde clause du testament précise que le descendant doit résider en Ukraine. Or, je ne peux pas rentrer au pays, ma vie est en Argentine désormais. Toutefois, le document spécifie que si le légataire vit à l'étranger, il pourra réclamer l'héritage mais devra reverser quatre-vingt-quinze pour cent de la somme reçue au gouvernement ukrainien pour contribuer au développement du pays. Je prévoyais d'aller à Kiev en parler aux autorités, mais mes amis à Buenos Aires m'ont prévenu que la ville était devenue très dangereuse. Elle a changé de mains douze fois au cours des quatre dernières années et des factions continuent de se disputer son contrôle. J'ai donc jugé plus prudent de venir à Vienne. Tout ce que je demande, ce sont les cinq pour cent qui ne seront pas reversés au gouvernement, car là où je vis j'ai besoin de cet argent. Je veux ouvrir un atelier de réparation pour les tracteurs, un autre magasin et…

L'ambassadeur a cessé de l'écouter. Ce qu'il tient dans sa main n'est pas une simple feuille de papier griffonnée de pattes de mouche, c'est la clé du pouvoir. Avec cet argent, son État pourra bâtir des villes entières de ces immeubles dans le style de Vienne la Rouge. Il supervisera personnellement le programme et deviendra un héros national adulé par les foules. Ces bandits de communistes ne pourront plus rien contre lui.

Il se tourne vers le fermier et déclare :

— Nous vous en serions éternellement reconnaissants, *tovaritch* Poloubotko. Je dois envoyer un rapport à mes supérieurs. Combien de temps comptez-vous rester en Europe ?

Une ombre passe sur le visage hâlé de son visiteur.

— Je dois repartir cette semaine. Les fortes averses qui s'abattent en ce moment sur l'Argentine risquent de détruire les récoltes.

Le voilà qui se soucie de problèmes climatiques, alors qu'avec cinq pour cent de cet héritage il deviendra bientôt le propriétaire foncier le plus riche d'Argentine, s'étonne l'ambassadeur.

— Laissez-moi une adresse où vous trouver et nous vous ferons signe dans moins d'un mois, conclut-il.

Le secrétaire est intrigué de voir que le commerçant argentin reste aussi longtemps dans le cabinet de travail de l'ambassadeur. Il n'a pas été invité à entrer pour consigner par écrit la teneur de leur entretien et n'arrive pas à entendre ce qui se dit dans le bureau, à travers l'épaisse cloison de la porte. Mais sa perplexité ne fait que croître quand, au lieu de rentrer chez lui, comme il en avait d'abord eu l'intention, l'ambassadeur reste assis deux heures durant à sa table pour rédiger un long rapport confidentiel à l'intention du ministre. Une fois celui-ci terminé, le diplomate scelle son pli par un cachet de cire, avant de lui demander de l'envoyer au *narko-mat* des Affaires étrangères dans les plus brefs délais.

Le secrétaire doit donc faire appel à son imagination. Dans son rapport à la division étrangère du N.K.V.D., il parle d'une entrevue secrète entre l'ambassadeur et le représentant de la mission argentine des immigrants ukrainiens, ce qui est sans doute un peu exagéré mais contient une certaine part de vérité. Il insinue que, compte tenu de ses origines aristocratiques, le diplomate pourrait jouer un double jeu et recommande d'intercepter, puis de vérifier le contenu de son courrier avant que celui-ci ne parvienne à son destinataire. Il joint à son rapport la missive du diplomate et fait partir le pli par estafette le soir même en l'adressant non pas au *narkomat* des Affaires étrangères mais au N.K.V.D. Puis en rentrant chez lui, il s'arrête pour déguster une bonne tranche de *Sachertorte*. Tandis qu'il lèche sur ses lèvres le coulis de chocolat et enfonce sa cuillère dans la génoise parfumée aux amandes, il savoure sa victoire sur son supérieur, ce saligaud avec ses grands airs et sa suffisance de ci-devant.

10

KATE

Londres, mars 2001

Le silence devient pesant. Il faut vite briser la glace tant qu'elle n'est encore qu'une mince couche de givre. Kate a conscience qu'un mot ou un geste maladroit risque de ruiner tous ses efforts.

— Ce détail aurait dû me sauter aux yeux, répète-t-elle, histoire de parler, tout en fixant une tache de café sur la table. Votre premier document indique que le testament a été déposé à la Banque d'Angleterre, mais le second affirme qu'il se trouve en Argentine.

Andreï ne fait aucun commentaire.

— Cela ne signifie pas pour autant que ces deux documents soient des faux, reprend-elle. Toutefois, il y a une contradiction. Il ne devrait logiquement exister qu'un seul original de ce testament.

— Sans doute, finit par répondre son interlocuteur.

— Sans doute, quoi ? lui demande Kate qui commence à trouver cette conversation extrêmement usante.

— « Sans doute déposé à la Banque d'Angleterre. » C'est ce que dit le premier document, si ma mémoire est bonne.

Son regard a pris la couleur de la houle juste avant la tempête.

— Mais si vous ne voulez pas m'aider, je peux m'adresser à quelqu'un d'autre.

— C'est bon, soupire Kate. Laissez-moi le temps de vérifier une ou deux choses, et je vous appelle la semaine prochaine.

Elle regrette aussitôt ses paroles. L'affaire s'annonce compliquée. La rétribution, si rétribution il y a, ne lui sera pas payée avant très longtemps. Quand enfin apprendra-t-elle à dire « non » ? Quand cessera-t-elle de s'impliquer dans des projets chimériques, au lieu de s'occuper de l'épaisse pile de dossiers urgentissimes qu'elle doit encore boucler ?

Mais se flageller ne la fera pas avancer. Elle tourne la tête vers son interlocuteur. Il a décidément un franc-parler à la limite de la goujaterie, même si elle n'oublie pas qu'il vient d'un monde où les conversations ont le caractère abrupt d'un slogan communiste. Il émane de lui une énergie nerveuse qu'adoucit par bonheur la franchise de son sourire. Kate le trouve aussi complexe et intrigant que le dossier qu'il vient de faire glisser vers elle sur le comptoir. Une chemise plastifiée imprégnée d'un parfum de mandarine artificielle.

C'est curieux comme notre mémoire peut être liée à nos perceptions sensorielles, se dit Kate. Désormais, dès qu'elle passe devant l'étal d'un marchand de fruits ou que dans une émission culinaire elle voit un cuisinier découper l'un de ces agrumes en tranches colorées pour agrémenter son plat, elle pense automatiquement à Andreï, à son sourire piquant, à son humour acide, à son teint velouté, un mélange aigre-doux.

Une fois Andreï parti, de retour au bureau, Kate mesure enfin dans quoi elle vient de s'embarquer.

Baboussia a souvent essayé de lui apprendre à tricoter, sans aucun succès. Kate n'a jamais eu la patience de démêler le fil d'une pelote. Or, l'écheveau qu'elle a maintenant entre les mains est un vrai sac de nœuds. Les testaments dont elle s'occupe d'ordinaire sont rédigés conformément à la législation sur les successions de 1858, et elle ne sait rien des pratiques qui régissaient les héritages en Angleterre au XVIIIe siècle.

À défaut du reste, je pourrai au moins parfaire mon éducation, se dit-elle en passant devant le bureau de Carol pour se rendre à la bibliothèque du barreau. Dommage qu'elle ait promis bêtement de garder le secret, car elle aurait volontiers consulté sa chef sur ce dossier.

En pénétrant dans la salle de lecture lambrissée située dans Chancery Lane, il lui semble mettre le pied dans un autre siècle. Les cheveux hérissés et la chemise couleur lilas du bibliothécaire sont les seules marques de modernité dans ce lieu. Occupé à regarder par la fenêtre tout en jouant distraitement avec l'anneau qui orne son oreille, le jeune homme ne remarque pas la visiteuse devant lui.

— Excusez-moi, demande Kate en le tirant de ses pensées. Je cherche des informations sur les successions au XVIIIe siècle.

Le bibliothécaire en chemise lilas semble en connaître un rayon sur la question.

— Vous avez de la chance, nous disposons de très nombreuses sources sur le sujet, lui répond-il. Vous pouvez consulter les index des archives de comté et ceux de la Société de généalogie. Nous détenons aussi les registres des actes notariés et ceux des testaments homologués.

— Ça semble trop beau pour être vrai, lui dit Kate sans vouloir paraître trop découragée.

— En effet, lui rétorque le bibliothécaire qui tient là une occasion de se venger d'avoir été dérangé dans ses rêveries solitaires. Jusqu'en 1733, tous les documents enregistrés aux greffes des cours de justice de même que les commentaires ajoutés par les notaires au bas des testaments, étaient écrits en latin. Les testaments eux-mêmes étaient rédigés tantôt en anglais, tantôt en latin. Vous lisez le latin, mademoiselle... ?

— Kate, dit-elle pour épargner à l'homme la peine de prononcer son nom de famille. Est-ce que vous auriez des ouvrages traitant de la rédaction des testaments et des lois sur les successions à la même époque ? En anglais, de préférence ?

Pour la première fois de sa vie, elle regrette d'avoir séché ses cours de latin et d'histoire du droit pour ne pas surcharger sa mémoire avec ce qu'elle considérait alors comme un savoir inutile.

Le bibliothécaire disparaît dans une arrière-salle poussiéreuse dont il ressort quelques minutes plus tard chargé d'un gros livre.

— Ceci pourrait vous intéresser. Vous pouvez vous installer là-bas pour le consulter, dit-il en lui désignant une place marquée par une lampe verte sur un lourd bureau de bois ouvragé.

Maintenant qu'il en a fini avec elle, il peut enfin retourner à ses occupations consistant à regarder par la fenêtre.

Kate lit le titre du volume qu'il vient de lui remettre : *Traité sur les testaments et les successions*. Publié en 1734. Le cuir roux de la reliure exhale un parfum de champignons séchés. Visiblement soulagé d'être séparé par un écu d'une licorne à l'air féroce, le lion estampé sur le blason royal semble défier Kate de mettre à l'épreuve ses connaissances en latin. Le papier paraît avoir souffert d'une maladie qui en a piqueté presque toutes les pages de taches brunes et luisantes.

Peut-être de la cire de bougie, pense Kate. Ravie de vivre à l'époque de la fée électricité, elle rapproche sa lampe et lit le premier paragraphe :

> *En conséquence, il suffit pour les latinistes que les notes en marge relatives à leur champ d'études fussent laissées en latin. Le reste, car il est propriété de tous, devra être rédigé dans une langue intelligible au commun des hommes.*

Merci, ô toi, distingué clerc, de tenir compte des âmes ignorantes que nous sommes, ironise Kate tout en se demandant si elle sera apte à comprendre cette « langue intelligible au commun des hommes ».

Dix minutes et sept pages plus tard, la jeune femme se rappelle ce qui l'a poussée à embrasser la profession d'avocate. Les tournures de phrase finement brodées et les entrelacs des lettrines tissent un rideau qui se lève lentement et presque timidement. Le traité joue avec elle et l'invite à pénétrer dans un monde de passion, d'ambition, d'avidité, dans une comédie de mœurs dont Molière se serait délecté.

M. Smith refusait de léguer à son fils ses breuils (sans doute des bois), à moins que son rejeton ne consente à recevoir une éducation digne de ce nom. Pas très futé ou bien peu amoureux de la forêt, ledit fils n'était pas allé à l'université. Il n'avait donc hérité que les champs de son père, et peut-être ces terres lui suffisaient-elles.

La famille Jacob accepte comme témoin une servante enceinte qui se tient derrière un paravent pendant la dictée du testament. Une jolie fille sanglote dans l'engageante de sa robe. Il devait l'épouser, il lui avait promis la lune. Étant l'aîné des fils, il devait hériter de tout. Au lieu de ça, il hérita des terres et l'abandonna en lui laissant à elle ainsi qu'à leur enfant à naître une rente annuelle pour le restant de leurs jours.

« Quand le soleil se lèvera au jour de Pâques », « Si le roi d'Espagne s'éteint cette année », pourquoi les gens ajoutaient-ils de telles clauses à leurs dernières volontés ?

Kate est sur le point de sauter un paragraphe consacré aux testaments des soldats, quand le mot « étranger » retient son attention. Elle lit et relit plusieurs fois le passage, n'en croyant pas ses yeux, comme si ces quelques lignes lui annonçaient qu'elle venait de gagner au loto.

Un soldat étranger peut tester s'il est un combattant ami et non ennemi. Il dispose des mêmes privilèges militaires pour ce qui est du fond et de la forme :
En premier lieu, tandis que nul ne peut mourir en laissant deux testaments, le soldat dispose de ce droit, auquel cas la légalité de l'un et l'autre des testaments ne pourra être contestée.

Ainsi, il était donc possible qu'il existe deux testaments, l'un conservé à la Banque d'Angleterre et l'autre en Argentine. Si l'un et l'autre étaient des originaux authentiques, s'ils se corroboraient et que la partie argentine parvienne à établir la preuve de son ascendance, alors… Kate se refuse à s'emballer trop vite. Mais ce qu'elle vient de lire lui confirme que le dossier est défendable.

Le lendemain matin, elle appelle la Banque d'Angleterre. Après cinq minutes à écouter en boucle un extrait des *Quatre saisons*, elle est enfin mise en contact avec le service des archives. À l'autre bout du fil, une femme à la voix lasse lui répond qu'elle peut venir consulter les documents sur place. Le service est ouvert sur rendez-vous de 10 heures à 16 h 30. Le fonds des trente dernières années est accessible au public. Et la préposée de demander à Kate quelle période l'intéresse.

— Le XVIIIᵉ siècle.

— Nos registres comptent plus de huit mille volumes, poursuit la voix lasse.

Mais, en raison du manque d'espace, ceux de cette période ont déménagé, et Kate doit donc remplir un formulaire pour y avoir accès. Après quoi, il lui faudra patienter cinq jours avant de pouvoir les consulter, et ce, uniquement dans la salle des archives. Les photocopies et photographies sont interdites. Kate n'aura droit de prendre avec elle que des crayons à papier. Le ton monocorde de la femme lui évoque le bruissement des pneus sur une chaussée mouillée. *Triste comme un mois de novembre*, décide Kate avec une méchanceté qui ne lui est pas coutumière. À tout prendre, elle préférait encore les violons de Vivaldi.

— J'aurais besoin d'un rendez-vous le plus tôt possible, dit-elle.

La voix fatiguée s'anime soudain. Son interlocutrice tient le moment de gloire qui illuminera sa journée, et c'est d'un ton triomphal qu'elle rétorque :

— C'est que nous sommes débordés. Les chercheurs réservent leur place des mois à l'avance. Quand voudriez-vous venir ?

La réponse « demain » paraît irréaliste en la circonstance, mais Kate tente le coup. Et, ô surprise, la femme redevenue lasse lui annonce qu'un créneau vient de se libérer à 9 h 15. « Demandez, et l'on vous donnera », en effet.

Après la cohue au-dehors, elle entre avec délice dans le silence solennel du grand hall, avec ses colonnes de marbre noir et ses sols carrelés de mosaïque. Elle détaille d'un œil appréciateur l'uniforme vieux rose des gardiens, un rose qu'on appelle ici « Houblon », du nom du premier gouverneur de la banque qui fit en son temps le choix de cette teinte. Kate ignore tout des compétences de John Houblon en matière de finances publiques, mais en tant que couturier il valait son pesant d'or.

Ses songeries vestimentaires sont interrompues par l'arrivée d'un grand échalas à l'allure gauche et au menton garni d'une barbe de marin touffue assez surprenante sur un visage aussi jeune. L'homme se présente. Il se prénomme Roger et il est assistant archiviste. Il se déclare ravi de l'accueillir, et Kate pense qu'il est peut-être tout simplement ravi de voir un être humain disposé à quitter l'espace aéré du vestibule et le jardin intérieur pour s'enfermer dans le local sans fenêtre du service des archives.

Capitaine Roger, ainsi qu'elle l'a d'emblée surnommé, s'avère aussitôt encore plus érudit que le bibliothécaire en chemise lilas. Son discours est monotone, et l'homme le récite comme s'il l'avait appris par cœur pour une visite guidée.

— Durant la période qui vous intéresse, la Banque occupait encore des locaux qu'elle louait à Grocers' Hall. Nous avons la chance de posséder des documents d'un grand intérêt : des listes d'employés, des journaux… L'époque fut marquée par un grand scandale, quand l'un des directeurs, un certain Humphry Morice, escompta de fausses lettres de change pour un montant de près de trente mille livres, une somme astronomique pour l'époque. Nous pouvons vous montrer les journaux professionnels qu'il tenait et sa correspondance personnelle, ainsi que…

Cette fois, Kate a décidé de ne pas se laisser faire.

— Tout ça est fascinant, dit-elle, mais j'ai seulement besoin de consulter les archives des fonds déposés à la Banque. Déposés en or, peut-être.

Capitaine Roger opine, sans capituler.

— Certainement. Selon les termes de sa charte, la Banque a été autorisée à effectuer des transactions en or et en argent dès le mois de février 1695. Depuis 1700, elle détient des réserves de métaux précieux importés, qui ont fait l'objet d'un dépôt de connaissement. Les lingots étaient autrefois conservés dans un lieu appelé l'« entrepôt » et le premier courtier en or fut nommé en…

Combien d'autres jeunes hommes doués d'un savoir encyclopédique du XVIIIe siècle anglais va-t-elle encore croiser au cours de ses recherches ? Cette fois, elle n'hésite pas à l'interrompre.

— J'ai juste besoin du registre, s'il vous plaît.

Avec un soupir, Roger met un terme à sa visite guidée. Le jeune homme à la barbe de marin range dans son balluchon son immense savoir qui n'a pas trouvé preneur pour répondre d'un air renfrogné :

— Veuillez remplir le formulaire. Les documents qui vous intéressent sont classés sous la cote C98. Revenez dans cinq jours.

Pendant les jours suivants, Kate a l'esprit sans cesse occupé par ce registre. Cette obsession a creusé sur son front deux rides soucieuses qui n'échappent ni à l'œil de Philip ni à la sagacité de Carol. Heureusement pour elle, sa chef les met sur le compte du surmenage, et Philip, sur celui de son prochain départ pour New York.

— Ce n'est que pour trois mois, bébé. Ne prends pas cette histoire trop à cœur, et puis tu me verras dans deux petites semaines. Je t'ai déjà réservé un billet. Pense seulement à toutes les vacances que nous prendrons quand je recevrai ma promotion.

Quand Kate se présente aux archives cinq jours plus tard, c'est la femme lasse qui vient l'accueillir dans le hall d'entrée. Après avoir salué la visiteuse d'un signe du menton, elle la guide à travers les couloirs en projetant devant elle ses jambes raides comme les branches d'un compas.

Pauvre Roger, elle comprend mieux maintenant l'insistance de l'homme à la barbe de marin à lui parler. Sa vie ne doit pas être un long fleuve tranquille. Intimidé par la présence de sa responsable, c'est à peine s'il salue Kate quand il dépose devant elle le registre qu'elle a demandé.

Celle-ci le dévore avec encore plus de plaisir que le traité sur les testaments, exaltée d'y reconnaître le nom d'une famille illustre, déroutée par certaines instructions curieuses : « ... et livrer quelques plumes, car les plumes que l'on trouve à la Banque sont meilleures que chez moi ». « Reçu », « retiré », « remis » : ces trois mots se répètent de page en page. Deux heures plus tard, Kate tourne la dernière page d'un geste un peu trop vif, défoulant sur le registre sa frustration de n'avoir rien trouvé.

Quelqu'un tousse poliment près de son oreille gauche. Levant le nez, elle voit capitaine Roger debout près d'elle. Il place deux autres volumes sur la table et les pousse dans sa direction.

— Comme je vous le disais...

Il s'arrête, se reprend, puis s'arrête encore, visiblement gêné.

Kate est désolée pour lui. Elle approche d'elle les deux gros volumes en le remerciant.

— Comme je vous le disais, nous ne disposons pas de beaucoup d'archives qui pourraient vous être utiles dans vos recherches, parvient-il enfin à articuler. Vous avez parlé d'un dépôt en or, je vous ai donc apporté l'un des premiers registres des lingots dont nous disposions ainsi qu'un livre d'inventaire pour la période qui vous intéresse.

Puis il ajoute sur le ton de la confidence :

— Le registre des testaments est désormais conservé à la Société de généalogie, mais certains extraits figurent au dos de ce livre pour la période allant de 1710 à 1736. Ce sont des sources inestimables pour les chercheurs, car elles concernent toutes sortes de gens : des marchands, des domestiques, mais aussi des étrangers. Il est important de préciser que la valeur des dépôts est souvent très modeste ou alors excessivement élevée. Si vous regardez en page 5, par exemple…

— Merci beaucoup, Roger, je ne manquerai pas de regarder cette page, le coupe Kate avec une grossièreté dont elle ne se croyait pas capable.

Sans enthousiasme, elle ouvre le registre à la page 5, plus pour calmer les ardeurs de l'archiviste en surchauffe qu'autre chose. Et là, elle écarquille les yeux, car ce qu'elle vient de découvrir vaut largement un billet gagnant à la loterie.

Les pleins et les déliés du mot « memorandus » emplissent la moitié de la page. Sous ce titre, elle lit son intitulé : *Dépôts étrangers en or*. Kate ne peut s'empêcher d'admirer l'élégante calligraphie de celui qui a tracé les mots les plus importants qu'elle ait vus jusqu'à présent dans cette affaire :

Anno domini 1723

Memorandus. Attendu que le colonel Pavlo Poloubotko, de la ville de Tchernigov, en sa qualité de trésorier de l'armée cosaque, possesseur d'un capital de trente mille six cent une livres, quatre-vingts shillings et trois pence sous la forme de huit tonneaux d'or qui ont été déposés à l'entrepôt étranger. Établi par une loi

du Parlement dans la quatrième année du règne de Sa
Majesté le roi George et soumis à un rendement annuel
de quatre pour cent.
... selon ses dernières volontés recueillies à Tcherni-
gov, le quatre janvier mille sept cent vingt-trois, le
colonel Poloubotko... désigne comme ses héritiers son
fils Iakov Poloubotko et ses descendants... ayants
droit du stock susmentionné dans son testament...
Enregistré en ce midi de juillet de l'an de grâce 1723.

Au-dessous, quelqu'un a recopié un extrait du testament avec la même aisance et la même ardeur cal-
ligraphique :

Ma volonté est qu'aucun de mes héritiers ne réclame le
testament ni ne perçoive le paiement d'intérêts sur ce
legs tant que l'Ukraine ne sera pas devenue indépen-
dante. Ma volonté est qu'alors ledit héritage soit confié
à la charge de mes exécuteurs testamentaires et à mes
descendants ou à leurs propres descendants afin que
ladite somme leur soit remise. Toutefois, par mesure de
précaution, il est préférable de recueillir l'avis du
Conseil des banques sur la question de savoir si les
mandataires pourront disposer du fonds principal.

Kate relit l'extrait et tourne vers Roger un regard
chargé d'une telle admiration qu'elle voit le jeune
homme rougir sous sa barbe broussailleuse.

— Merci, Roger. C'est très intéressant, dit-elle en
essayant de ne rien laisser paraître de son enthousiasme. Je ferais bien d'étudier le livre d'inventaire
maintenant.

Sur ce, elle ouvre le second registre et, avec
l'assurance d'un chercheur aguerri, trouve rapidement la page correspondant au mois de juillet 1723.

Les entrées concernent des pièces d'or espagnoles
et russes, des pièces françaises de vingt francs
« confiées aux caissiers », ainsi qu'un « lingot reçu
de l'entrepôt étranger ». Certaines sont accompa-

gnées d'une signature, d'autres d'initiales entrelacées.

Quand enfin elle trouve ce qu'elle cherchait, Kate ne peut retenir un petit rire de triomphe, car son billet de loterie vient de doubler de valeur.

Huit tonneaux d'or ont été déposés auprès du trésorier, M. Clark, pour une durée indéterminée. La présente tient lieu de nantissement.

La signature tracée dans la ligne est parfaitement lisible, bien qu'écrite dans un alphabet inconnu. Encore une chose qu'elle aurait dû apprendre. Elle recopie l'entrée en s'appliquant à imiter les pleins et les déliés de ce paraphe.

Elle meurt d'impatience de partager avec Andreï le fruit de ses recherches quand elle le retrouvera au café italien près du métro. Elle se surprend à lui en parler comme de « leur lieu de rendez-vous *habituel* » alors qu'ils ne s'y sont rencontrés que deux fois.

Mais la réaction, ou plutôt l'absence de réaction d'Andreï quand elle lui fait part de sa découverte la laisse pantoise. Il semble qu'il soit déjà au courant et qu'elle ait passé toute la matinée à brasser la poussière des archives en pure perte.

Après avoir confirmé la signature, il demande d'une voix pressante :

— Alors, quand pouvons-nous obtenir cet argent ?

Kate est contrariée, au point que pendant une seconde elle se glisse dans la peau de Carol et se met à parler du même ton incisif, avec un professionnalisme glacial, bien décidée à étaler son savoir pour le noyer sous les termes juridiques. Il n'en comprendra pas un traître mot et lui demandera des explications. Il la suppliera, et alors peut-être consentira-t-elle à s'abaisser à son niveau.

— Ce n'est pas aussi facile, répond-elle sèchement. Selon le droit anglais, pour que ces dispositions soient appliquées, le testament doit désigner un ou plusieurs exécuteurs ou curateurs. Or, comme nous le savons, les exécuteurs testamentaires dont le nom est cité dans le document sont aujourd'hui décédés. En outre, il faut pouvoir produire l'acte de décès du testateur et établir l'identité du demandeur. Dans une affaire fameuse à la fin du XIXe siècle, un Australien n'a pas réussi à prouver son ascendance, et la banque a refusé de lui remettre l'argent de son héritage.

Elle se tait, tourne vers Andreï un regard de défi et le voit hocher la tête.

— Il faut dans un premier temps présenter le testament et prouver l'identité des demandeurs, reprend-elle. Ces formalités accomplies, les avocats devront préparer tous les documents légaux permettant à une ou plusieurs personnes d'agir pour le compte du défunt en qualité de mandataires. Quand la succession est simple et la somme modeste, il arrive parfois que les compagnies d'assurances ou les organismes d'épargne acceptent de débloquer les fonds au bénéfice de l'héritier en ligne directe sans mandat successoral. Mais comme nous le savons, vous et moi, cette option ne peut pas être envisagée dans votre affaire, la somme en jeu étant considérable.

Andreï se renverse dans sa chaise, attentif, mais parfaitement détendu, voire serein. Comme si c'était lui le conseiller et non l'inverse. Kate ne s'avoue toutefois pas vaincue. Elle a un dernier tour dans sa manche.

— Il y a bien sûr un autre problème de taille à prendre en compte. S'agissant d'une succession étrangère, il est nécessaire qu'un notaire dûment habilité pour ce type d'opération délivre un certificat de validité. En effet, quand le testateur est un non-résident, c'est la loi de son pays d'origine qui s'applique pour déterminer la légalité du testament.

Pause, hochement de tête d'Andreï, frange en arrière.

Kate contemple le grand front du jeune homme comme si elle voulait y lire un message.

— Il est également indispensable de vérifier que le document ne recèle pas d'erreur, qu'il n'est pas frauduleux et n'a pas été rédigé sous la contrainte, autant de conditions qui risqueraient de l'invalider.

— Combien de temps tout cela va-t-il prendre ? s'enquiert calmement Andreï, ignorant son regard.

— Eh bien, il faut compter plusieurs mois au bas mot, peut-être une année !

Vidée, Kate comprend qu'elle est loin de la victoire espérée.

— Par ailleurs, j'ai écrit aux Archives françaises, reprend-elle. En parcourant vos notes, j'ai relevé un détail troublant. Selon la légende de la famille Poloubotko, le testament aurait été conservé par le comte Orly, puis aurait été transmis à l'arrière-arrière-grand-père ou je ne sais qui de Grigor Poloubotko à la fin du XIXe siècle, quand celui-ci a fait halte en France avant d'émigrer en Amérique latine. Pourquoi la France ? C'est la question que je me pose. Pourquoi ce comte Orly a-t-il été précisément choisi pour sauvegarder le testament ?

— Mais nous pouvons poursuivre nos investigations en attendant une lettre d'explication venant de France, n'est-ce pas ? demande Andreï renouant avec sa brusquerie habituelle et éludant habilement sa question.

Kate n'y tient plus et lui demande ce qu'elle brûle de savoir depuis le début.

— À propos, je ne vous ai pas encore posé la question. Combien espérez-vous personnellement gagner dans l'affaire ?

Andreï ôte ses lunettes, ferme ses yeux tristes d'épagneul et se frotte l'arête du nez du bout de son index, comme si ce massage allait l'aider à absorber tout ce qu'il vient d'apprendre. Il semble si vulnérable à ce moment-là que Kate est prise d'une envie soudaine de le serrer dans ses bras ou tout au moins de l'embrasser sur la joue. Mais, l'instant d'après, il a remis ses lunettes et déclare très solennellement :

— Je le fais pour mon pays.

Le genre de réplique qu'on entend dans les films américains et dont elle a toujours jugé le patriotisme un peu trop emphatique. Pourtant, Andreï semble sincère. Elle en est déconcertée, comme elle est déconcertée par son propre empressement à l'aider, non pour le pays d'où il vient et encore moins pour des honoraires plus qu'hypothétiques.

Quand il lui demande : « Alors, quelle sera la prochaine étape ? » elle lui répond du tac au tac : « Eh bien, je crois que nous avons besoin de vents favorables ! »

Devant son regard médusé, elle ajoute :

— J'espère que vous parlez espagnol, car il semble que nous allons faire un petit voyage à Buenos Aires. Les vacances de Pâques ne commencent qu'à la mi-avril cette année. Nous avons donc encore une chance de trouver des billets.

Kate le voit littéralement se décomposer sous ses yeux.

— Je ne peux pas partir, finit-il par avouer. Je n'ai pas de visa et encore moins d'argent pour me rendre en Argentine.

Kate sent se réveiller son goût pour l'organisation de voyages. Rien ne lui plaît davantage que de réser-

142

ver les billets, obtenir les visas. Elle devrait diriger une agence de tourisme. « Cette fille n'a aucune logique, mais elle est douée pour la logistique », a un jour déclaré Carol à son propos. Sandra, leur secrétaire, avait surpris leur patronne glisser cette phrase à l'un de ses associés et, n'écoutant que sa loyauté, l'avait rapportée à Kate.

— Laissez-moi régler ça. Donnez-moi seulement le numéro de votre passeport. Et ne vous inquiétez pas, ce service vous sera facturé avec mes honoraires, s'empresse-t-elle de préciser.

Elle n'a même pas pris le temps de réfléchir à la manière dont elle expliquera à Philip cet important retrait sur leur compte joint, ni le fait qu'elle annule leur week-end à New York pour s'envoler vers Buenos Aires en compagnie d'un autre homme. Elle se sent pleine d'énergie, gonflée à bloc, prête à passer à l'action.

11

Buenos Aires, mars 2001

Le bourdonnement monotone lui rentre sous la peau. Ouvrant les yeux, elle voit que l'avion est en train de tourner. Une chaude lueur orange emplit la cabine. Elle colle son nez au hublot et regarde la buée se former à sa surface. Elle a toujours rêvé de voir le soleil se lever par-delà les nuages.

Le panneau lumineux au-dessus d'elle vient de s'éclairer, et une voix métallique les informe amicalement que leur vol de treize heures et demie est sur le point de s'achever. Ils ont passé presque tout ce temps à bavarder, un peu contraints au début du fait de la promiscuité. Kate n'a pas remarqué à quel moment ils ont commencé leur jeu de patience, ordonnant une à une les cartes de leur vie respective.

Le valet de carreau, l'insouciant. Une longue chevelure blonde nouée en queue-de-cheval. Antony, le frère de Kate, pendant sa deuxième année à l'université.

— Je crois qu'il a choisi la médecine pour pouvoir rester étudiant pendant sept ans. Il est bien trop désinvolte pour devenir médecin, et ça m'inquiète. Nous sommes tellement proches l'un de l'autre qu'il m'arrive d'être jalouse de ses amis.

La reine de cœur, une rose à la main, un sourire énigmatique aux lèvres. Carmen, l'ex-petite amie cubaine d'Andreï.

— Nous nous sommes rencontrés à la fac. Elle m'a appris quelques rudiments d'espagnol. Pas le pur castillan, mais plutôt l'espagnol plus musical de La Havane.

— Qu'est-ce qui s'est passé ? l'interroge Kate en regrettant aussitôt cette indiscrétion indigne d'une avocate professionnelle.

— Elle voulait rentrer dans son pays, et je ne voulais pas quitter le mien.

Elle ouvre la bouche pour lui demander si quelqu'un l'attend là-bas, mais se ravise, peut-être par crainte qu'il ne lui pose la même question.

Le roi de trèfle. Barbe grise et croix noire. La mort du grand-père d'Andreï.

— Il avait une connaissance historique phénoménale. Comme il refusait d'embellir les faits pour complaire aux politiciens, on l'a accusé de nationalisme. Ses articles et ses livres n'ont plus été publiés. Le système l'a broyé. Il a vécu dans la crainte jusqu'à sa mort. Ce n'était pas pour lui qu'il avait peur, mais pour nous. Je ne leur pardonnerai jamais ce qu'ils lui ont fait. « Sois prudent avec l'histoire », me disait-il. Chaque fois que j'essayais de lui parler, il se cachait derrière un proverbe chinois : « Plus on en sait, moins on comprend. » Je n'arrivais pas à l'atteindre. Peut-être craignait-il que son savoir me nuise. Mais, à la fin, il m'a confié ses secrets.

L'as de pique. Une flèche noire plantée dans le cœur. Le divorce des parents de Kate.

— Ils étaient trop occupés à régler leurs histoires et attendaient que je me comporte en adulte. Le problème, c'est que j'étais déjà pratiquement une adulte. Je hurlais, je les détestais, parce que je les aimais. Ils croyaient que c'était la rébellion d'une adolescente, alors que c'était la terreur d'entrer dans l'âge adulte sans leur soutien. C'est pour ça que je suis tellement protectrice avec Antony. Ma mère est sans cesse par monts et par vaux à sauver le monde. Elle travaille pour une organisation humanitaire. Mon père s'est remarié, et j'ai l'impression d'être une invitée quand je suis chez lui. Une invitée bienvenue, mais une invitée quand même. J'ai eu beaucoup de chance, parce que ma grand-mère paternelle habitait près de ma pension, alors je pouvais m'évader chez elle le week-end. Nous sommes très proches, elle et moi. C'est une femme généreuse et aimante, elle donne sans compter. Elle parle ukrainien. Ce serait drôle que vous puissiez la rencontrer. Comment appelez-vous votre grand-mère ? « Baboussia » ? Moi aussi…

Bien souvent, après une longue nuit à partager des confidences intimes, les compagnons de vol se séparent à l'arrivée sur un simple signe de la main avant de se cacher derrière leurs bagages. Combien de fois est-il arrivé que ces rencontres débouchent sur une amitié ou tout au moins sur une correspondance ? Trop de dévoilement, trop d'intimité exposée. C'est pour ça qu'on paie un psy. On vient, on s'épanche, on vide son sac et on s'en va.

Kate ne se sent pas gênée d'avoir ouvert son cœur à Andreï, de lui avoir tout raconté de sa vie. Ou presque, car elle n'a rien dit de ses difficultés avec Philip. Bizarrement, elle n'a pas parlé de lui. Non qu'elle ait délibérément cherché à éviter la question, se rassure-t-elle, mais parce qu'ils avaient d'autres sujets de conversation.

À vrai dire, elle n'a pas réfléchi à l'excuse qu'elle inventera à son retour d'Argentine. Elle ne veut même pas penser à l'appel longue distance qu'elle va devoir lui passer pour lui dire : « Je suis sincèrement désolée, Philip. J'ai dû changer ma réservation, je ne vais pas pouvoir venir ce week-end… Bien sûr que j'ai envie de te voir, ne dis pas de bêtises, mais j'ai un empêchement de dernière minute… Oui, c'est très urgent et important… Je t'expliquerai. » Puis du bout des lèvres elle ajoutera : « Moi aussi, je t'aime. »

Elle se tourne vers Andreï qui dort maintenant depuis deux heures. Le soleil éclaire le bout de son nez retroussé et glisse imperceptiblement sur ses joues piquetées de taches de rousseur jusqu'à ses paupières frémissantes. Kate aimerait être ce rai de lumière et pouvoir caresser tendrement son visage, descendre de sa tempe vers sa pommette, puis jusqu'à sa bouche, effleurer de son doigt sa lèvre supérieure… Andreï remue dans son sommeil, et elle détourne vivement le regard pour se replonger dans le manuel ouvert sur ses genoux. La page ne pourrait pas être mieux choisie.

El negocio	Le commerce
Tengo una cita con…	J'ai rendez-vous avec…
Aquí tiene mi tarjeta	Voici ma carte
Encantado de conocerle	Ravi de faire votre connaissance

Elle n'est ici que pour le… Quel est le mot ? *Negocio.* Qu'elle soit sur le point d'atterrir à Buenos Aires en compagnie d'un homme qu'elle apprécie (elle veut à tout prix se convaincre qu'il n'est rien de plus pour elle) est tout à fait secondaire. Tertiaire même. Hors de propos. Au moment précis où le train d'atterrissage entre en contact avec le tarmac, Andreï lui dit : « Bonjour, Kate. » Bienvenue en Argentine. Bienvenue dans le monde réel.

En sortant de l'avion, elle se retrouve aussitôt plongée dans la moiteur étouffante de l'été argentin. L'humidité s'insinue dans les conduites du système d'air conditionné, envahit le terminal de l'aéroport, puis grimpe avec eux à bord du taxi noir à toit jaune. Après une nuit sans sommeil, Kate suffoque et rêve d'une bouffée d'air frais, d'une bonne rafale de vent d'automne sur la Tamise.

Andreï parle en espagnol avec le chauffeur.

— Il dit que notre hôtel se trouve à deux pas de la station de métro Plaza San Martin sur la ligne C. Nous y sommes presque, mais nous sommes bloqués par les embouteillages, la rassure-t-il d'une voix si bienveillante qu'elle finit par se poser des questions : est-ce que sa fatigue se voit à ce point sur son visage ?

— Vous deviez être très proches, dit-elle en parlant de son amie cubaine. Parce que vous parlez couramment espagnol.

— Nous l'étions, en effet, répond-il sèchement.

Il s'est refermé comme une huître, et Kate est soulagée quand le taxi s'arrête enfin devant l'entrée de marbre de l'hôtel Marriott et la fraîche oasis de son hall climatisé. Ils ont deux heures avant leur rendez-vous. Le temps de se doucher, de s'allonger, de fermer les yeux, de dormir d'un sommeil sans rêve, puis de regagner l'ascenseur pour retrouver la politesse obséquieuse du concierge. L'hôtel est bien plus luxueux qu'elle ne s'y attendait. Carol ne s'est décidément pas trompée sur son compte. Il faut que Kate soit très douée en logistique pour avoir réussi à leur trouver des chambres dans cet hôtel à ce prix.

Elle n'a aucun mal à l'identifier bien qu'ils ne se soient parlé qu'au téléphone, ou du moins qu'ils aient essayé de le faire, car l'anglais de son correspondant est des plus rudimentaires. Les fax qu'ils ont échangés étaient écrits en espagnol, et c'est la fidèle Sandra qui s'est chargée de les traduire grâce aux connaissances acquises à ses cours du soir. Décidément, cette fille ira loin.

Pablo Petrichine, le président de l'association des Ukrainiens d'Argentine, arpente le vestibule du pas cadencé d'un général à la retraite. Ses cheveux gris clairsemés sont ramenés sur le dessus de sa tête dans une tentative futile de dissimuler sa calvitie, et sa moustache brossée est aussi touffue que ses sourcils. Malgré la chaleur, il porte un blazer bleu marine à boutons dorés. Il sourit à Kate, exposant ses dents jaunes de fumeur, avant de lui désigner d'un geste les fauteuils en cuir passablement avachis du hall.

— Cet endroit est bien plus confortable et frais que mon bureau, dit-il.

Puis il lui explique que Pablo est l'équivalent espagnol du prénom Pavlo en ukrainien. Ils communiquent par l'intermédiaire d'Andreï, qui ne met pas longtemps à s'apercevoir que l'ukrainien parlé par Pablo n'est pas des plus limpides.

— Ce que vous me demandez n'est pas facile, Katerino. Pas facile du tout. Mais nous autres Ukrainiens exilés devons nous entraider.

Il marque une pause et regarde la jeune femme, attendant une marque d'approbation. Elle lui sourit, sans lui rappeler combien cette aide va lui coûter.

— Certes, notre diaspora n'est pas aussi nombreuse ici qu'en Amérique du Nord. Les Ukrainiens sont deux millions aux États-Unis et un million au Canada. Cela signifie aussi que nous ne bénéficions pas des mêmes réseaux de solidarité ni des mêmes soutiens financiers que nos cousins du Nord.

De nouveau il s'arrête pour regarder Kate, puis reprend :

— Nous sommes environ deux cent trente mille à vivre en Argentine aujourd'hui, pour moitié à Buenos Aires. J'ai dû consulter nos registres puis vérifier les listes des immigrants passés par un centre d'accueil situé dans le barrio Retiro. J'ai fini par retrouver notre homme qui a débarqué en Argentine en 1897, claironne le général. Il fut l'un des fondateurs de la communauté ukrainienne d'Apóstoles. C'est un lieu fort intéressant, à propos. Ses soixante mille habitants ont réussi à préserver leur langue et leurs traditions depuis trois générations. Ils organisent chaque année, à peu près à cette époque, une grande fête du *yerba maté*. Ce n'est pas la porte à côté, mais vous devriez prendre le temps de visiter cette ville.

— Tout dépend d'où vivent les descendants de Grigor Poloubotko, répond Kate, impatiente de ramener la conversation à la raison de leur venue en Argentine.

— Eh bien, c'est qu'il n'en reste pas beaucoup ! répond le général, battant en retraite. L'existence n'est pas simple dans la jungle. Grigor a eu deux enfants. Son fils est mort très jeune d'une maladie tropicale. Sa fille, qui s'était mariée à Apóstoles, est morte en couches. Son seul descendant en ligne directe est son petit-fils, Pedro Poloubotko, qui vit toujours dans la banlieue de Buenos Aires.

Pablo regarde Andreï, qui vient de changer de couleur, et ajoute :

— À votre place, je ne m'emballerais pas trop. Ce type est un alcoolique. À ce qu'on raconte, il était à la tête d'une entreprise de ferronnerie florissante quand il a investi tout ce qu'il possédait dans la *Kooperativa* financière des Ukrainiens et tout perdu avec la crise de 1982. Après ça, il n'a jamais pu remonter la pente. Il a quitté la ferronnerie pour s'installer dans une baraque de tôle.

Il rit de cette plaisanterie, puis enchaîne :

— Son adresse est Villa Jardín à Lanús, dans les quartiers sud de Buenos Aires. Ne vous laissez pas abuser par ce nom. L'endroit n'a rien d'un jardin d'agrément. « Villa Miseria » serait un nom plus approprié pour ce quartier d'usines désaffectées, de bidonvilles et de cours d'eau pollués. Des bus font la navette avec Buenos Aires, mais je vous déconseille d'y mettre les pieds. En tout cas, je ne pourrai pas vous y accompagner. Voyez-vous, les gens là-bas sont des *angustiados*, des miséreux pas très... (Il cherche le mot juste.) Pas très coopératifs. Ah, j'oubliais, quand vous m'avez appelé, Katerino, vous avez parlé de lointains parents que Poloubotko aurait eus en Angleterre et qui lui auraient légué une certaine somme. Combien d'argent au juste, si je puis me permettre ?

Kate est sur le point de lui répondre quand Andreï s'empresse de le faire à sa place en ukrainien avant de traduire pour elle.

— Environ cent mille livres sterling.

Le visage de Pablo s'éclaire.

— J'en connais un qui va être content. À considérer qu'il puisse encore l'être. Quand vous lui parlerez, n'oubliez pas de lui dire que je vous ai aidé à le localiser. Nous comptons beaucoup sur la charité de notre prochain, ici. Le problème, c'est la dispersion de notre communauté entre différents courants politiques et religieux. Nous sommes divisés en une vingtaine d'associations, alors que nous aurions besoin de nous réunir au sein d'un groupe fort et soudé. C'est ce que je m'efforce d'accomplir. Oh, vous avez vu l'heure ? Je suis désolé, mais je dois vous quitter. J'ai une réunion à l'église catholique dans une demi-heure. J'espère avoir la joie de vous revoir avant votre départ.

L'homme se lève, leur sourit de ses deux rangées de dents jaunes, rajuste son blazer, puis sort de l'hôtel d'un pas alerte.

Kate est ravie de le voir partir. Elle a maintenant besoin d'un bon café pour se remettre de la fatigue du voyage, mais Andreï a déjà fondu tel un faucon sur son plan de la ville.

— J'ai trouvé l'endroit et la ligne de bus, annonce-t-il. D'après mon guide, le billet coûte soixante-dix centavos.

Tandis qu'il la regarde, Kate remarque pour la première fois que le vert de ses iris est piqueté de minuscules points bruns, comme si ses taches de rousseur avaient poursuivi leur invasion jusque-là. Elle capitule et chausse ses lunettes de soleil dans l'espoir de cacher ses yeux fatigués et ses émotions déplacées.

Ils descendent du bus au cœur du quartier de la Villa Jardín. Kate ne comprend pas pourquoi Pablo leur en a dressé un tableau aussi sombre. Visiblement, il n'a jamais mis les pieds ici. Les maisons de brique à toit de tôle sont peintes dans des tons acidulés et printaniers. Les adolescents qui traînent devant le magasin de location de vidéos affichent la même moue belliqueuse et la même mise savamment négligée que dans n'importe quelle autre ville du monde. Le propriétaire du magasin de fruits et légumes a dû s'inspirer des feux de signalisation pour composer son étal, car il a rangé d'un côté les tomates et les pommes rouges, de l'autre les avocats et au milieu les oranges et les bananes. Les cageots sont pleins à ras bord, les grappes, généreuses. Les mots *Hay Castaña* inscrits sur un écriteau de carton informent le passant qu'il peut acheter ici des marrons, bien que ceux-ci soient absents de l'étalage, sans doute parce que leur présence détruirait l'harmonie tricolore du tableau.

Près de l'arrêt d'autobus, deux vieux messieurs coiffés de casquettes à carreaux jouent aux dames sur un banc. Ils prennent visiblement la partie très au sérieux, car ils réfléchissent longuement avant de déplacer leurs pions et fixent le damier en se frottant le menton de leurs mains noueuses.

Quand Andreï leur demande son chemin, les deux hommes tournent vers lui un regard méfiant, comme si on leur demandait de divulguer un secret d'État. L'un d'eux lève sa main qui tient un pion noir, pointe vers sa gauche, puis d'un air triomphant prend une dame à son adversaire. *Quelle prodigieuse économie de moyens !* s'extasie Kate.

Elle emboîte le pas à Andreï pour traverser la route, et ils s'engagent dans une rue latérale étroite et obscure qui se termine sur un mur aveugle, puis tourne vers la gauche. Ils la suivent et vont ainsi de venelle en venelle.

— Andreï, nous n'allons jamais retrouver personne dans ce labyrinthe. Et surtout, comment allons-nous ressortir d'ici ? soupire Kate en contemplant d'un air désemparé le papier sur lequel elle a noté l'adresse qu'ils recherchent.

Précaution inutile, puisque les rues ici n'ont pas de nom, sans être désertes pour autant. Sur les rebords des fenêtres s'étalent des cigarettes et des boissons à vendre. De temps en temps, leurs propriétaires viennent jeter un coup d'œil à leur étalage et balaient la rue du regard, à l'affût d'un client désireux d'acheter et d'échanger quelques ragots ou d'un mauvais plaisant qui aurait l'intention de partir sans payer. *Bel exemple de symbiose entre commerce de proximité et surveillance du voisinage*, songe Kate, en se demandant si son pays pourrait être intéressé.

Dans le troisième passage qu'ils empruntent, l'une des échoppes est tenue par une matrone au décolleté généreux serré dans une robe noire sans manches. Elle s'évente avec un journal, montrant sous son aisselle des marques blanches de transpiration rance et des taches sombres plus fraîches. Sa misère est soulagée par Andreï qui lui achète un paquet de cigarettes.

— J'ignorais que vous fumiez, lui glisse Kate.

— Je ne fume pas, répond-il. Mais cette femme m'a dit de prendre le prochain passage à droite. C'est à côté de Riachuelo, sur les berges de la rivière, après le *Centro Comunitario*, à côté de l'usine d'armement abandonnée. La maison avec une porte « à affiche ». Elle a dit que nous comprendrions en la voyant. Venez.

Sur ce, il s'avance dans la ruelle, et Kate n'a d'autre choix que de le suivre en essayant de ne pas marcher dans les flaques qui se sont formées le long des rigoles d'évacuation des eaux usées. À l'odeur qui leur frappe les narines, il est clair qu'ils s'approchent de la rivière. Les habitations ici ne sont plus dignes d'être appelées des « maisons ». Ce sont des constructions précaires en plaques de tôle et planches de contreplaqué de diverses tailles et formes. Ici, la gamme des couleurs se fait hivernale : marron boueux des murs, noir charbonneux des réchauds, gris métallique des baquets d'acier galvanisé exposés à l'extérieur des baraques. Ces baquets sont les seuls éléments un tant soit peu luxueux et solides dans ce décor.

— Attention, barrage à l'horizon, lâche Andreï.

Kate ne trouve pas la plaisanterie très drôle. Depuis l'autre bout de la ruelle, trois gamines de sept ou huit ans les observent. Deux couettes noires pendent de part et d'autre de leur visage telles des oreilles de cocker. L'une des filles serre fermement la main d'un jeune enfant aux joues potelées. Toutes sont vêtues du même maillot bleu marine, de collants noirs déformés aux genoux et d'une robe en dentelle d'un rose criard enfilée comme un défi sur l'uniforme sombre de la pauvreté. L'une d'elles a marié cette robe de Cendrillon à des baskets blanches et roses à l'effigie de Barbie. Les yeux noirs des fillettes observent les deux étrangers avec la curiosité des singes surveillant des intrus dans la jungle. Pas un geste pour rajuster un T-shirt ou essuyer un nez morveux. Le groupe se tient parfaitement immobile comme s'il posait pour le dépliant d'une organisation humanitaire qui finira au panier avec un tas d'autres prospectus.

En fouillant dans son sac, Kate finit par trouver une tablette de chewing-gum, une trousse de toilette bleue frappée du logo d'une compagnie aérienne et un paquet de quatre biscuits. Ce n'est pas grand-chose, mais ce sera suffisant comme gage de paix.

Le plus jeune des enfants s'avance vers elle, attiré par l'éclat argenté du papier enveloppant la tablette de chewing-gum. D'un geste qui n'a rien de très royal, les princesses roses l'arrêtent en le tirant par sa tignasse brune. Le gamin grimace mais ne crie pas. Il ne fait visiblement pas partie des dignitaires autorisés à accepter des cadeaux.

La chef de bande fait un pas vers eux, accepte l'offrande et affiche ce qui pourrait passer pour un sourire. Mais, une seconde plus tard, un crachat atteint Kate en plein dans l'œil. Son forfait accompli, la guerrière rose disparaît avec sa suite dans un passage, sûre d'avoir eu le dernier mot et d'avoir dûment accompli sa mission défensive.

Kate sent le liquide chaud glisser le long de sa joue. Elle est tellement choquée qu'elle ne songe même pas à prendre un mouchoir. Andreï enlève le crachat du revers de sa main, puis s'essuie sur l'arrière de son pantalon.

— Allons-y, dit-il.

Ils se mettent à marcher en silence. Au bout d'une minute, il ajoute :

— Ne la jugez pas. Ces gamins sont aussi imprévisibles que des catastrophes naturelles. Ce sont des naufragés, des enfants du ruisseau. Sitôt sortis du ventre de leur mère, ils doivent apprendre à se défendre. Cet univers est le leur, ils ne le partageront avec personne. Regardez, Kate. Je crois que nous y sommes.

La porte « à affiche » est effectivement difficile à rater. Elle est faite d'un morceau de panneau publicitaire sur lequel s'étale le portrait d'un vieux gaucho à cheval dans sa pampa. L'autre moitié du cavalier sert probablement à colmater un autre cabanon quelque part dans ce labyrinthe puant. Ce qui reste de son visage borgne, grêlé de cicatrices laissées par les couleurs éraflées et délavées, est déformé par une horrible grimace.

Sentant le malaise de Kate, Andreï plaisante.

— Admirez, mesdames et messieurs, un parfait exemple de système de sécurité imparable, une solide barrière de protection contre les gangs des rues… Je passe le premier.

Ils se glissent entre la paroi de contreplaqué et la plaque de tôle, puis s'arrêtent, le temps que leurs yeux s'habituent à la lumière avare filtrant à travers une étroite ouverture sans vitre qui fait office de fenêtre. L'endroit semble désert, et Andreï poursuit sa visite guidée du même ton ironique.

— Vous noterez que le logement est entièrement de plain-pied. Le sol de ciment procure un effet rafraîchissant idéal sous ces climats tropicaux. Cette console que vous voyez dans le coin peut faire office de table, et vous pouvez y admirer une tasse de faïence décorée d'un motif local, une bouteille vide et… (Il fait la moue.) … quelques aliments qui n'ont pas l'air très frais. À présent, tournons-nous vers l'autre coin et que voyons-nous ? Une garde-robe bien garnie, presque trop pour un logement de cette taille. Peut-être vous demandez-vous ce qui peut s'y cacher ?…

Kate ne l'a jamais vu aussi guilleret, mais sa gaieté a quelque chose de feint. S'il fait le pitre pour la rassurer, il ne réussit qu'à provoquer l'effet inverse.

Le numéro d'Andreï est interrompu par un faible son guttural venant d'un autre coin de la pièce.

La créature (Kate a bien du mal à identifier s'il s'agit d'une femme ou d'un homme) est couchée sur un matelas posé à même le sol. Il s'agit en réalité d'un matelas pneumatique décoré de carreaux orange et turquoise, et celui qui l'occupe ne s'est visiblement pas baigné depuis longtemps dans les vagues de l'Atlantique.

Avec son teint cadavérique, son regard fixe perdu dans le vague et sa bouche béante, l'individu aurait pu servir de modèle à un Goya de la période noire.

— Et ici vous pouvez admirer une illustration éloquente des ravages de la boisson sur le corps humain, chuchote Andreï à l'adresse de Kate. (Après une pause, il ajoute :) Ou ce qu'il en reste.

— Sortons d'ici, répond Kate avec un frémissement. Ça ne nous mènera à rien. Que pourrait-il bien nous apprendre ?

— Attendez. Restez ici, lui ordonne Andreï en s'éclipsant.

Kate demeure plantée au milieu de la pièce, maudissant son sentimentalisme, son goût pour le parfum des mandarines, sa profession d'avocate, la chaleur étouffante et par-dessus tout cet Ukrainien dégingandé, incontrôlable, naïf, excentrique (elle est à court de qualificatifs) qui l'a entraînée dans cette histoire. Sur son matelas, la créature ne donne plus signe de vie. Kate reste plongée dans l'horreur absolue jusqu'à ce qu'Andreï réapparaisse avec deux bouteilles de tequila. Décidément, c'est jour de fête pour la marchande au poitrail généreux.

Andreï s'accroupit près du matelas. Il prend la main de l'homme, qu'il tapote doucement comme il le ferait avec un chien malade. Il lui murmure quelque chose à l'oreille, et la créature tourne la tête, contemple les bouteilles de son regard vitreux avant de laisser échapper un geignement rauque.

— Venez, il nous laisse fouiller dans ses affaires.

Sur ces mots, Andreï fonce vers la penderie sans laisser à Kate le temps de réfléchir.

Non sans surprise, ils trouvent sur une étagère deux chemises propres et impeccablement pliées, ainsi qu'une cravate bleu marine suspendue à un cintre.

— Des vestiges de sa vie d'antan qu'il a conservés dans l'espoir de les revêtir à nouveau un jour, commente Andreï.

Au bas de la penderie, près d'une paire de chaussures marron passablement usées, Andreï prend un attaché-case à la serrure cassée et en éparpille le contenu par terre. L'inventaire est vite fait : une bible ; une clé accrochée à un porte-clés en forme de roulement à billes ; une croix d'étain ; une carte postale représentant une église à trois clochers et trois arches sur laquelle on peut lire : *Iglesia Católica de rito bizantino Ucraniano de la Santisima Trinidad, Apóstoles* ; un petit carnet de couleur noire ; et enfin un passeport orné des mots *Republica Argentina* en lettres dorées. Kate l'ouvre et voit la photographie d'un homme brun et souriant à la superbe moustache. Elle lit le nom de famille, puis la *fecha de nacimiento*, la date de naissance.

— Il n'a pas du tout changé, hein ? ironise-t-elle.

Mais Andreï ne répond pas. Il a devant lui un petit coffret en bois à ferrures noires qui ressemble à un souvenir fabriqué par un atelier de commerce équitable.

— Le testament ne peut se trouver que dans cette boîte, déclare Andreï avec assurance. Vous êtes prête ?

Kate n'a pas le temps de hocher la tête que le coffret s'ouvre avec un craquement. Il renferme une feuille de papier. Kate reconnaît aussitôt les lettres d'un alphabet qu'elle ne sait pas déchiffrer. Ce n'est que ça ? Elle est un peu déçue. À quoi s'attendait-elle ? À des donjons, des fantômes, des fanfares ? Elle ne pourrait le dire. Elle sait en revanche qu'elle ne s'attendait ni au crachat d'une enfant sur son visage, ni à un vieil alcoolique comateux, ni à un coffret craquant comme une coquille d'œuf.

Andreï s'empare de la boîte et se redresse d'un bond.

— Sortons d'ici. Il y a de meilleurs endroits où s'amuser le soir à Buenos Aires.

— Nous ne pouvons pas faire ça, proteste Kate. Nous ne pouvons pas voler les biens de cet homme.

— Dans ce cas, je suggère d'emprunter cette boîte. Mais d'abord il va falloir expliquer à son heureux propriétaire tout le côté légal de l'affaire. Lui parler des défendeurs, des testateurs, du mandat successoral, des exécuteurs, des mandataires et autres testaments invalidés. Allez-y, ne vous gênez pas. Faites votre boulot, je suis tout ouïe.

Pas mal pour quelqu'un dont l'anglais n'est pas la langue maternelle, pense Kate. *Au moins, je sais qu'il a écouté ce que je lui ai raconté à Londres.*

— Regardez-le, poursuit Andreï. Il n'est plus qu'une épave pareille à ces voitures qui rouillent dehors. Pensez au nombre d'enfants que nous pourrons nourrir, aux autres Tchernobyl que nous pourrons prévenir. Et quand nous obtiendrons l'argent, nous veillerons à ce qu'il reçoive sa part. Vous vous rappelez cette clause du testament disant que si le prétendant à l'héritage ne vivait pas en Ukraine il recevrait cinq pour cent de la somme ? Pensez à ce que représenteront ces cinq pour cent pour lui ! Bien sûr, il faudra le rendre présentable pour venir chercher son dû à la banque le jour où l'héritage sera payé.

— Si ce jour-là arrive, lâche Kate.

Elle est la première à entendre la détonation. Un grondement sonore, suivi d'un claquement assourdissant.

— Vous n'avez pas peur au moins ? s'enquiert Andreï en la voyant pâlir.

La maison amplifie les bruits tel un caisson de résonance. Les gouttes qui martèlent les tôles du toit emplissent la pièce de leur écho. Andreï attrape Kate par les épaules et la fait doucement pivoter vers l'ouverture qui sert de fenêtre puis vers le pan de mur transparent qui descend jusqu'au sol.

— Vous voyez, ce n'est qu'une orage ?

— *Un* orage, le corrige Kate.

Il se tient debout derrière elle et continue de la tenir par les épaules, un peu trop longtemps peut-être. Elle sent son souffle chaud sur sa nuque. Se fait-elle des idées ? Non, il ne peut pas sérieusement être attiré par elle. Kate ne s'est jamais considérée comme une femme séduisante. Chez elle, tout est ordinaire : taille moyenne, corpulence moyenne, yeux gris, cheveux châtains. Des couleurs de moineau. Veut-il juste profiter de l'occasion qui lui est offerte ?

Agacée, elle s'écarte de lui.

— Pensez-vous pouvoir retrouver le chemin jusqu'à… (Elle regarde la carte.) … jusqu'à la *calle* Warnes ?

— Nous allons devoir marcher *contre* la pluie, répond-il laconiquement.

Kate ne mesure le sens de ses paroles qu'une fois dehors. L'orage s'est éloigné, mais des torrents d'eau jaunâtre débordent des gouttières.

— Le flot se dirige vers la rivière, explique Andreï. Et nous allons devoir marcher à contre-courant pour retourner vers Riachuelo.

La ruelle n'est plus qu'un bourbier glissant. Kate dérape. Andreï la rattrape par le coude et, ce faisant, manque de laisser tomber le coffret dans le fleuve qui déferle à leurs pieds. La jeune femme est agréablement surprise de voir qu'elle compte plus à ses yeux que cette boîte. Mais peut-être n'a-t-il agi que par réflexe ? Ou alors il s'est rattrapé à elle parce que lui-même avait perdu l'équilibre ? Le doute la tenaille pendant tout le trajet de bus jusqu'au centre-ville.

Le véhicule antédiluvien suit docilement toutes les déviations, s'arrête aux feux de signalisation déglingués, se traîne le long du trottoir pour éviter la circulation délirante des heures de pointe. Quand enfin il les dépose à la gare centrale, la nuit est déjà tombée.

Ils décident d'économiser le prix d'un taxi. Le métro local est bon marché et rapide, mais loin d'être le moyen de transport idéal pour admirer la ville. Alors ils se résignent à marcher le long des bâtiments à l'architecture disparate. Ils passent devant des petites *librerías*, où les gens bavardent comme au café, devant des pizzerias et des glaciers où sont attablés des étudiants, devant des chérubins au nez effrité exposés dans la vitrine d'un antiquaire, devant les vastes galeries marchandes et leurs mannequins angéliques. Le soir, Buenos Aires ressemble à une gigantesque fête foraine. Il s'en dégage la même ambiance joyeuse, et les mêmes odeurs de viande grillée s'échappent des fenêtres ouvertes des restaurants. En sentant ce fumet, Kate et Andreï se rappellent que c'est l'heure de dîner.

Ils portent leur choix sur un petit bar bondé et arrivent à se faufiler jusqu'à une table basse. Une bougie brûle mollement au centre de la nappe à carreaux. Pendant qu'Andreï dévore des yeux le menu, Kate cherche d'où vient la musique aux accents mélancoliques qui emplit l'endroit et aperçoit dans un coin un homme qui joue d'un petit accordéon. Le visage rougeaud, le nez comme une patate, il a tout d'un paysan gallois posant dans les pages de *Country Life*. Le pied gauche posé sur une chaise, son instrument calé sur le genou, il tape la mesure de la pointe de son soulier ciré. Totalement absorbé, il garde les yeux fermés et exprime en jouant l'universalité de ses émotions intimes.

Tandis qu'une mélodie vaporeuse s'élève dans l'air brûlant, Kate consulte son guide touristique.

— Il joue du bandonéon, explique-t-elle pour elle-même. Cet instrument importé en Argentine par des marins allemands fait habituellement partie des orchestres qui accompagnent les danseurs de tango.

(Elle referme son livre.) Mais ce soir nous n'avons ni orchestre ni danseurs.

— Détrompez-vous. (Andreï s'arrache un instant à sa lecture du menu d'*empanadas*, de *salchidas* et de *parilladas*.) Regardez donc sur le trottoir derrière vous.

Le couple n'est pas là en représentation. La femme – probablement une secrétaire ou une comptable qui sort tout droit du bureau – porte une robe boutonnée couleur crème qui lui descend jusqu'aux genoux et affiche une expression de concentration extrême. Son partenaire a roulé les manches de sa chemise noire sur ses avant-bras musclés de maçon. Face à face, ils dardent leurs jambes de droite et de gauche telle la langue d'un serpent. Ils luttent pour l'espace, comme s'ils dansaient au bord d'une falaise et qu'un seul faux pas risquait de les faire chuter dans le précipice. Le genou de l'homme touche l'intérieur de la cuisse de sa partenaire, la paume de sa main droite l'entraîne et dirige la danse. Un – pas long –, la séduction. Deux – renversé –, l'abandon. Ce puissant cocktail d'émotions enivre Kate. Elle imagine de longs doigts fins de chirurgien glissant le long de ses reins, caressant sa peau, soutenant sa nuque… plus tard, qui sait, ces mêmes doigts la dévêtant. Elle a cessé de se demander pourquoi et se range à l'idée qu'il y a dans la vie des choses qu'on ne peut expliquer et qu'il faut juste apprendre à accepter.

La tension entre eux grandit encore pendant que Kate et Andreï regagnent leur hôtel en silence.

Elle devine ce qui va arriver avant même de mettre le pied dans l'ascenseur, avant même qu'il ne prononce son prénom d'une voix étranglée : « Katerina… » Elle n'ose pas le regarder de crainte qu'il ne lise sa réponse dans ses yeux. Quand leurs lèvres se rencontrent, elle se sent aspirée dans un immense trou noir où le temps, la gravité n'existent plus. Sans qu'elle ne sache comment, ils se retrouvent dans une chambre. Son corps est liquéfié, tous ses sens concentrés dans le bout de ses doigts qui explorent une chevelure soyeuse, le velours d'une peau, la fraîcheur des draps.

Son corps léger comme une plume accepte docilement cet homme, comme si elle l'avait toujours connu, comme si elle avait déjà partagé avec lui cette intimité et ne faisait que retrouver la chaleur et le plaisir d'un contact qui lui avait longtemps manqué. Elle remonte à la surface, reprend son souffle dans un spasme, et le trou noir explose, l'expulse dans le monde, vers le bruit de sa propre voix flottant au-dessus d'elle, vers les baisers de cet homme sur ses joues baignées de larmes… Puis, étourdie, elle replonge dans ce creux à la base de son cou où bat une veine et entend sa voix qui l'appelle pour lui murmurer qu'il est son amour et sa vie.

Quand elle se réveille au milieu de la nuit, elle entend résonner en elle une musique. Il dort, couché en chien de fusil, semblable à la lettre d'un alphabet ancien et oublié. Un *S*, mais en plus souple. Une voyelle, c'est forcément une voyelle longue, que l'on prononce dans un souffle venu des profondeurs.

Elle est étroitement enlacée à lui, ses genoux emboîtés dans le pli de ses jambes, son ventre contre son dos, sa poitrine contre le creux que forment ses omoplates. Deux lettres sur une feuille vierge formant un mot magique et éternel qui signifie « harmonie », le « courant sans fin de la vie ». Elle ne peut le prononcer à haute voix, mais elle entend le son de ce mot aussi pur qu'une gamme de *do*, dans laquelle chaque note est à la fois nouvelle et familière.

Elle veut savoir si la vie continue derrière l'épaisse paroi de verre, alors lentement elle se détache de lui, se glisse hors du lit et s'approche de la fenêtre. À ses pieds, l'*avenida* ne dort pas. Des voitures font grincer leurs freins lorsqu'elles s'arrêtent aux feux, des couples silencieux marchent en se tenant par la main. Il faut que le monde entende la mélodie qui se joue en elle. Elle doit partager cette musique avant qu'elle ne déborde. Elle pense au décalage horaire. Il est 4 heures ici, 7 heures à Londres.

Quand on décroche à l'autre bout de la ligne, Kate laisse exploser sa joie et murmure dans un souffle :

— Je suis amoureuse, Baboussia.

— Je suis tellement heureuse pour toi, répond la chère voix altérée par la distance. Je trouvais que Philip et toi aviez l'air distants depuis quelque temps.

— Philip est à New York, la coupe Kate. Lui s'appelle... Non, je préfère ne rien te dire pour l'instant, mais il te plaira, j'en suis sûre. Pouvons-nous venir déjeuner chez toi dimanche ?

12

Londres – Cambridge, 1ᵉʳ avril 2001

— Un visiteur vous attend à l'accueil, mademoiselle Fletcher, annonce Amy de sa voix gazouillante.
Très bien, je lui demande de patienter.

Elle repose le combiné et regarde Kate avec un
sourire quelque peu tendu.

— C'est la troisième fois que vous descendez
vérifier. Vous n'avez aucun message. Il n'est vraiment pas nécessaire que vous veniez. Je vous appellerai.

Il ne l'a pas contactée hier. Dimanche non plus.
Comme il n'a pas de téléphone portable, elle est
obligée d'attendre que ce soit lui qui l'appelle. Et il
ne l'a pas fait. Elle a dû annuler son déjeuner avec
Baboussia, inventer une excuse pour Philip quand
elle lui a parlé au téléphone. Et depuis elle n'a fait
qu'attendre.

Dire qu'Andreï lui manque est au-dessous de la
vérité. Elle ressent pour lui un désir irrationnel. Sans
lui, elle n'est plus qu'une enveloppe vide qui doit se
lever, manger et se coucher le soir dans le lit de Philip. Elle se félicite qu'il soit loin. Au moins il ne la
voit pas tordre le coin de sa couette tandis qu'elle
fixe d'un regard vide les images qui défilent sur
l'écran de sa télévision. Elle ne se sent pas prête

pour les explications. Y aura-t-il jamais un bon moment pour ça ?

Elle parvient à trouver des raisons très logiques au fait qu'il ne l'ait pas contactée : après leur retour, il a dû travailler toute la nuit à sa thèse. Épuisé, il s'est effondré et a dormi douze heures d'affilée. Voire treize, quatorze heures. Après les prétextes raisonnables, son imagination invente des motifs plus inquiétants. Il a peut-être contracté une maladie tropicale et gît inconscient sur un lit d'hôpital, dans l'incapacité de l'appeler. Ou peut-être a-t-il jugé que ce qui s'était passé entre eux en Argentine n'était qu'une énorme erreur.

Quand vient le lundi matin, à court d'explications, elle n'est plus qu'une ombre tourmentée et un objet de haine pour la réceptionniste. Alors qu'elle étudie les horaires des trains express pour Cambridge, le téléphone sonne enfin et Amy lui annonce d'un air triomphant :

— Un appel urgent pour vous.

Kate sursaute. Hélas, ce n'est pas Andreï. Bien que jeune et masculine, la voix est affectée d'un léger bégaiement. Kate plaisante même avec son correspondant quand il essaie de prononcer son nom de famille.

— Si c'est un nom imprononçable, alors c'est le mien.

Il est toujours agréable de commencer la semaine par un zeste d'humour avec un parfait inconnu.

— Je crains d'avoir de mauvaises nouvelles concernant Andreï Savtchouk, lui annonce l'homme.

Au début, Kate pense à un canular, mais la plaisanterie serait de très mauvais goût.

Elle prend note de la date et du lieu du rendez-vous, puis quitte le bureau pour se rendre à la gare. Elle connaît ce mécanisme de défense : en état de choc, les gens continuent de parler et d'agir comme si de rien n'était. Leur cerveau se coupe des émotions. Il les enferme sous un lourd couvercle et attend.

Le train express la conduit à Cambridge en trois quarts d'heure, les quarante-cinq minutes les plus longues de sa vie.

À l'accueil, la réceptionniste est polie, sans plus. Quand Kate veut l'interroger à propos d'Andreï, la femme lui répond d'une voix mécanique :

— Je suis désolée, mais je ne peux pas vous fournir d'information. Vous n'êtes pas un membre de la famille.

Kate doit donc tenter une autre approche. Dans son tailleur et ses escarpins à talons, elle ne se sent pas très à l'aise au milieu de tous ces gens en jean et sweat-shirt. Toutefois, elle paraît encore jeune...

Une jeune fille vêtue d'un chemisier blanc et d'une jupe droite de couleur grise passe d'un pas décidé devant la loge du portier et marche tout droit vers son casier.

— Vous êtes bien élégante, fait remarquer le concierge, visiblement payé pour bavasser pendant ses heures de travail.

— J'ai mon premier entretien d'embauche aujourd'hui, répond Kate sans le regarder. J'ai affreusement le trac.

Elle ne trouve pas tout de suite le casier qu'elle cherche. Elle lit à toute allure les noms affichés : *S.P.I.C., SPORT*... Il lui faut quelques secondes avant de comprendre que ces casiers sont ceux de sociétés. Dans ce cas où sont ceux des étudiants ? Elle remarque alors une autre rangée au coin du mur. Par chance, le portier est occupé à sermonner un jeune imprudent qui a voulu entrer dans la cour avec son vélo. Elle se rue donc vers les casiers et lit les noms imprimés sur fond jaune : *Anderson, Lonsdale, Savtchouk.*

Dans la boîte d'Andreï, elle trouve deux lettres à son adresse. Son logement se situe à l'extérieur du collège, dans un immeuble réservé aux doctorants.

Elle consulte la carte touristique qu'elle a prise à la gare. Le trajet est long. Elle le parcourt au pas de course et arrive devant un bâtiment de brique d'architecture victorienne. Elle franchit la porte qui n'est pas verrouillée, traverse un couloir, grimpe quatre à quatre l'escalier tout en lisant les noms inscrits sur les portes. Son cœur cesse de battre quand elle reconnaît celui d'Andreï. L'entrée est condamnée par un ruban adhésif portant le sceau de la police de Cambridge et une signature alambiquée. Bien qu'elle sache le geste inutile, elle se met à tambouriner contre le battant avec toute la force de son chagrin.

La porte du logement d'en face s'ouvre et laisse apparaître une tête dans l'entrebâillement : une touffe de cheveux ébouriffés couleur de paille et une paire d'yeux noirs et brillants qui évoquent immédiatement à Kate l'épouvantail du *Magicien d'Oz.*

— Pas la peine d'ébranler tout l'immeuble, lui dit la tête avec un léger accent scandinave. Il est parti.

— Parti où ? demande Kate en s'accrochant à ce dernier espoir.

— Parti pour toujours.

La tête – Kate se rend compte qu'il s'agit d'une jeune fille – lève ses yeux vers le ciel. Sa diction paresseuse liée à un excès de boisson est encore aggravée par un problème évident de concentration, si bien que sa conversation s'avère très poussive.

— Il a eu un accident. Il s'est noyé en tombant du pont près de Jesus Green. L'eau n'est pas profonde à cet endroit, mais d'après ce que j'en sais il se serait brisé la nuque contre l'écluse. J'ai entendu la police en parler quand ils ont fouillé sa chambre. Ils ont dit aussi qu'on avait trouvé des traces de drogue dans son sang. C'est drôle, parce qu'il n'avait pas l'air d'un type à prendre de la dope. Mon voisin de dessous ne supporte pas le bruit quand il est défoncé. Il cogne au plafond si je marche dans ma chambre. J'ai beau aller pisser sur la pointe des pieds, il tambourine quand même. Jamais il ne s'excuse, mais je ne lui en veux pas. Le lendemain, il ne se souvient plus de rien. Un jour, j'en avais tellement marre que je suis descendue, et vous savez ce qu'il m'a dit ? Qu'il ne pouvait pas m'ouvrir, parce que c'était dangereux. Qu'il fallait que je m'en aille et que des géants marchaient au-dessus de sa tête.

La fille hoquète avant de poser sur Kate pétrifiée un regard plus sobre.

— Et vous, qui vous êtes ? Je vous ai jamais vue ici.

Kate bredouille une histoire de colloque. Elle raconte qu'elle est chargée de l'organisation, que l'intervenant ne s'est pas présenté à l'heure convenue et que son collège refuse de lui fournir des informations. Elle ne fait que son boulot. Sur ce, elle tourne les talons et détale.

L'heure suivante se passe à travers un brouillard : un taxi un peu louche qui la dépose à l'entrée de l'hôpital, l'accueil cordial et professionnel de la réceptionniste.

— C'est au sous-sol. Vous descendez d'un étage. En arrivant, tournez à gauche.

Puis l'éclairage lugubre des néons dans la salle et la longue traversée du couloir avec ses fenêtres de verre dépoli. Ses difficultés pour répondre aux questions bégayées par l'inspecteur à la mise négligée. Elle n'en peut plus, et c'est en courant presque qu'elle ressort dans la grisaille d'un après-midi à Cambridge.

Elle retrouve dehors les couleurs et les reliefs du monde extérieur, un monde dont elle ne fait plus partie. Elle n'est plus qu'une spectatrice d'une super-production en 3D intitulée *Scènes du quotidien*.

En voyant une ambulance passer devant elle toutes sirènes hurlantes et piler devant la porte des urgences, elle se souvient qu'elle se trouve dans un hôpital, un lieu destiné à sauver des vies.

Près de la porte du laboratoire de recherche, un garçon aux cheveux roux bavarde avec une jeune Japonaise dans un blouson de nylon brillant. Ses mains parlent pour lui. Il ferme les poings, les lève jusqu'à sa poitrine, puis ouvre ses paumes comme le ferait un prestidigitateur. Son charme de magicien semble agir, car la jeune femme ne cesse d'opiner et de sourire telle une poupée de porcelaine.

Près d'eux, une autre fille trop jeune pour être médecin essaie de garer sa Mini Cooper sous le panneau « *Réservé au personnel de l'université* ». La voiture proteste et fait entendre une série de détonations. Sur la carrosserie aux couleurs vives, les bandes blanches sont masquées par la rouille, mais le vert du capot est encore intact.

Kate passe devant le magicien, la poupée de porcelaine puis la voiture, et sent soudain comme un coup violent à l'abdomen. Pliée en deux par la douleur, elle n'a d'autre choix que de se laisser tomber au sol derrière un véhicule de police. Une vague de chaleur monte jusqu'à sa gorge et gagne son corps tout entier.

Non, elle n'est pas prête à encaisser sa mort, à supporter cette souffrance, à vivre avec la sensation nouvelle du danger qui la guette.

« Si vous r-r-retrouvez dans vos af-f-f-faires des ob-b-bjets ayant appartenu au défunt... » lui a dit l'inspecteur.

Trois objets, voilà ce qu'il lui a laissé, et le soin de se débrouiller toute seule avec eux. Un morceau de son rêve, celui qui allait sauver son pays. À leur descente d'avion à Londres, il lui a remis le coffret contenant le testament et les documents de son grand-père. « J'ai confiance en toi », c'est tout ce qu'il a dit, économe de ses mots comme toujours. Lâchée dans le monde sans lui, elle demeure lestée de son terrible secret.

Tandis que le train de Londres quitte la gare, Kate appuie son front contre la fenêtre du compartiment. Des gouttes de pluie cinglant la vitre découpent le paysage en d'innombrables images déformées. Les champs verts du Hertfordshire alternant avec des îlots de terre nue lui font penser à lui, aux taches sombres dans l'iris de ses yeux, à son sourire incertain. Un prêtre orthodoxe lui a un jour expliqué que l'âme, quand elle quitte le corps, reste sur la Terre pendant encore quarante jours, ce qui signifie qu'il est toujours là, près d'elle, à la presser de poursuivre ce qu'il a commencé.

Continuera-t-il de la protéger pendant ces quarante jours ?

Elle le supplie de ne pas la quitter : *Accorde-moi encore cinq minutes, le temps que je me ressaisisse. Reste encore quelques heures, au moins jusqu'à ce que je sois rentrée chez moi. Rejoins-moi quand je monterai dans l'avion... Crois-tu qu'on m'arrêtera à l'aéroport ? Me surveillent-ils en ce moment même ?*

Mais elle n'a pas le choix. Elle doit partir. Elle doit le faire pour lui et pour le repos de son âme, dût-elle ne jamais en revenir.

Quand elle appelle le cabinet, elle est incapable de parler, alors Andreï l'aide avec sa distance ironique coutumière. Il utilise sa voix pour appeler à sa place Sandra, la secrétaire du service.

— Non, je ne repasserai pas au bureau aujourd'hui. Je vais rentrer directement chez moi faire ma valise. Il y a un vol dans la soirée. Il faut que je le prenne… Soyez gentille de me réserver une chambre… Oui, et fixez-moi un rendez-vous. Un grand merci pour votre aide. Je serai de retour dans deux jours.

Andreï lui souffle même un prétexte pour expliquer son départ soudain. Une affaire de famille urgente à régler. Après tout, il faisait presque partie de sa famille, non ?

Kate repense aux documents qu'il avait en sa possession et aux coïncidences fatales qui ont jalonné leur histoire. Une malédiction semble s'abattre sur tous ceux qui partent à la recherche de ce testament.

Comme par exemple sur l'ambassadeur arrêté à Vienne et passé par les armes pour haute trahison avant la *Bolchaïa Tchistka*, la Grande Purge stalinienne des années 1930. Issu d'une classe sociale incompatible avec sa fonction de représentant plénipotentiaire d'un pays communiste, il aurait cherché en outre à conclure des alliances avec des ennemis de la république.

Elle se souvient d'autres histoires que lui a racontées Andreï :

Celle du président de l'union des descendants de Cosaques mort un jour après le congrès de l'organisation. Rien de suspect dans son décès cependant. L'homme souffrait d'une forme aiguë de tuberculose.

Celle de l'avocat envoyé à Londres au début du XXᵉ siècle par ce même congrès pour réclamer l'héritage et qui n'est jamais revenu de son voyage. Mais la rumeur disait dans son cas qu'il avait décidé de rester à Londres et de garder pour lui l'argent des Cosaques.

Dans chacune de ces affaires, il y avait des explications logiques. Mais quelle était la raison de la mort d'Andreï ? Était-ce à elle de l'élucider ? Plus vite elle placerait les documents en sa possession dans d'autres mains, et mieux ce serait.

Six heures plus tard, dans l'avion, elle pose sur ses genoux le dossier encore imprégné d'un parfum de mandarine.

En dehors de la lettre dactylographiée de l'ambassadeur ukrainien à Vienne confirmant sa rencontre avec Grigor Poloubotko et de la copie manuscrite du testament que lui a présentée ce même Poloubotko en 1922, la chemise contient un troisième document. Il s'agit d'un rapport de la police secrète russe datant du mois de décembre 1724. Il relate l'interrogatoire d'Iefrem, sentinelle à la forteresse Pierre-et-Paul, à propos de la rencontre entre le tsar de toutes les Russies, Pierre le Grand, et le trésorier des Cosaques Pavlo Poloubotko. Kate ne comprend pas le texte qui noircit le papier à l'aspect ciré, mais elle connaît par cœur son contenu grâce à la traduction qu'en a faite Andreï de son écriture appliquée.

Elle sort cette copie du dossier et la relit, pour le seul plaisir d'admirer encore une fois sa calligraphie :

Forteresse Pierre-et-Paul, Saint-Pétersbourg
Décembre 1724

Au général Iamchtchikov, chef de la Taïnaïa Kantsélaria. L'interrogatoire du dénommé Iefrem Malakhov, sentinelle du ravelin Alexandrovski, a confirmé les faits suivants...

Iefrem se considère comme un gars chanceux. En rentrant chez lui estropié, sans femme et sans enfants, après vingt années à guerroyer contre la Suède et l'Empire ottoman, sa mère Russie l'a pris sous son aile et lui a permis de servir son grand pays ici même, dans cette ville qui en est le cœur. La nouvelle capitale est d'une beauté envoûtante. Il aime les nuits blanches et leur semi-pénombre baignant dans une clarté laiteuse, les perspectives italiennes parfaites des bâtiments bordant la Neva, le cosmopolitisme des cafés où l'on parle l'italien, le flamand, l'anglais et le français et qui ont remplacé les *kabaki*, les estaminets d'autrefois, et leur odeur rance de vodka. On est si loin ici du vieux Moscou où, se souvient-il, les salles ornementées du Kremlin, les dômes pointus de la cathédrale Saint-Basile et les coupoles dorées des monastères régnaient sur la noirceur d'une pauvreté d'ivrognes peuplée de masures et de rues fangeuses. Il est fier de sa fonction de factionnaire dans cette nouvelle forteresse Pierre-et-Paul qui transperce le ciel septentrional de sa flèche d'or. L'unique défaut de cette prison est qu'elle est bâtie à proximité de la mer, sur une langue de terre marécageuse, si bien qu'elle est souvent inondée et que les prisonniers y meurent parfois dans l'humidité glaciale de leur cellule avant d'être condamnés. Mais Iefrem n'y est pour rien. Lui n'est qu'un modeste garde qui sert son tsar et la grande Russie.

Soudain il l'aperçoit. Arc-bouté contre le vent, l'homme traverse la cour à grandes enjambées et marche tout droit vers la guérite à bandes blanche et rouge. Iefrem ne l'a jamais côtoyé d'aussi près.

Son écharpe blanche, tissée de la plus fine étoffe flamande, flotte dans son sillage. Sa silhouette est altière, ses gestes empreints d'une détermination implacable et d'une énergie débordante. Dans un tressaillement, Iefrem court à sa rencontre, en priant le ciel de le préserver d'un accès de rage de ce visiteur nocturne.

— Ouvrez, lui ordonne l'homme.

Iefrem n'a pas besoin de poser de questions. Il sait très exactement quel prisonnier vient voir le visiteur.

Dans sa cellule, Pavlo Poloubotko, le colonel des Cosaques, s'éteint d'une maladie incurable. Le prêtre lui a déjà donné l'extrême-onction. Le froid et treize mois d'interrogatoire par la *Taïnaïa Kantsélaria*, la police secrète, ont eu raison de sa robustesse. À ce qu'a entendu dire Iefrem, l'homme n'a jamais été jugé et serait même innocent du crime de trahison qu'on lui reproche.

Le visiteur doit incliner la tête pour franchir l'épaisse porte de bois qui n'a pas été conçue pour des gens de sa stature. À moins qu'au contraire elle n'ait été bâtie à cette taille pour montrer à tous que, en plus d'être le plus sage, il est aussi le plus grand tsar de toutes les Russies : Pierre le Grand de qui la forteresse tient son nom autant que des apôtres Pierre et Paul.

L'empereur prend la torche des mains tremblantes d'Iefrem et marque une courte pause, le temps que ses sens s'habituent aux ténèbres épaisses et fétides de la cellule.

À travers la porte entrouverte, Iefrem aperçoit le vieux Cosaque. Sa peau flasque et blafarde pend à ses joues, un filet de salive coule de sa bouche béante. Il a déjà l'air d'un mort. Sa respiration sifflante est le seul signe qu'il est encore en vie. « Le sifflement d'un serpent à l'agonie », tels sont les mots qu'il entend le tsar prononcer.

Iefrem ne sait pas ce qu'il doit faire. Retourner à son poste ou bien rester pour garder son tsar ? La curiosité finit par l'emporter sur son sens du devoir.

Le colonel tente péniblement de se lever de son grabat, restant jusqu'à son dernier souffle le serviteur fidèle qui tient à accueillir debout son souverain.

— Vous n'auriez pas dû venir, Votre Majesté.

— Je n'ai jamais voulu que cette affaire aille aussi loin, Pavlo.

Iefrem est surpris d'entendre le ton contrit de son tsar.

— Hélas, je n'ai pas eu le choix quand toi et tes félons de compagnons êtes venus me présenter votre ridicule requête. Quelle insolence de me réclamer plus d'indépendance et des privilèges mesquins, puis d'accuser votre tsar d'iniquité en présence de ses sujets ! Je n'avais pas besoin de vous pour me rappeler que sur les douze mille Cosaques partis pour la campagne de Perse, à peine mille sont revenus vivants. Que veux-tu ? C'était le prix à payer pour remporter cette victoire. J'ai eu la chance de lire le compte rendu des interrogatoires. J'ai réussi à récuser le témoignage du prêtre Havrilo qui vous accusait d'avoir fait main basse sur des terres appartenant à son monastère. Tout le monde sait combien tu es religieux.

Toutefois, le second crime qui t'est reproché était d'une gravité beaucoup plus grande. Ma police secrète m'a rapporté que tu es entré en contact avec un dénommé Orlik, un dangereux conspirateur vivant en Suède sous la protection du roi Charles XII. Même si elle n'était pas avérée, une telle trahison se devait d'être punie.

Je ne suis pas venu te présenter des excuses. Je veux simplement t'entendre m'expliquer la disparition du trésor de l'armée cosaque. Qu'est-il advenu de cet or ? On t'a élu intendant du fait de ta grande probité.

— Vous n'auriez pas dû venir, Votre Majesté, répète le colonel à l'agonie. Je viens de recevoir l'extrême-onction, et mon âme appartient à Dieu désormais. Nul ne peut plus s'interposer entre moi et mon créateur. Mais vous vous êtes toujours pris pour le Tout-Puissant, si je ne me trompe. Votre cœur est à ce point obscurci par la haine que vous n'êtes même plus capable de voir l'évidence. Combien de vies ma nation vous a-t-elle déjà données ? Pourtant, vous continuez d'en réclamer encore et encore. Nous serions tout disposés à vous en donner toujours plus, si vous nous traitiez en égaux et non en esclaves. Nous avons placé en vous notre confiance, nous vous avons adoré et en retour nous n'avons reçu qu'insultes et iniquités innombrables. Mes derniers mots pour vous seront ceux-ci : il est plus facile de diriger un peuple par l'admiration que par la terreur. Votre règne ne durera pas. La colère qui vous habite est indigne d'un monarque chrétien. Dans un avenir proche, vous et moi devrons affronter notre créateur ainsi que le firent les apôtres Pierre et Paul. Mon âme vous attendra pendant quarante jours, car c'est ensemble que nous devrons affronter le jugement du Tout-Puissant.

Iefrem reste effaré par les paroles du Cosaque. L'homme doit avoir perdu l'esprit pour oser parler à son tsar en ces termes. Entendant un bruit sourd, il se précipite vers la cellule et voit le visiteur pousser Pavlo contre le mur humide du cachot.

— Dis-le-moi, dis-moi ce que tu as fait de l'or des Cosaques. Il ne t'appartient pas. Il appartient à la Russie, à l'Empire. Tu ne l'emporteras pas avec toi dans la tombe, alors parle.

L'index de Kate continue de suivre l'écriture soignée d'Andreï :

Pierre le Grand, tsar de toutes les Russies, est mort en janvier 1725, exactement quarante jours après le décès de Pavlo Poloubotko, trésorier des Cosaques. Les dernières paroles du colonel rapportées par Iefrem sont devenues légendaires.

Le trésor des Cosaques n'a jamais été retrouvé. Des rumeurs ont prétendu qu'il aurait été déposé en 1723 à la Banque d'Angleterre par le fils de Poloubotko.

Selon les dernières volontés du colonel, cet or pourra être réclamé par tout descendant, quel que soit son rang dans la lignée, à deux conditions : que l'Ukraine soit devenue un État souverain et que ledit héritier y réside. S'il réside à l'étranger, il pourra prétendre à cinq pour cent de l'héritage, et le reste sera donné au bénéfice de l'Ukraine indépendante.

Selon le livre Guinness des records, le trésor augmenté des intérêts accumulés serait par son importance le deuxième héritage en déshérence au monde.

En août 1991, l'Ukraine a officiellement déclaré son indépendance, à la surprise quasi générale des autres nations et au grand dépit de ses voisins immédiats. À l'ordre du jour de la première session du Parlement ukrainien, la Verkhovna Rada, figurait une motion demandant que les documents requis soient présentés à la Banque d'Angleterre, afin que l'or des Cosaques puisse être réclamé au bénéfice de la nouvelle nation souveraine, presque trois cents ans après son dépôt dans les coffres de la lointaine capitale britannique. Soit qu'il eût manqué des pièces au dossier, soit que le Parlement eût à résoudre d'autres affaires plus urgentes pour garantir la survie du nouvel État, la proposition fut reportée sine die ou do kratchtchyv tchassiv, comme diraient les Ukrainiens, « jusqu'à des temps plus favorables ».

Kate est interrompue dans sa lecture par une grosse quinte de toux de son voisin, un jeune garçon en blazer bleu marine avec un écusson brodé sur la poche de poitrine. Probablement un pensionnaire d'un internat anglais rentrant chez lui pour les vacances de Pâques. Voyageant seul, il n'a rien laissé au hasard : sa ceinture de sécurité est verrouillée, sa veste, boutonnée, le nœud de sa cravate, bien serré. Les traits tendus, il fixe avec concentration sa Game Boy. Sur son cou fin, un morceau de peau laiteuse sortant de sa chemise au col douteux ressemble à la pousse timide d'un narcisse pointant son nez dehors à la fin de l'hiver. Sa mère va passer plusieurs jours à extraire ce poussin de sa coquille. Il va falloir le décrasser, le nourrir, le gâter et le dorloter. Une à une, elle ôtera chaque couche : d'abord les habits malpropres, puis l'air qu'il a de dire : « Oui, je sais, tout le monde n'a pas ma chance, et je devrais vous en être reconnaissant. » Quand enfin il succombera et s'abandonnera timidement contre l'épaule de sa mère, il enfouira son visage dans le cou de celle-ci et, retrouvant son odeur si réconfortante, pleurera de joie, d'angoisse aussi à l'idée que ces retrouvailles ne sont que temporaires et du sentiment délicieux d'être à la fois vulnérable et totalement à l'abri, un sentiment que Kate aimerait éprouver en ce moment.

— C'est quoi, ton jeu ? s'enquiert-elle, cherchant à fendiller l'armure du garçon.

Il la regarde par-dessous sa longue frange qui lui tombe dans les yeux.

— Super Mario Brothers Deluxe, répond-il fièrement.

— En quoi ça consiste ? demande-t-elle tout en pensant qu'elle devrait laisser ce pauvre gamin en paix.

Son jeune voisin doit avoir des dons de télépathe, parce que c'est d'un ton réticent qu'il lui explique :

— Mario doit éliminer ses ennemis. Vous voyez ces champignons agaçants qui sortent de l'écran ?

Ce ne sont pas des ennemis personnels, juste des méchants. Il doit sauter, courir et donner des coups de pied pour arracher la princesse Peach des griffes de l'affreux dragon. Je suis en pleine poursuite.

Moi aussi, songe Kate.

— J'ai déjà huit cent cinquante-trois points et j'espère arriver à mille. Alors, si ça ne vous dérange pas…

Il s'exprime plutôt bien, ce petit Ukrainien de dix ans à peine. Concis et direct. Décidément, on leur enseigne les bonnes manières dans ces pensionnats anglais.

Pour donner le change, Kate ouvre son agenda. Elle a noté trois choses à la date d'aujourd'hui : Marina (essayage robe verte), Fiona (chat) et billets N.Y. Le dernier essayage de sa robe de demoiselle d'honneur pour le mariage de son amie Marina ; appeler Fiona, sa voisine qui part en vacances en Espagne, et recevoir ses instructions concernant son chat, que Kate devra nourrir pendant son absence ; et enfin modifier la date de son billet d'avion pour New York. Trois choses de la plus haute importance qu'elle ne peut pas se permettre d'oublier et qu'elle n'aurait pas oubliées dans sa vie d'avant. Seulement elle évolue désormais dans une autre réalité, à l'image du petit garçon assis près d'elle.

Le commandant de bord les informe qu'ils sont en train de survoler la Pologne. Par le hublot, Kate contemple l'échiquier que dessinent les champs en dessous d'eux, certains encore couverts de neige. Elle vient de déplacer sa première pièce en s'envolant pour Kiev. Mais ce n'est qu'une ouverture, une invitation à amorcer une tactique plus complexe. Sera-t-elle capable de mener la partie jusqu'au bout ? Se déplacera-t-elle comme un simple pion ou comme une reine ? Sa connaissance des échecs est plus que rudimentaire.

Le commandant de bord explique à présent aux passagers qu'ils devraient atterrir dans une petite heure. Kate a donc devant elle soixante minutes pour échafauder un plan d'action et puiser en elle-même une force qu'elle n'a pas. Soixante minutes « jusqu'à des temps plus favorables ».

DEUXIÈME PARTIE

La frontière

Kraï (ukrainien, n.m.) : – territoire, pays ;
– frontière, bord, limite.

13

TARAS

Kiev, avril 2001

La ville a changé. La photo en noir et blanc d'autrefois a cédé la place à une illustration en couleurs sur papier glacé. Il se souvient de la dernière fois qu'il est venu à Kiev, du temps où il était encore étudiant. À l'époque, la grisaille ambiante n'était égayée que par les lettres blanches et rouges des affiches de propagande soviétique exhortant les travailleurs à améliorer leur productivité et à accomplir en trois ans les objectifs du plan quinquennal.

Au mois de mai, l'incarnat des bannières de la fête du Travail flottait sur le blanc virginal des marronniers en fleur pour un instant de joie éphémère. Les visages, les bâtiments, jusqu'aux coupoles dorées des monastères, tout était terni par une patine grise.

Mais aujourd'hui, en descendant la rue Kreshchatik vers la grande place de Kiev, Taras découvre un décor très différent de celui d'autrefois.

Une blonde gigantesque lui fait de l'œil depuis un panneau publicitaire pour un shampoing qui s'étale sur la façade d'un grand magasin. Ailleurs, un cowboy lance vers lui son lasso dans l'espoir de l'attirer jusqu'au pays de Marlboro. La place revêtue de granit qu'ornait autrefois la statue colossale du monument à la gloire de Lénine est désormais un terrain pour adeptes des sports de glisse, qui font étalage de leurs prouesses devant quelques badauds admiratifs. L'air printanier est à la pluie, mais cela n'empêche pas les clients d'affluer aux terrasses des cafés ornées de parasols aux couleurs de différentes marques de sodas. Taras en choisit une où chaises, tables et parasols sont rouges. Près de lui, il entend le gazouillis d'un groupe de jeunes filles en fleurs. Elles portent des minijupes et des blousons aux tons acidulés, des importations turques ou chinoises imitant les modèles de couturiers noir et crème des boutiques chics qui ouvrent en ville.

Le service est très lent, voire inexistant. Taras doit se lever pour aller chercher son Coca au comptoir et se trouve plongé sans le vouloir dans une scène digne d'un *soap* télévisé.

La serveuse est cramponnée au combiné du téléphone comme à une planche de salut qui va l'empêcher de se noyer dans les flots de mascara qui coulent le long de ses joues.

— Comment ça, il ne faut pas que je le prenne personnellement ? Non, mais tu te fiches de moi ? hurle-t-elle dans l'écouteur. Ça fait trois mois qu'on est ensemble, je t'ai présenté à mes parents…

Puis son ton se radoucit.

— Allons reviens, *zaïtchik*, on va parler.

Elle l'appelle affectueusement « mon petit lapin » et implore son amour.

Cette scène rappelle à Taras sa conversation avec son patron un mois plus tôt. La veille de son départ pour Londres, Karpov l'a convoqué dans son bureau. Ses dernières directives données, il a contemplé une fissure sur le mur, au-dessus de la tête de Taras, en disant :

— Vous êtes allés à l'université ensemble. J'espère que vous ne prenez pas cette affaire personnellement, lieutenant.

Karpov ne saurait jamais ou prétendrait ne pas savoir que tout ceci était et serait toujours pour son lieutenant une affaire éminemment personnelle.

Quand tout cela a-t-il commencé ? Peut-être le jour où il a pris le dossier N1247 sur son étagère et reconnu le mot *ЗОЛОТО* inscrit dans le coin supérieur gauche de sa couverture. *Zoloto*, « or ». Il a déjà lu d'autres dossiers portant le même intitulé.

Le premier était répertorié sous le numéro N1442/b. La presse aurait fait ses choux gras d'une affaire pareille, où il était question de réserves d'or ayant appartenu à la famille du tsar mises à l'abri dans un endroit secret pendant la Première Guerre mondiale ; de bagues de la tsarine cousues dans l'ourlet de ses dames de compagnie ; et d'une tiare sertie de cent soixante-douze diamants transportée clandestinement à Londres dans le double fond d'une mallette de médecin. Taras avait classé le dossier dans la catégorie des documents à ne pas divulguer au grand public avant de l'enfermer dans le *spetskhran*, le coffre-fort de la sécurité. Mais, franchement, toute l'affaire était décevante. Les prétendus témoins oculaires se contentaient de colporter des rumeurs, et les prétendues preuves n'étaient que commérages inconsistants.

Quant au dossier N2113, *Réserves en or de l'Empire russe entreposées dans des banques japonaises*, ce n'était qu'une question de temps avant qu'il ne soit utilisé. La copie de l'accord signé en 1921 entre l'armée blanche du général Rossanov et la Yokohama Siokin Bank était là. Il ne suffisait que de le faire valoir. D'une main sûre, un fonctionnaire de haut rang avait écrit sur sa couverture : « *À utiliser comme instrument de négociation dans les pourparlers sur le conflit dans les îles Kouriles*. » Taras l'avait donc classé « en suspens ».

Il y avait aussi le dossier N1872 sur le trésor de l'armée blanche. Trois tonnes de pièces d'or cachées par l'armée de Koltchak dans la taïga sibérienne au début des années 1920. La lecture de ce dossier était palpitante. L'histoire mettait en scène des chasseurs autochtones, des officiers de l'armée rouge, et plus tard, dans les années 1950, une expédition secrète du K.G.B., tous à la recherche des fameuses pièces dans la région de Khanty-Mansiysk. *Mais, au milieu de plusieurs milliers de kilomètres de taïga, ils pourraient bien chercher encore cent ans,* s'était dit Taras qui avait classé le dossier en accès libre.

Quant à l'affaire du train d'or roumain disparu pendant la révolution de 1917, elle avait connu un dénouement heureux. Quelqu'un qui avait eu le fichier entre les mains avant Taras avait tracé « *CLOS* » en lettres capitales sur sa couverture, avant d'ajouter « *Trois fois bravo* » en caractères plus petits. Il y avait de quoi se féliciter. L'or avait été retrouvé et restitué à la Roumanie en trois lots respectivement en 1934, en 1948 et en 1964. Vingt-quatre tonnes au total.

Le dossier le plus captivant était celui de l'or de Schliemann. Il y était question des trésors de Troie rapportés d'Allemagne par l'armée soviétique après la Seconde Guerre mondiale. Taras se souvenait très bien de cette affaire qui lui promettait des voyages, de l'action, voire une promotion. Il avait présenté sa découverte à Karpov, ce qui lui avait valu d'être invité à participer à l'équipe chargée de restituer cette prise de guerre à l'Allemagne en gage de bonne volonté. Mais dans les hautes sphères, un esprit plein de sagesse avait décrété que les gages de bonne volonté ne devaient pas être trop généreux. Il ne fallait pas distribuer ces trésors inestimables comme de vulgaires friandises. Toute l'affaire s'était donc soldée par un geste symbolique. La majeure partie des trésors était restée en Russie afin d'être présentée au public dans le cadre d'une fastueuse exposition qui avait fait grand bruit. L'exposition se trouvait actuellement au musée Pouchkine, à Moscou, Taras avait vu les affiches.

Non, tout avait commencé bien avant, avant même son entrée à l'université. C'était peut-être en juin, à la fin de son service militaire. Il allait avoir vingt ans. Il en avait enfin fini avec la chaleur humide de l'Extrême-Orient russe, avec les brimades et la bouillie de millet huileuse. Deux années, deux années noires à un âge où il aurait dû profiter pleinement de la vie. Mais, à l'époque, c'était le lot de tous les jeunes hommes, sauf si vos parents avaient le bras assez long et vous faisaient réformer pour motif médical à votre dix-huitième anniversaire. Ce jour-là, même les moustiques invincibles n'arrivaient pas à entamer la bonne humeur de ceux qui allaient troquer le parfum de l'huile de moteur contre l'odeur de renfermé du tortillard qui allait les ramener dans leur foyer. Taras avait été appelé chez le colonel Serov, le commandant de son régiment dc blindés. La mine plus rougeaude que jamais, le colonel était en train de boire du thé arrosé de cognac.

— Alors, deuxième classe Petrenko, quels sont tes projets pour l'avenir ? s'était-il enquis avec une sollicitude toute paternelle.

— J'y penserai quand je serai de retour chez moi, avait répondu Taras, déconcerté par la soudaine affabilité de son supérieur.

Le colonel avait continué à débiter des platitudes sur le ton condescendant dont il usait chaque jour avec ses soldats et ses officiers.

— Tu n'ignores pas que pour aller loin dans la vie, il faut étudier. Sais-tu que nous pouvons t'aider à entrer à l'université ? Que dirais-tu de ça ?

C'est à ce moment-là seulement que Taras avait noté la présence dans le bureau d'un autre homme resté jusqu'alors sur sa réserve. Taras était de plus en plus perplexe. Pourquoi son colonel voudrait-il l'aider ? Surtout avec ce qui s'était passé récemment. Taras n'était pas particulièrement enthousiaste à l'idée d'entrer à l'université, mais quelle autre option avait-il ? Retourner dans son village, où le seul divertissement était celui qu'offraient les bagarres d'ivrognes le samedi soir. Non, il voulait faire partie des gagnants et, si pour y arriver, il devait en passer par l'université, qu'à cela ne tienne.

Taras avait adressé à son supérieur un sourire plein de reconnaissance.

— Je serais très heureux que l'armée m'aide à poursuivre mes études, camarade colonel.

— Tu peux compter sur nous, Taras.

Pour la première fois en deux ans, son commandant venait de l'appeler par son prénom.

— Mais en échange il va falloir un peu de collaboration de ta part. Tu devras rejoindre une certaine organisation militaire et y accomplir ton devoir de citoyen. Tu me suis ?

Bien sûr, tout était limpide. On le recrutait pour le K.G.B. Sa force physique et ses aptitudes lui valaient cette chance de rejoindre le véritable siège du pouvoir.

— Si tu as besoin d'y réfléchir, nous…

— Merci, *tovaritch polkovnik*, l'avait coupé Taras. C'est tout réfléchi.

Le jeune homme n'avait pas précisé depuis combien de temps il tournait et retournait cette idée dans sa tête. Sans doute aurait-il dû masquer son enthousiasme.

— Tu es sûr de ta décision, soldat ? C'est qu'il s'agit d'un engagement sérieux qui va changer le cours de ta vie et…

— Je suis sûr, colonel.

Le deuxième classe Petrenko n'avait encore jamais coupé la parole à son commandant et il venait de le faire par deux fois en moins d'une minute.

Le major assis dans un coin de la pièce s'était levé.

— Félicitations. Nous devons maintenant régler certains détails. Si vous voulez bien attendre dehors.

Taras n'avait pas voulu écouter aux portes, mais il n'avait pas pu s'empêcher d'entendre. Le battant n'était même pas refermé que le colonel s'était mis à parler.

— Franchement, je crois qu'il fera une excellente recrue pour toi, Sergueï. Il est robuste, intelligent et surtout…

Le colonel avait marqué une pause avant d'ajouter :

— Il est comme une page blanche. On ne lui a rien enseigné qu'il te faudra changer. Tu as fait le bon choix. À présent, trinquons ! Vodka ou cognac ?

— Tu as raison, avait répondu le major. Ce garçon a du potentiel. Il est très doux, ce cognac, d'où vient-il ? D'Arménie ? Je me suis laissé dire que la distillerie n° 1 à Erevan envoie parfois une bouteille de sa cuvée spéciale à la reine mère en Angleterre. Tu crois que c'est vrai ?

Taras avait patienté derrière la porte jusqu'à ce que les deux hommes aient vidé leur bouteille.

Au mois d'août de cette année-là, après quatre semaines d'un programme de remise à niveau accéléré, Taras était entré à la faculté d'histoire de l'université de Lvov. Bien que très appliqué, il avait trouvé difficile de reprendre des études après deux années d'armée et avait eu le sentiment que les notes obtenues à son examen étaient trop élevées par rapport à son savoir réel. Son mentor avait tenu sa promesse. C'était maintenant à lui de renvoyer l'ascenseur.

Le choix de cette faculté et de cette université n'avait rien d'un hasard. Lvov n'avait été intégrée à la république soviétique d'Ukraine qu'en 1939, et la ville conservait des traces d'un passé et d'un mode de vie d'Europe centrale. Des lions décoraient les balcons des demeures cossues aux fenêtres voûtées et, dans le centre historique, les tramways traversaient en cliquetant les chaussées pavées. La propagande athée n'avait pas réussi à vider la monumentale *kostiol*, l'église catholique, et à chaque coin de rue les cafés invitaient les passants à entrer déguster un gâteau « aussi succulent que celui de maman » ou boire une tasse d'un café très corsé qui se préparait à la turque, dans un petit pot de cuivre chauffé sur du sable chaud.

Ici, les gens craignaient moins qu'ailleurs d'exprimer à haute voix leurs opinions, et leur conception des événements historiques qui avaient amené l'Ukraine occidentale à se rallier à l'Union soviétique de son « plein gré » en 1939 était un peu différente de celle qu'en donnaient les manuels d'histoire. La population ne cachait pas son hostilité envers les Russes, et dans la rue celui qui demandait son chemin dans la langue de l'occupant avait toutes les chances de ne pas être entendu. Au sein du K.G.B., on tenait les étudiants de cette faculté d'histoire pour des nationalistes et des dissidents en puissance qu'il fallait identifier au plus tôt.

Plus âgé que les autres élèves de sa classe, Taras n'était pas ému par leur naïveté, ni par leurs rêves et autres emportements juvéniles. Il poursuivait son but : s'intégrer au groupe et se faire apprécier du plus grand nombre. Il apprenait à rire de leurs plaisanteries, à s'intéresser aux mêmes films, à écouter les textes des mêmes anciens physiciens reconvertis dans la chanson contestataire. Grâce à son expérience dans l'armée (tous les autres étaient frais émoulus du lycée), à son accent des montagnes de l'Ouest de l'Ukraine et à son sourire franc (longuement répété dans le miroir craquelé des toilettes du foyer universitaire), il était accepté par ses camarades comme un grand frère, certes moins raffiné que les intellectuels nés en ville, mais sincère et drôle.

Quand Taras avait proposé de créer un club de débat politique, tout le monde avait accueilli son idée avec enthousiasme. Le doyen de la faculté leur avait alloué une salle de conférences le mercredi soir, afin que « les étudiants puissent comprendre, analyser et approuver la ligne politique du parti communiste et dénoncer la propagande occidentale », disait son mémo punaisé au tableau d'affichage de la faculté, face à la porte de son bureau. Le club du mercredi était devenu un forum de débats enflammés, où s'exprimaient parfois des doutes sur le bien-fondé de la politique du parti communiste. Or, lors de ces échanges, les thèses les plus osées et les idées les plus controversées sortaient toujours de la bouche de Taras Petrenko.

Personne, pas même ses camarades de chambrée, n'a jamais soupçonné que chaque mot de ses harangues provocatrices était extrait de textes fournis par ses formateurs du K.G.B. Tous les jeudis matin, Taras remettait un rapport détaillé de la dernière réunion du club à un autre coureur qui faisait comme lui un peu d'exercice dans les allées isolées du parc Striski.

Aux soirées du club, l'un des plus fougueux orateurs était un dénommé Andreï Savtchouk. Cultivé et charismatique, celui que tout le monde appelait « Andreïko » possédait en outre l'aura d'un héros du fait de son histoire familiale. Son grand-père, un célèbre historien très connu en Occident, avait été accusé dans son propre pays de défendre des thèses nationalistes extrêmes. Il n'avait pas été arrêté, grâce à une vaste campagne de soutien organisée en sa faveur par les radios occidentales dont les programmes n'étaient pas tous brouillés par les dispositifs très sophistiqués mis en place par les Soviétiques. Toutefois, il avait perdu le droit de publier ses écrits et de donner des conférences pour se voir relégué au service des archives, où son travail était étroitement surveillé par deux sbires.

Il était donc naturel, compte tenu de ses antécédents, qu'Andreïko intéresse le K.G.B. et soit choisi pour devenir le meilleur ami de Taras. Quand Andreï avait obtenu son diplôme avec les honneurs, raflant tous les premiers prix à la conférence annuelle des étudiants durant les cinq années de son cursus universitaire, tout le monde s'attendait à ce qu'il obtienne un poste d'enseignant. Une clameur de surprise avait parcouru l'assistance à la cérémonie de remise des diplômes quand le doyen avait lu le *raspredelenié*, la liste des attributions de postes, car Andreï était nommé professeur d'histoire dans un lycée d'une petite ville des environs de Lvov. La seconde grande surprise de la journée avait été l'annonce que Taras Petrenko décrochait un troisième cycle à Moscou, au prestigieux Institut d'histoire et des archives. Certes, Taras était un compagnon agréable et un bon camarade, mais il n'avait pas l'étoffe d'un chercheur. Ses amis avaient pensé que le succès de son club de débat avait joué en sa faveur. Après les adieux, les embrassades, les promesses de s'écrire et de se retrouver tous les ans, Andreï était parti pour son lycée de province, et Taras, pour Moscou. Il s'était dit sincèrement contrarié de ne pas pouvoir donner son adresse à ses camarades, car il ignorait encore dans quel foyer d'étudiants il habiterait. Il ne pouvait tout de même pas leur avouer qu'il résiderait non dans le centre, près de l'Institut, mais à la périphérie de la ville, sur Mitchourinski Prospekt, à deux pas du centre de formation du K.G.B.

Ou peut-être tout avait-il commencé quand il avait rencontré Carmen.

Quand *ils* avaient rencontré Carmen. Tout en elle était tapageur, exotique et lascif : son rire de gorge, ses lèvres rouges et pulpeuses, sa démarche dansante, son accent cubain. Elle occupait une chambre sur le même palier que Taras, et c'était elle qui l'avait invité à sortir. Ils se trouvaient à ce moment-là dans la cuisine commune, devant la bouilloire qui chauffait.

— Allons voir un film ensemble, Taras. *Vamos*. Pourquoi pas ce soir ?

Une offre impossible à décliner. Quel homme jeune et vigoureux aurait pu résister à sa façon de mélanger des mots d'espagnol à ses phrases, à son habitude de lécher le miel qui avait coulé sur ses doigts, à ses robes courtes aux couleurs voyantes et à ses petits pieds glissés dans de modestes pantoufles de feutre rouge ? Quel homme aurait refusé une tasse de thé chez elle après le cinéma, surtout après qu'elle eut précisé en ramenant derrière son épaule sa chevelure d'un noir de jais que sa compagne de chambre était absente, car partie rendre visite à ses parents ? Il lui avait avoué qu'elle était la première femme de sa vie, sans préciser qu'elle était aussi la seule et l'unique. Pourquoi l'avait-il invitée à se joindre à leur club le mercredi suivant ? Pour l'impressionner ? Si c'était le but recherché, il avait été servi au-delà de ses espérances. Ce soir-là, la jeune femme était repartie avec Andreï, et les deux amants ne s'étaient plus quittés pendant trois ans, jusqu'au retour de Carmen à La Havane.

Non, il sait quand tout a commencé.

C'était par un dimanche ensoleillé et frileux. Andreï l'avait invité à déjeuner chez ses grands-parents. Ce jour-là, en appuyant sur la sonnette, Taras avait entendu pour la première fois les mesures d'une valse mélancolique. Sara Samoïlovna lui avait ouvert sa porte et l'avait invité à entrer dans un univers empli de livres, où flottait une bonne odeur de café. Les tantes, les neveux et le frère aîné d'Andreï, tout le clan familial était réuni, et Sara Samoïlovna régnait sur ce petit monde, réglant les conflits, amusant la galerie et endossant le rôle de la mère nourricière. Le repas était succulent : bortsch, porc au chou mariné et gâteau aux graines de pavot. Le spectacle de cette vie normale, si différente de celle qu'il connaissait dans sa propre famille, n'avait fait que renforcer sa rancœur.

Taras était âgé de sept ans quand sa mère avait disparu. La rumeur disait qu'elle s'était enfuie, incapable de supporter la jalousie maladive et les coups de son mari alcoolique. D'autres disaient que cette jolie fille bien faite n'avait rien trouvé de mieux que de se donner aux ouvriers de l'usine. « Que Dieu me pardonne de seulement y penser », murmuraient entre elles les femmes du village en se signant. Mais nul ne savait si cette rumeur avait le moindre fondement. Peut-être n'était-elle que l'expression d'une malfaisance mesquine qui alimentait les ragots et mettait un peu de piment dans la vie routinière de leur petite communauté.

Mikola, son père, qui travaillait comme garde-chasse, avait noyé son chagrin dans l'alcool frelaté que lui fournissait en abondance la compatissante Baba Maroussia, la *vorojka*, la sorcière du village. La plupart du temps Taras était confié aux bons soins de Baba Gapa, leur voisine bossue que Mikola aidait à cultiver son potager, les rares fois où il n'était pas saoul.

Son père avait été retrouvé mort dans les bois alors que Taras avait dix ans. Il avait trébuché sur une pierre au milieu d'un sentier boueux. Dans sa chute, il avait dévalé une pente, et sa tête avait heurté les rochers. Taras avait eu la chance d'échapper à l'orphelinat. Il était entré à l'école du village, et Baba Gapa avait continué de le nourrir. Son appétit était insatiable. Il avait faim d'une vie normale, d'un repas autour de la table familiale, de fabriquer à Noël un *didoukh*, une figurine païenne en paille, et de peindre des *pissanki* à Pâques.

Quand la grand-mère d'Andreï avait offert à Taras une deuxième tranche de son gâteau aux graines de pavot, une boule dans sa gorge avait empêché le jeune homme de lui répondre. Il pleurait la perte de ce qu'il n'avait jamais eu. Il avait été injustement dépossédé de choses que cette famille tenait pour acquises. Ces gens éprouvaient des émotions qu'il n'avait jamais connues et partageaient un amour inconditionnel qui lui revenait de droit.

Pauvre Sara Samoïlovna, cher et vieil étourneau qui par ses gazouillis avait attiré le malheur sur les siens.

Elle n'aurait jamais dû parler à Taras de ce journal, ni des papiers qu'Andreï avait trouvés sous la couverture de moleskine. Elle n'aurait jamais dû ! Si seulement elle n'avait pas dit qu'Andreï avait emporté ces papiers à Cambridge et qu'il prévoyait de se lancer dans sa propre enquête. Si seulement elle n'avait pas insisté lourdement sur l'enthousiasme qu'avait déclenché chez son petit-fils la découverte de ces documents…

Taras avait envisagé un premier plan : *Je suis à Londres pour mes recherches pendant une semaine. C'est une occasion unique de retrouver mon vieux copain.* Une rencontre dans un pub autour d'une pinte de bière, la conversation glissant petit à petit vers le sujet qui l'intéressait.

Mais, en son for intérieur, Taras savait que ce plan ne marcherait pas. La famille d'Andreï avait vécu sous surveillance constante. Le jeune homme était habitué à la discrétion, elle était inscrite dans ses gènes. Il se montrait toujours très prudent dans ses paroles. Ses amis, y compris Taras encouragé par ses mentors du K.G.B., lui reprochaient de ne jamais laisser pénétrer personne dans le cercle invisible qu'il avait tracé autour de sa personne, mais il était d'agréable compagnie quand il en sortait.

Les probabilités qu'Andreï parle des documents à son ancien copain de faculté étaient infimes. Elles étaient même quasi nulles, ce qui ne laissait à Taras que le choix de suivre son plan B.

Non que tuer Andreï ait été facile. Du seul point de vue logistique, il avait été très compliqué de trouver un pub suffisamment fréquenté pour qu'ils se fondent dans la masse, d'estimer au plus juste la quantité d'alcool qui lui permettrait d'obtenir l'effet recherché une fois la drogue mélangée au verre d'Andreï, puis de chronométrer chaque étape de l'opération.

En dépit de son entraînement militaire, où l'acte de tuer leur était inculqué comme un réflexe de survie, une réaction presque intuitive à la poussée d'adrénaline suscitée par le combat et une aptitude aussi naturelle que de conduire une voiture ou de piloter un avion, Taras n'était pas un assassin. Il avait besoin d'un détachement total pour passer à l'acte.

Il s'était rappelé une discussion à l'académie un jour que Sourikov leur avait demandé de donner leur propre définition de la cruauté. Orlov, le comique du groupe, avait écrit : « La cruauté est un acte cruel. » Gortchakov, le philosophe, avait répondu que la cruauté consistait à « infliger des souffrances à un être faible sans en éprouver ni pitié ni remords ». Taras avait résumé sa définition en une formule : « Violence injustifiée. » Il n'était pas cruel par nature. Sa violence était parfaitement justifiée.

Le plus dur avait été de faire abstraction de leur relation personnelle et de suivre à la lettre la règle numéro deux de son cours *Connaître son ennemi* : *Pour combattre l'ennemi, il faut oublier la colère ou le ressentiment et rester concentré sur le travail à accomplir. L'autodiscipline est la clé.*

Il n'avait donc plus pensé qu'à la tâche à accomplir. Dans un pub bondé, il avait drogué le verre d'Andreï avant de soutenir son copain sur le chemin de la Corderie pour l'empêcher de tomber dans la rivière. Tout le monde les avait vus. Ils avaient marché sous les balcons, puis s'étaient arrêtés sur la berge, face à un saule. Là, ils avaient eu une longue conversation. Pendant ce temps, la nuit était devenue plus sombre, et dans les rues désertées par les passants le silence s'était installé. C'est à ce moment-là que son ami ivre avait eu l'idée de franchir le pont en marchant sur le parapet. « Tu te souviens, Andreï, comme nous faisions les fous pendant nos cours d'été de pédagogie à Lvov ? Ici, le pont est plus large et le parapet beaucoup plus facile à escalader. Tiens, glisse tes pieds dans les croisillons, ça va t'aider. Ne t'en fais pas, tu ne tomberas pas. Tiens, prends ma main. » Andreï avait grimpé sur le garde-fou, et Taras avait continué de lui tenir la main sur une dizaine, peut-être une quinzaine de pas (il avait pris la peine de les compter dans la journée), jusqu'à ce qu'ils atteignent l'endroit idéal, au-dessus de la cascade. Il ne l'avait pas poussé, ni même heurté, il n'avait fait que lui lâcher la main. Alors Andreï, perdant l'équilibre, était tombé dans le triangle parfait formé par la chute d'eau. Une simple commotion avait suffi à entraîner son corps vers l'écluse.

Tout ne s'était pourtant pas passé exactement comme prévu. Quand Taras s'était introduit en catimini dans la chambre d'Andreï en ayant pris la précaution d'enfiler des gants pour fouiller les lieux, il n'avait pas réussi à mettre la main sur les documents. « Décevant, mais pas dramatique, aurait dit Karpov. Maintenant que l'unique personne au courant de l'affaire a été mise hors jeu, ton objectif est atteint. » Connaissant le goût d'Andreï pour les secrets, il avait dû trouver une excellente cachette connue de lui seul. Après tout, la mission de Taras n'était pas de mettre la main sur ces documents, mais de s'assurer que personne d'autre ne les trouverait.

Quand même, il avait éprouvé une peine sincère pour Sara Samoïlovna. La pauvre, elle qui n'est jamais allée en Australie, elle ignore encore avec quelle adresse elle a lancé un boomerang aussi léger qu'une plume. L'objet dessine une tache ocre dans l'air tandis qu'il vole en parallèle avec le sol, puis s'incline et prend de l'altitude, prêt à frapper sa proie. Enfin, il dessine une courbe vers la gauche et revient en glissant vers son lanceur. On dit que les petits boomerangs sont parfaits pour chasser les oiseaux.

Les oiseaux et les vieilles dames.

Taras a l'art et la manière avec elles, il l'a souvent constaté. Sa réunion ce matin avec son ancien professeur, l'historienne Maximovitch, par exemple. Il était important qu'il lui rende cette visite, surtout avant d'aborder la deuxième phase de l'opération, car cette femme connaissait l'histoire de l'or dans ses moindres détails. Selon le dossier, elle devait aussi connaître Oxana.

Organiser la rencontre avait été un jeu d'enfant. Elle portait un nom célèbre, même si ses publications étaient rares et controversées, et elle était toujours ravie d'accueillir des visiteurs. Ce matin-là, elle n'était que trop contente de partager ce qu'elle savait avec un jeune chercheur plein d'enthousiasme. Taras devait le reconnaître, le professeur avait une mémoire remarquable pour ses quatre-vingts ans. Elle se rappelait tant de dates et de faits à propos des Cosaques et de leurs hetmans qu'au bout de deux heures, en dépit de son intérêt tout professionnel, il avait commencé à perdre patience.

Il avait eu le temps d'étudier chaque lettre du diplôme de professeur honoraire d'Harvard encadré au mur, d'observer dans ses moindres détails une photo représentant un garçonnet édenté (sûrement son petit-fils ou peut-être son arrière-petit-fils), de compter les piles de papiers qui jonchaient le sol au pied du bureau et de frotter sur le bord de sa tasse une tache de thé incrustée masquant une inscription tracée en lettres d'or un peu passées : « *À l'une des plus grandes historiennes de notre temps de la part de ses étudiants reconnaissants pour son soixante-dixième anniversaire.* » Mais il ne voyait toujours pas venir la fin de cet interminable laïus sur le rôle des conseils cosaques dans la prise de décision militaire. Au point qu'il en était venu à regretter que le titre du prétendu doctorat qu'il avait inventé comme prétexte afin de s'inviter chez elle se révèle couvrir un champ d'investigation aussi vaste. Quel idiot ! Il aurait dû choisir un sujet moins large et surtout plus éloigné du domaine de spécialité du professeur.

— Jeune homme, je vous conseillerais également de vous intéresser à l'élection de leur chef par les assemblées cosaques, avait-elle continué de dégoiser sans montrer le moindre signe de fatigue. Chaque année, le 1ᵉʳ janvier, les Cosaques se réunissaient sur la place pour festoyer, après quoi ils annonçaient à la cantonade le nom des candidats. Ceux dont le nom était crié assez fort devaient quitter la place et attendre le résultat du vote. Une approche intéressante de la démocratie, ne trouvez-vous pas ?

— *Pani* Maximovitch, avait-il fini par pouvoir placer, ses doigts tambourinant nerveusement sur la boîte de chocolats qu'il lui avait apportée. Quelle est votre opinion sur toutes ces rumeurs qui circulent à propos de l'or des Cosaques ? Ont-elles le moindre fondement ?

Il avait choisi à dessein de l'appeler *pani*, un mot autrefois employé dans l'ouest de l'Ukraine pour s'adresser à une dame de haute lignée. Aucune femme n'était insensible à la flatterie, même un professeur octogénaire de réputation mondiale.

Elle s'était éclairci la voix et l'avait regardé à travers les verres épais de ses lunettes.

— Vous êtes un scientifique, mon garçon. Vous devez savoir faire la différence entre la recherche d'anecdotes à sensation et l'analyse des faits historiques. Au cours de ma longue existence, je n'ai eu de contact avec cette affaire qu'en deux occasions. La première fois dans les années 1960, je crois que c'était en 1962. Je travaillais au service des archives quand deux hommes sont venus de Moscou, des agents du K.G.B… (Elle avait prononcé ce dernier mot à mi-voix, vivant encore après toutes ces années dans la crainte de la redoutable sûreté soviétique) … sont venus me trouver pour m'interroger sur les héritiers. Ils m'ont parlé d'une lettre reçue de l'avocat représentant le Trésor britannique et m'ont demandé le nom et l'adresse des héritiers ainsi qu'un arbre généalogique rudimentaire de la famille.

Bien sûr, je suis déjà au courant ! J'ai lu le compte rendu de cette rencontre dans le dossier. Pourquoi crois-tu que je suis là ? avait pensé Taras tandis que l'historienne poursuivait son récit.

— La deuxième fois, c'était en 1972, quand j'ai été autorisée à aller travailler à Paris…

— Vous avez donc trouvé les héritiers ? s'était empressé de l'interrompre Taras, craignant que les souvenirs de son séjour dans la *belle France*[1] ne détournent le professeur de l'unique sujet qui le préoccupait.

— C'est qu'ils étaient nombreux, ma foi ! N'avez-vous jamais entendu parler du congrès des descendants qui s'est tenu en 1906 ?

1. Les mots en italique suivis d'un astérisque sont en français dans le texte. (*N.d.T.*)

Je sais, je sais, pani *Maximovitch. J'ai même étudié la liste des participants et la résolution adoptée à l'occasion de ce congrès. Pages 75 à 115 du dossier N1247.* Mais Taras avait secoué la tête en répondant :

— Non, professeur, je n'en ai jamais entendu parler.

Une fois de plus il s'était émerveillé de la vigueur de la vieille dame. Elle s'était levée d'un bond pour aller prendre le deuxième dossier dans la troisième rangée de vingt-quatre chemises étalées par terre (Taras les avait comptées deux fois) et en avait sorti une feuille de papier.

— C'est écrit ici. Regardez, jeune homme !

Pendant un instant, son expression jubilatoire l'avait fait paraître au moins dix ans plus jeune que son âge.

Il avait posé les yeux sur un article des *Nouvelles du soir*, un quotidien édité à Kiev, datant du 15 janvier 1906, et avait relu le texte qu'il connaissait déjà :

UN ÉVÉNEMENT MÉMORABLE DANS NOTRE VILLE !
Aujourd'hui, la salle du gymnase des filles N2 a accueilli le congrès des descendants de l'hetman cosaque Pavlo Poloubotko. En tout, quatre cent quatre-vingts personnes étaient venues des quatre coins de la Grande Russie – de Kharkov, Poltava, Saratov, Saint-Pétersbourg et Khabarovsk – pour assister à cette assemblée. Un extraordinaire mélange de classes sociales et de dialectes. Nikolaï Poloubotko, un avocat originaire d'Odessa, fut élu président du congrès. Son discours, que nous reproduisons ci-dessous, a reçu l'ovation du public.
« Mes chers, très chers amis, je m'adresse à vous comme à des frères, car nous tous ici sommes les descendants de l'ancienne fraternité cosaque.
À l'automne dernier, le manifeste du tsar nous a donné bon espoir. La faction ukrainienne de la première Douma d'État a d'ores et déjà soulevé le problème de

notre autonomie politique et territoriale. Il y a deux mois, nous avons salué la nouvelle loi sur la liberté de la presse. Dans un avenir proche, nous aurons le droit de diriger notre nation. Mais sommes-nous prêts pour l'indépendance ? Nous parlons une langue interdite dans l'espace public. Nous n'avons que deux quotidiens nationaux et aucune école ukrainienne. Il nous faut aujourd'hui des fonds pour redonner vie à notre culture nationale. Notre présent congrès va pouvoir apporter une solution à cette question. L'or que notre ancêtre a mis à l'abri dans les coffres d'une banque londonienne pourrait nous aider à bâtir une nouvelle Ukraine. Je crois que vous serez d'avis comme moi que nous devons voter une résolution afin de réclamer cet or pour le bénéfice de la nation ukrainienne indépendante. »

Les délégués réunis à ce congrès ont désigné Nikolaï Poloubotko pour relayer leur demande à Londres.

— Savez-vous, jeune homme, que cet avocat a disparu à Londres ? avait repris le professeur d'une voix lente afin de mieux ménager son effet. Il a pris l'argent que les délégués avaient réuni pour les besoins de son investigation et s'est évanoui dans la nature.

Elle avait ôté ses lunettes et frotté les verres d'une main vigoureuse, espérant peut-être ainsi améliorer sa vue.

Mais Taras se félicitait que la vieille femme ait les yeux fatigués, car il avait bien du mal à dissimuler son sourire. Il venait de s'imaginer la tête qu'elle ferait si elle savait la vérité : *Non, professeur, il ne s'est pas enfui avec l'argent. Il n'est même jamais arrivé en Angleterre, votre Nikolaï.*

L'un des délégués, un inspecteur d'académie originaire de Kiev, s'est trouvé face à un choix. Soit il remettait une lettre dans laquelle étaient consignés tous les déplacements de leur messager à un agent de la police secrète « fortuitement » rencontré à la nouvelle bibliothèque publique, soit un courrier évoquant les opinions antimonarchistes qu'il avait exprimées lors du congrès serait envoyé sans délai au ministère de l'Éducation. Pour l'anecdote, la bibliothèque en question avait été surnommée la « pharmacie de l'âme ». La police secrète de Kiev savait manier l'ironie avec brio. À la suite du rapport rendu par l'inspecteur (page 89 du dossier N1247), Nikolaï Poloubotko fut jeté hors du train à la frontière entre la Pologne et l'Allemagne. Son corps ne fut jamais retrouvé. Il aurait été très inconvenant que la question de l'indépendance de l'Ukraine soit discutée par la première Douma d'État et soumise une fois de plus au tsar.

Le professeur avait remis ses lunettes et poursuivi son récit.

— Par une curieuse coïncidence, après ça, plus personne n'a réclamé l'héritage, pour autant que je sache. Il ne faut pas oublier que la période était trouble, les preuves étaient peu substantielles et les documents requis, inaccessibles. Il y eut cependant une jeune femme dont j'ai gardé un souvenir très précis et qui d'après moi avait des prétentions plus fondées que n'importe qui d'autre à cet héritage. Elle fut mon étudiante dans les années 1960… Oxana, c'est ainsi qu'elle se prénommait. C'était la fille d'un mathématicien de renom mort dans un camp de Staline.

De nouveau la vieille femme avait baissé le ton.

— C'était une jeune fille intelligente, assez hardie pour son âge, mais il faut dire qu'elle était d'une génération qu'on avait incitée à croire, brièvement du moins, qu'elle était autorisée à exprimer ses opinions à voix haute. Quoi qu'il en soit, Oxana voulait obtenir cet héritage afin de réhabiliter son père et son grand-père. Elle était l'arrière-arrière… Bref, peu importe, j'ai oublié son rang. Je sais seulement que la légende s'était transmise dans sa famille de génération en génération. Nous parlions souvent, elle et moi, de ses origines cosaques. Elle m'avait même invitée un jour chez elle pour me montrer sa collection de souvenirs d'une valeur historique assez importante, je dois dire. Elle contenait un portrait de Pavlo Poloubotko, un petit candélabre en argent qui d'après elle avait appartenu à l'hetman, ainsi que plusieurs lettres de son fils Iakov. J'étais impressionnée de voir que la famille avait réussi à préserver ces objets en dépit des arrestations et des perquisitions de la police. Qui sait, peut-être avaient-ils en leur possession l'original du testament ? En tout cas, ils ne me l'ont jamais montré. Je me rappelle avoir tenté de persuader la mère d'Oxana de faire don de ces pièces au musée, mais elle m'a répondu en avoir besoin comme preuves et n'a pas voulu en démordre.

Le professeur ne lui apprenait rien de nouveau. Ses souvenirs confirmaient seulement tout ce qu'il avait lu dans le rapport de 1962.

Il avait toussoté poliment.

— Savez-vous où je pourrais trouver Oxana ?

— Ah, mon cher garçon, j'ai rencontré puis perdu tellement de gens dans ma vie que j'ai cessé de les compter. Je me souviens seulement qu'elle n'est pas allée au bout de ses études. J'ai su par le doyen qu'elle s'était mariée et qu'elle avait suivi son époux à Moscou. J'ignore si elle a repris ses études là-bas, car je ne connais pas son nom de femme mariée. Voyons, où en étais-je ? Ah, oui, les gravures ! Je possède une fascinante collection de portraits de Cosaques que je m'apprêtais à vous montrer…

Mais Taras était déjà en train de se lever.

— Merci de tout cœur, *pani* Maximovitch. Je regarderai ces gravures à ma prochaine visite.

La vieille femme avait soupiré.

— Pourquoi cet intérêt soudain pour l'or des Cosaques ? Je me le demande. La déclaration du Parlement, les articles dans la presse, les émissions télévisées. Tenez, aujourd'hui, vous êtes le deuxième à venir m'interroger à ce propos. Une jeune Anglaise est passée ce matin et…

Taras s'était laissé retomber sur sa chaise.

— Une Anglaise, vous dites ?

Le professeur avait continué à parler sans le regarder tout en rangeant les documents dans leur dossier.

— Une étudiante en troisième cycle à Cambridge qui écrit une thèse sur l'histoire des Cosaques. Une jeune femme charmante et plutôt timide. Elle m'a paru fatiguée. J'imagine qu'elle travaille trop. J'ai été agréablement surprise de savoir que quelqu'un à Cambridge s'intéressait à ce sujet. Hélas, nous n'avons pas pu beaucoup nous parler ! J'ai appris autrefois un peu de français, nous avons donc communiqué dans cette langue en nous aidant des quelques rudiments que je possède en anglais et de la dizaine de mots qu'elle arrive à prononcer en ukrainien avec un accent étonnamment juste. Je lui ai donné à lire l'article que je m'apprête à publier cette année pour marquer les dix ans de l'indépendance. J'ignore dans quel journal, cependant. De nos jours, ils sont tous tellement superficiels et vulgaires ! Mais passons. Cet article parle de l'héritage étranger des Cosaques et j'ai donc pensé qu'il pourrait lui être utile pour ses recherches. Il est en ukrainien, mais elle trouvera sûrement quelqu'un pour le traduire. Nous sommes convenues de nous revoir demain. Ma fille sera là. Elle est professeur d'anglais et pourra nous servir d'interprète.

Taras croyait presque entendre son cerveau tourner à plein régime pour analyser ces nouvelles données. Il n'appréciait pas beaucoup de savoir que quelqu'un d'autre allait venir après lui dans cette maison. Peut-être serait-il bien inspiré d'oublier son stylo ou les notes de son entretien avec le professeur qu'il avait posées au pied de son fauteuil, afin d'avoir un prétexte pour revenir le lendemain et voir à quoi ressemblait cette étudiante anglaise. Mais son stylo en plastique n'avait aucune valeur, et ses notes se résumaient à quelques lignes griffonnées par pur désœuvrement. Quelle poisse !

— À ce propos, avait enchaîné la vieille dame d'une voix affectueuse. Vous m'avez dit avoir fait vos études à l'université de Lvov. Vous avez donc sûrement croisé le célèbre historien...

Elle avait cité le nom du grand-père d'Andreï.

Taras l'avait fixée dans les yeux à travers les carreaux épais de ses lunettes.

— Non, je ne crois pas, avait-il répondu prudemment. Mais j'ai beaucoup entendu parler de lui. Pourquoi ?

Le visage de la vieille femme s'était éclairé d'un sourire juvénile.

— C'était un homme remarquable, au savoir encyclopédique. Je l'ai très bien connu. Nous étions étudiants ensemble avant la guerre. En fait, nous étions plus que de simples copains de fac.

Taras avait senti un étau lui étreindre la poitrine. Comment n'y avait-il pas pensé plus tôt ? Le professeur Maximovitch se prénommait Vera.

Des paroles prononcées par Sara Samoïlovna lui étaient revenues en mémoire.

« Vera était la fiancée de mon mari avant la guerre. Ils ont fait leurs études ensemble, mais ensuite mon mari a été évacué avec les archives, tandis qu'elle est restée à Moscou. Le plus drôle, c'est que la guerre terminée nous sommes devenues d'excellentes amies et... »

Et s'il prenait l'envie à Vera Maximovitch d'appeler Sara Samoïlovna et de lui parler de la visite de ce jeune homme...

« Ne pas tenir compte des coïncidences est le premier pas vers l'échec », aimait à leur répéter le colonel Sourikov, et Taras avait fait sienne cette maxime. Il s'était levé de son fauteuil d'un air décidé et avait demandé :

— Pourrais-je avoir un verre d'eau avant de partir ? Ne vous en faites pas, je saurai trouver la cuisine.

14

Kiev, laure de Petchersk, avril 2001

Comment faire la différence ? Comment distinguer les pèlerins des simples touristes ? Toutes les femmes ont la tête coiffée d'un foulard et toutes se signent avec des gestes rapides. Toutes gardent les yeux baissés, comme si elles espéraient trouver la vérité, le courage et la force derrière les lourdes portes de plomb. Pourquoi ne tournent-elles pas leur regard vers le ciel ? C'est là que se trouve le divin. Sous le soleil, les bulbes dorés du monastère brillent de tous leurs feux dans l'air immobile. Seul homme jeune parmi cette foule de croyantes et de visiteuses d'âge mûr, il détonne, mais il s'en moque. Car il est ici pour accomplir une mission.

Pas le genre d'initiative qu'approuverait Karpov.

« Expliquez-moi la logique de cette démarche dans la deuxième phase d'une opération décisive, lieutenant Petrenko. Allez-y, je vous écoute », aurait-il dit, la tête renversée en arrière, son menton pointé vers Taras.

Par chance, il disposait de six heures avant d'aborder la prochaine étape des opérations et pendant ce délai il n'avait à répondre de ses actes devant personne. Cette mission était à lui et à lui seul.

« Votre peur est l'ennemi qui finira par vous trahir. » Pour une fois, Taras souscrivait à cette perle de sagesse du colonel Sourikov. Il en frémit encore quand il repense à sa précédente visite dans ce même monastère douze ans auparavant et à la peur qui l'a trahi.

Sans doute l'effet de la conférence sur le mystère de ces grottes de Petchersk qu'il avait suivie juste avant son voyage d'études, l'un des rares cours magistraux de ses années d'université qu'il ait réellement apprécié. Dans sa mémoire, il entend encore le cliquettement des diapositives dans le projecteur : dates, données chiffrées, photographies des diverses églises…

La première de ces diapositives montrait, perchés sur une colline verdoyante, un groupe de bâtiments aux murs blancs surmontés de coupoles. *Quel spectacle !* avait pensé Taras. Il se rappelait par cœur le texte de l'introduction :

> *Fondée en 1071, la laure de Petchersk, le plus vieux monastère orthodoxe russe, fut creusée dans des grottes, d'où son nom dérivé de* petchery, *un mot ancien signifiant « cavernes ».*

Cliquetis et passage à la diapo suivante. C'est une photographie de la chapelle souterraine. Elle est accompagnée d'un commentaire du professeur Simonenko, l'organisateur de leur voyage d'études :

« Les ermites, *zatvorniki*, se faisaient enterrer vivants dans leur grotte dans l'espoir d'atteindre plus vite l'état de sainteté. Une minuscule ouverture était pratiquée pour laisser passer l'air, l'eau et le pain. Pendant deux siècles, ces cavernes ont également servi de catacombes. Beaucoup de moines enterrés ici se trouvèrent momifiés par quelque miracle divin ou par un étrange caprice de la nature. La première explication eut évidemment les faveurs des autorités du monastère, et la laure s'instaura rapidement comme un lieu de pèlerinage abritant de nombreuses églises et chapelles souterraines propices à la méditation et la prière. »

Tonalité plus macabre pour la troisième diapo qui montrait des galeries obscures éclairées par des veilleuses. Leurs lumières se reflétaient dans le couvercle vitré des cercueils disposés dans leurs alcôves voûtées.

« Voici les fameuses cavernes, les mystérieux labyrinthes souterrains, qui n'ont pas encore été explorés dans leur entier… (Simonenko avait baissé la voix et marqué une courte pause pour ménager son effet.) Sur les quelque cent trente kilomètres de galeries que compte le site, seuls deux kilomètres sont ouverts au public. Toutes les tentatives pour explorer plus loin ces grottes se sont soldées par de curieuses disparitions. Les âmes égarées qui eurent la chance d'être retrouvées ouvraient des yeux écarquillés par la terreur et montraient des signes évidents de détresse…

En conclusion, mes chers amis, avait prononcé Simonenko d'un ton jovial, durant notre visite, je vous conseillerai de ne pas vous éloigner du groupe et, s'il vous prend l'envie de vous perdre, vous devrez en supporter les conséquences. »

Une semaine plus tard, en compagnie d'autres étudiants, Taras avançait tête baissée dans les étroits boyaux et observait à travers leur minuscule fenêtre les ermites momifiés, tout en écoutant l'écho sourd des pèlerins en prière dans les chapelles souterraines.

Tout avait commencé par une odeur. L'odeur de renfermé et de moisi des vieux bâtiments mal ventilés. Les vapeurs d'encens se mêlant à la fumée âcre des cierges de suif rendaient l'atmosphère irrespirable. Taras suffoquait et se sentait gagné par la panique. Il avait ralenti son allure en dépit des protestations du reste du groupe qui marchait derrière lui. La lumière de la bougie dans sa main s'était mise à danser, une sueur froide avait coulé le long de sa tempe. Il avait tourné le dos au mur suintant d'humidité et tenté de rejoindre la sortie en se frayant un passage dans le flot des pèlerins. Les corps embaumés semblaient de plus en plus proches, les plafonds de plus en plus bas, et l'univers de Taras s'était réduit à une mince lueur d'espoir au bout d'une énième galerie.

Quand enfin il s'était retrouvé à l'air libre, dans l'église blanche et bleu azur édifiée à la sortie des cavernes, il s'était effondré sur le sol de plomb, le souffle court, les yeux plissés dans la lumière du soleil filtrant à travers les vitres, indifférent à la foule qui l'entourait. Il n'avait jamais oublié ce moment ni la promesse qu'il s'était faite alors de revenir dans ces catacombes pour y vaincre sa peur.

Taras se souvient qu'il y a un belvédère derrière le réfectoire du monastère. Il prend cette direction et observe le panorama : les îlots aux rives sablonneuses dans le lit du fleuve, le flux incessant des voitures sur les ponts qui enjambent le Dniepr, les grues hérissant la zone des nouveaux gratte-ciel sur la rive gauche. Pendant une fraction de seconde il est pris de regret. Il serait tellement plus agréable de passer la fin de cette journée dans le parc qui borde le Dniepr et de prendre un repos bien mérité. Son regard évite l'unique raison de sa venue ici, le toit vert du bâtiment en contrebas abritant la salle de prière près de l'entrée des grottes. Il s'efforce de ne pas penser à tout ce qui pourrait arriver d'horrible.

Et si son cœur s'arrêtait de battre ? Et si son corps inanimé était piétiné dans le noir par la foule des pèlerins avant qu'on ne le trouve ?

Il s'arrache à ses sombres pensées et allonge le pas. Pour se changer les idées, il décide de compter les marches en bois de l'escalier conduisant à l'entrée des catacombes. « Vingt-neuf, trente », marmonne-t-il, puis il s'arrête pour reprendre haleine. Lorsqu'il arrive à la cent soixante-douzième marche, les paumes de ses mains sont toutes moites. Un parfum familier de moisi et d'encens frappe ses narines. Étourdi, il avance d'un pas incertain jusqu'au bénitier mis à la disposition des pénitents et s'asperge le visage d'eau glacée.

Du calme, Tarassik, se dit-il. *Il y a forcément une explication au fait que cette odeur déclenche chez toi une telle panique.* Tarassik, le surnom que lui avait donné sa mère avant qu'elle ne disparaisse. Un souvenir ressurgit du fond de sa mémoire. Des murs humides, un lieu obscur et la voix de sa mère au-dessus de lui : « Tarassik, où te caches-tu ? » Il essaie de lui répondre, mais la peur le rend mou comme une chiffe, il a la chair de poule, et plus aucun son ne sort de sa gorge.

Quel âge peut-il avoir ? Quatre ? Cinq ans ? Ils jouaient à cache-cache dans le jardin de Baba Gapa quand il avait eu l'idée de descendre dans son *podpol*. Chaque maison du village possédait un cellier de ce type, où l'on conservait les légumes, le lait caillé et le beurre. Il était si fier de lui quand il avait réussi à en refermer la lourde trappe. C'est plus tard qu'était venue la panique, quand tous les autres enfants avaient détalé vers le potager et qu'il n'avait pas réussi à rouvrir la trappe. Il avait gratté les planches de ses ongles, s'était écorché l'épaule jusqu'au sang. Il avait hurlé jusqu'à se briser la voix,

217

mais personne ne pouvait l'entendre. Il allait mourir ici, et Baba Gapa retrouverait son corps quand elle viendrait chercher un morceau de beurre. Il s'était recroquevillé dans un coin en sanglotant de désespoir, sa jambe collée au salpêtre du mur, ses orteils touchant le verre froid d'un bocal.

Baba Gapa l'avait découvert dans la soirée quand elle avait ouvert le cellier pour y déposer un seau de lait caillé. Une fois extrait du *podpol*, Taras s'était blotti dans les bras de sa mère : « Dieu merci, Tarassik, tu es là. Tout le village te cherche. » Soulagé, son père avait lâché : « Je vais te tuer, petit saligaud ! »

Le garçon empestait une odeur âcre d'urine et de lait tourné, ses joues étaient emplâtrées d'une croûte jaunâtre, mais un sourire d'euphorie restait plaqué sur ses lèvres livides. Il était tellement heureux d'être en vie, même en pensant à la correction qu'allait lui infliger son père.

Taras continue de s'asperger le visage. « Vous venez de mettre le doigt sur l'origine de votre peur, lieutenant Petrenko, lui dirait Sourikov. Il ne vous reste plus qu'à l'affronter. »

Un jeune moine portant une barbe taillée en bouc dirige Taras vers un tilleul au pied duquel un guide en soutane noire agite une brochure souvenir au-dessus de sa tête en vue de rassembler ses ouailles. En notant la présence d'un gros câble noir courant le long du mur et descendant dans les grottes, Taras se souvient alors qu'il manque un détail à la scène. Il n'a plus de bougie dans la main. Des ampoules pendent au-dessus des cercueils vitrés et éclairent les voûtes des églises souterraines. Des flèches lumineuses indiquent la direction de la sortie à chaque tournant des galeries. Soudain, le guide demande au groupe de ralentir et s'arrête devant un petit cercueil. La momie que renferme la bière est entièrement recouverte d'un morceau de velours rouge dont dépasse seulement une main difforme aux jointures saillantes sous la fine peau parcheminée.

« Théophane mena une existence tellement sainte qu'il fut canonisé de son vivant, récite le guide. Toutefois, peu de temps après, il succomba au péché, plaçant ainsi les membres de sa confrérie devant un choix difficile. Une sage solution fut rapidement trouvée. Quand le moine mourut trois ans plus tard, seule la partie sainte de son corps fut inhumée dans ces grottes et celle qui avait péché fut enterrée dans la fosse commune, à l'extérieur des murs de la laure. Je vous laisse le soin de deviner quelle mauvaise action avait commise le saint homme. » Un concert de rires se répercute contre les parois de la galerie.

Les ampoules électriques à la place des bougies, les kiosques de souvenirs et les guides en soutane donnent à ce lieu l'ambiance d'un parc d'attractions. *La malédiction est levée*, songe Taras, désappointé. *Cette visite aux grottes n'aura été qu'une perte de temps.*

Il traverse la cour à grandes enjambées, passe devant la toute nouvelle cathédrale de l'Assomption, devant le beffroi penché et rejoint le portail de fer forgé. Près de la sortie, il remarque une petite pancarte marquée d'une flèche invitant les curieux à entrer pour « *voir l'invisible* ». À la caisse, une vieille femme au cou ceint d'une écharpe violette est assise sur une chaise branlante. Elle adresse à Taras un large sourire découvrant des dents serties de couronnes dorées : « L'exposition est comprise dans le prix du billet d'entrée. Entrez donc. » À son ton, on pourrait s'attendre à voir un miracle. Après tout, c'est bien pour ses miracles que les gens viennent visiter le monastère. Avec son écharpe fleurie et son gilet défraîchi, la vieille femme lui rappelle Baba Gapa. Il se laisse tenter et entre.

Taras ne comprend pas tout de suite ce qui est exposé. La salle est décorée dans un style futuriste. Douze disques de verre ornent ses murs. Taras se penche sur l'un de ces cercles et voit apparaître l'image tremblotante d'une caravane dorée sous le soleil de midi. Il s'éloigne du disque, l'image s'efface. Derrière la vitre, il n'y a rien qu'une fine ligne argentée et un point doré. Sans doute une espèce d'hologramme. Il regarde encore. Les chameaux sont toujours là, sur la piste menant à l'oasis.

Taras avise un écriteau sur le mur. D'un ton impassible, l'avertissement informe les visiteurs que cette composition en or est placée dans le chas d'une aiguille ordinaire et ne peut être observée que sous un microscope. Le style est dépouillé. Aucun point d'exclamation, aucun commentaire sur l'habileté époustouflante de l'artiste, aucune référence à un prétendu miracle.

Fasciné, Taras se déplace d'un disque à l'autre. Il admire le plus petit livre du monde, aux pages reliées par une toile d'araignée, puis une puce chaussée de bottes d'or. Totalement absorbé, il ne perçoit pas tout de suite la présence d'une autre personne dans la salle. Une jeune femme qui ne semble pas remarquer qu'elle a commencé l'exposition par la fin s'avance vers lui en ne s'arrêtant que quelques secondes devant chaque œuvre exposée.

Taras la détaille de son œil de professionnel : un sac carré contenant des dossiers, pas d'appareil photo, un pantalon noir et un manteau couleur sable. Une étrangère, sans doute une étudiante ou une chercheuse, en tout cas pas une touriste. Toute sa physionomie est anguleuse. Son menton, son nez, ses épaules. Elle se déplace avec la grâce indolente d'une girafe. Ses cheveux bruns sont rassemblés en une queue-de-cheval et, quand elle se penche sur l'un des microscopes, Taras distingue un grain de beauté du côté gauche de son cou, juste sous l'oreille. La jeune femme s'approche du microscope suivant sans remarquer la présence de cet homme derrière elle et par mégarde lui marche sur le pied. Elle perd l'équilibre et vacille, mais Taras est là pour lui offrir son épaule. Tout en la soutenant par le coude, il ramasse par terre le gros sac qu'elle a laissé tomber.

Dans un anglais mêlé de quelques mots d'ukrainien, elle marmonne des excuses et des remerciements, relève la tête, puis dirige vers lui ses yeux ternes et fatigués. C'est là qu'il la reconnaît. Il y a chez cette femme quelque chose de si familier, si tendre et fragile.

Elle est plus grande et plus maigre qu'il ne l'avait imaginée, mais c'est bien elle, la femme que le destin lui envoie.

Taras n'est nullement préparé au flot d'émotions qui le terrasse au beau milieu de cette salle d'exposition au décor dépouillé. Il vient de tomber dans l'embuscade tendue par une jeune femme qui le contemple maintenant d'un air désolé en se mordillant la lèvre. Elle serre dans le creux de sa main un mouchoir froissé et se cramponne de son autre main au fermoir de son sac. *Comment peut-on avoir l'air à la fois aussi déterminé et aussi vulnérable ?* se demande Taras. Pour la première fois de sa vie il n'a plus envie de se défendre. Il veut juste protéger cette femme.

Ils se trouvent près d'un disque montrant une rose glissée à l'intérieur d'un cheveu humain verni et, pour gagner du temps, juste pour dire quelque chose et la garder près de lui, Taras s'exclame :

— N'est-ce pas fascinant ?

L'inconnue ne répond pas, alors il essaie en anglais.

— J'aimerais pouvoir vous offrir une vraie rose.

Mais elle n'a pas entendu ou pas compris. Son regard glisse sur lui et lentement, comme une somnambule, elle regagne la sortie.

Taras reste planté là pendant une ou deux minutes à écouter les battements de son cœur et tenter de donner un nom à l'expérience qu'il vient de vivre. Quand enfin il se précipite vers la sortie et passe devant la petite vieille aux dents d'or pour se retrouver dans l'air froid au-dehors, la femme a disparu.

Taras évalue la situation. Le musée se situe près de l'accès principal. Il est possible qu'elle soit retournée vers l'intérieur du monastère, mais c'est peu probable. Il verrait dans ce cas son manteau beige se détacher sur les murs blancs. En revanche, si elle a quitté l'enceinte de la laure, il est probable qu'elle ait tourné à droite en suivant le flot des touristes.

Sans hésiter, Taras s'engage dans cette direction et longe la rue jusqu'à une place où se dressent un obélisque et la tour de Pise moderne d'un hôtel de construction médiocre. Il se dirige ensuite vers la station de métro. Son regard balaie la place, examine les passagers des bus et les passants, plonge dans les souterrains des passages piétons. En vain. Il l'a perdue. Dans son exaspération, il poursuit son chemin en descendant la rue Podil jusqu'à la vaste place de Kontraktova Ploshcha. Il s'arrête pour reprendre son souffle près d'un bâtiment à deux étages dont les fenêtres au rez-de-chaussée sont situées si près du sol que leurs appuis pourraient être confondus avec des marches.

La façade de l'immeuble est ornée de plusieurs plaques commémoratives : célèbre poète, légendaire hetman, éminent savant, compositeur de renom. Apparemment, tous ces grands hommes dont les noms ne lui disent rien du tout ont étudié ici, à l'académie de Kiev-Mohila, l'établissement d'enseignement le plus vieux d'Europe de l'Est. C'est donc là qu'elle est entrée. Non pas la fille qu'il recherche, mais celle qui était poursuivie en 1748.

Son dossier sur Sofia est au fond de sa sacoche. Il n'a toutefois pas besoin de le sortir, il le connaît par cœur :

> Sur le compte de la devitsa Sofia Poloubotko, nous avons l'honneur d'établir le rapport suivant : l'intéressée présente un tempérament audacieux et possède un certain niveau d'instruction. À l'âge de seize ans, elle intègre l'académie de Kiev-Mohila en se faisant passer pour son frère Panas. Réside présentement en France avec la famille du comte Orly, de son vrai nom Grigori Orlik, un Cosaque ennemi de l'Empire.

15

SOFIA

Champagne, juin 1748

Le silence entre eux devient pesant. Il faut vite
briser la glace tant qu'elle n'est encore qu'une mince
couche de givre. Sofia a conscience qu'un mot ou un
geste maladroit risque de ruiner tous ses efforts.

Elle s'attendait à ce que le comte Orly soit pareil
à son père – grand, robuste, à la moustache noire –,
mais l'homme qui se présente à la porte est un Français mielleux, serré dans un gilet de damas vert et
une culotte de cheval en velours pourpre. Sa perruque abondamment poudrée est posée juste à la
naissance des cheveux, sa tignasse grise brossée en
arrière pour en masquer la démarcation.

D'un geste du menton, il invite la jeune femme à
entrer, et elle le suit jusqu'à l'immense cuisine aux
murs nus, encombrée de casseroles de cuivre et de
pressoirs à vin. Vassil est resté derrière pour décharger la *skrinia*.

Le comte la dévisage en silence.

— *Et alors** ? dit-il finalement.

Elle ne s'attendait pas à ce qu'il lui parle en français et tente d'entamer une conversation en latin,
regrettant pour la première fois de sa vie de ne pas

avoir suffisamment étudié les lettres classiques à l'académie. Elle essaie d'expliquer au comte qu'elle lui a apporté quelque chose, mais s'embrouille. Son hôte la regarde sans lui donner le moindre signe d'encouragement. Que va-t-elle faire ? Il est évident que cet homme ne compte pas l'aider. Mais elle ne peut pas envisager de faire seule le voyage jusqu'à Londres. Désemparée, elle s'enfuit à toutes jambes, en ravalant ses larmes.

Dehors, Vassil attend ses ordres. Il a sorti la *skrinia* de la voiture, mais n'a pas encore dételé les chevaux. Il est clair qu'ils ne sont pas les bienvenus ici. Sofia sort de la malle la lettre de son père et, après quelque hésitation, prend également un *rouchnik*. La serviette de fête en lin brodée avec amour par sa mère de fleurs rouges et noires est à présent ternie par la poussière de la route et encore plus froissée que son manteau bleu.

Parfait, songe Sofia, avec rancœur. *Le cadeau idéal pour un homme qui m'a fait endurer les tortures de ce voyage en envoyant sa maudite lettre à mon père et qui maintenant refuse de me reconnaître*. Mais, à la vue de la lettre, le comte se tourne vers elle avec un large sourire et prononce dans un ukrainien teinté d'un léger accent :

— *Zdorov, ditinko !*

En s'entendant appeler « chère enfant » dans sa propre langue, Sofia sent une réconfortante vague de soulagement emporter toutes ses tensions.

Le comte la guide jusqu'à ses appartements. Si elle n'était pas aussi fatiguée, Sofia admirerait l'enfilade des pièces, l'escalier en colimaçon et la soie imprimée bleue qui tapisse les murs de sa chambre. Mais elle est harassée.

— Oh, il faut dire à Vassil…

Sans terminer sa phrase, elle sombre dans un sommeil de plomb.

Les rayons du soleil jouant avec les grains de poussière viennent la taquiner. Elle a dormi si longtemps qu'elle a dû rater le dîner et peut-être même le petit déjeuner. Elle regarde à travers la fenêtre cintrée. À sa droite, la vue est dominée par les courbes d'une grosse tourelle. En contrebas, deux cygnes noirs, pareils à deux gros points d'interrogation, nagent sur l'eau sombre des douves. Sofia décide de quitter sa chambre pour partir en quête de gens et de réponses.

— Sofia, enfin !

Du bas de l'escalier une dame en robe de velours violet lui fait signe de la main. La comtesse, sans doute. Sofia sent ses jambes faiblir sous elle, d'appréhension cette fois.

Le comte Orly se porte à son secours.

— Bonjour, *ditinko* ! Permettez-moi de vous présenter Hélène, mon épouse. Elle adore faire la causette.

La comtesse, comme Sofia ne tarde pas à s'en apercevoir, adore surtout parler très vite. Elle fait faire à son invitée le tour du propriétaire et hoche la tête d'un air navré en lui montrant certains pans de mur qui partent en ruine. Le château, qui doit avoir plus d'un siècle, aurait besoin de réparations. Hélène déplore que sa famille n'ait ni le temps ni l'argent de se lancer dans sa restauration. *Manque de temps plus qu'autre chose,* songe Sofia en contemplant les lourdes broderies d'or sur la robe de la comtesse. Soudain, elle se demande si elle-même aura besoin d'une robe en arrivant à Londres. Elle a emporté quelques habits de soirée dans sa malle : une jupe de soie brodée que sa mère a fait bénir à la cathédrale de Tchernigov ; un gilet ajusté serti de perles ; une autre jupe, de laine celle-là, à motif noir ; et des bottes rouges à talons cousues dans un maroquin des plus souples. Hélas, pas une seule robe.

Comme si elle avait lu dans ses pensées, autour de la table du déjeuner, la comtesse se met à parler de mode. Le comte traduit sans enthousiasme.

— À Paris, les tendances changent tellement vite que, si une femme s'isole un mois à la campagne, en revenant dans la capitale elle se rend compte que ses tenues sont déjà passées de mode. J'ai plusieurs robes dans lesquelles je n'oserais plus me montrer, mais qui pourraient encore passer pour être du dernier cri à Londres. Pourquoi ne les essayeriez-vous pas, Sofia ?

Quand on l'aide à se glisser dans une robe de brocart sur un cotillon de soie jaune molletonné, Sofia laisse échapper un cri étouffé qui n'est pas que de l'admiration. En effet, les baleines de son corset lui rentrent si bien dans les côtes que se pencher ou se tourner devient une torture insupportable. Sofia contemple son reflet dans le miroir. Dans cette tenue, le maréchal Razoumovski la prendrait pour une dame de la cour.

La comtesse l'escorte jusqu'au salon, où le café vient d'être servi. Elle tend à Sofia une délicate tasse blanche et bleue.

— De la porcelaine de Chine, lui explique le comte.

Elle a la blancheur immaculée de la première neige et son contact est doux et soyeux. Dans sa nouvelle robe, Sofia n'est pas à l'aise pour bouger, et soudain la fragile et précieuse tasse lui échappe. Mortifiée, elle contemple les morceaux épars sur le sol. Elle voudrait s'enfuir ou bien s'excuser, mais ne connaît pas le moindre mot en français. Une fois de plus, le comte vient à son secours. Il vide sa tasse, puis la jette sur le sol avec une telle force que la porcelaine est pulvérisée. Puis il se met à rire en lançant :

— Ça porte chance, et de la chance, nous allons en avoir besoin lorsque nous serons à Londres. Nous partons demain. Je sais que je devrais te laisser quelques jours pour récupérer de ton voyage, mais l'affaire est pressante. Es-tu prête, *ditinko* ?

Elle hoche la tête avec un sourire, oubliant pendant un instant la porcelaine cassée, les baleines de son corset et les ornières des routes de France.

Oui, fin prête.

« L'intéressée a abandonné ses études pour traverser l'Europe et accomplir une mission confidentielle », disait le rapport de la police secrète. Taras est tenté de pousser la lourde porte de l'académie, de parcourir ses couloirs, de se mêler aux étudiants et de se laisser aller à s'imaginer la jeune femme assise à la bibliothèque. Mais il n'en a pas le temps. Son avion décolle dans trois heures d'un petit aéroport situé à l'autre bout de la ville. Il doit aller voir Oxana, et la rencontre promet de ne pas être facile. Pas facile du tout.

16

OXANA

Dniepropetrovsk, Ukraine orientale, avril 2001

Il aurait mieux fait de prendre le train. Le voyage de nuit aurait été inconfortable, certes, mais au moins il aurait échappé au boucan de cet Antonov AN-24 en piteux état. Une nouvelle compagnie aérienne, des vols rapides à des prix défiant toute concurrence sur les liaisons locales : il a sauté sur l'occasion et maintenant il s'en mord les doigts. Les avions à réaction achetés par l'opérateur ont tout l'air d'appareils mis au rebut. Une journée bien remplie l'attend, et un crash aérien ne fait pas partie de son programme. Au moins espère-t-il être sur place dans une heure.

La place voisine de la sienne étant vide, Taras ressort son dossier.

Procès-verbal de l'interrogatoire d'Oxana Poloubotko, étudiante en deuxième année à la faculté d'histoire de l'université de Kiev. Mars 1962.
— Nom ?
— Oxana Poloubotko.
— Date de naissance ?
— 23 mars 1943.

Taras saute ce passage qu'il a déjà lu pour aller directement à la dernière page.

— Que savez-vous de l'héritage ?

— Qu'une certaine .quantité d'or déposée à Londres peut être réclamée par les descendants de ma famille.

— Votre père a-t-il essayé de la réclamer ?

— Oui, en 1953, juste avant son arrestation. Il disait le faire pour réhabiliter le nom de mon grand-père.

— Vous-même, avez-vous tenté de le réclamer ?

— Oui, j'ai envoyé une lettre au Service national des successions il y a trois mois.

— Pourquoi maintenant ?

— Eh bien, la presse a publié beaucoup d'articles récemment pour dénoncer les crimes de Staline dans les années 1930, et j'ai voulu avoir la preuve que l'argent était bien là, que mon grand-père n'était pas un espion à la solde des Britanniques et que mon père n'avait pas tenté de falsifier des documents dans le but de réclamer cet héritage. Qu'y a-t-il de mal à vouloir blanchir leur nom pour ma mère, pour les enfants que j'aurai un jour ? Il est important que…

— Ça suffit. Avez-vous un document confirmant votre qualité d'héritière légitime ?

— Non, d'après mon père, le testament se trouverait dans un coffre à la Banque d'Angleterre, et il nous suffirait d'apporter la preuve de notre filiation.

— Qu'avez-vous comme preuve ?

— *Nous avons conservé un portrait de l'hetman Pavlo Poloubotko, sa correspondance, ses lettres à son fils et un candélabre en argent gravé à son nom. Mon père a reconstitué notre arbre généalogique et établi notre descendance en droite ligne. Le fils aîné de l'hetman était l'arrière-arrière-arrière…*

— Avez-vous tenté d'entrer en relation avec d'autres descendants ?

— Non.

— Êtes-vous en possession d'autres documents relatifs à cet héritage ?

— Non.

— Avez-vous jamais reçu des lettres ou des documents de Londres ?

— Non.

Taras devine déjà la suite. Il la voit très clairement.

L'homme-poisson est en train d'écrire. Il ne pose plus de questions. Elle est presque contente de voir entrer d'autres personnes dans la pièce. Ces gens lui disent qu'elle a besoin d'une piqûre pour se détendre.

Elle sent sur son bras une brûlure. Aussitôt le sang afflue à ses oreilles, tandis qu'une avalanche s'abat sur elle et l'écrase. Elle veut crier, mais sa langue est empâtée. Elle la voit sortir de sa bouche puis s'allonger et grandir. Elle se transforme en tentacule à l'image de ses bras qui sont comme désossés. Ils s'étirent jusqu'au coin obscur de la pièce, s'enroulent autour de l'homme-poisson et l'étranglent. L'homme se débat et sur ses lèvres molles se plaque un sourire difforme.

Au ronronnement du ventilateur vient se mêler un hurlement de sirènes. On la sort de la pièce pour la charger dans un ascenseur sans éclairage qui descend à une vitesse vertigineuse. Puis la lumière des néons défile à toute allure, de plus en plus vite jusqu'à ne plus former qu'un kaléidoscope aveuglant. Elle finit par sombrer dans des ténèbres silencieuses et indifférentes. Jamais elle ne verra le visage de son interrogateur, jamais elle ne saura ce qu'il a écrit.

Taras, lui, le sait. Il voit même très nettement cet homme qu'il ne connaît que trop bien, mais avec quelques kilos et années de moins. Assis à sa table de travail, les épaules voûtées, fumant cigarette sur cigarette (une habitude à laquelle son chef a renoncé quelques années plus tôt), il noircit la page de son écriture pointue.

Procès-verbal de l'interrogatoire d'Oxana Poloubotko, née le 23 mars 1943
Kiev, 18 mars 1962

Conclusions et résolutions

Sujet à maintenir sous surveillance.

Isolement recommandé.
Garder en vie, au cas où l'identité ait besoin d'être utilisée à l'avenir.

Puis en lettres capitales, on peut lire la mention suivante :

PATIENT DE GROUPE B.

Au bas de la page, la signature discrète est reconnaissable au sinistre zigzag aussi acéré qu'un rasoir qui la termine.

Interrogatoire mené par : Karpov.

Il n'a pas fallu longtemps à Taras pour localiser l'hôpital où Oxana a été internée. Le R.P.B., ou *Respoublikanskaïa psikhiatritcheskaïa bolnitsa spetsialnovo nasnatchenia*, était le troisième plus grand établissement psychiatrique d'Union soviétique après l'institut Sklifossovski de Moscou et le Kresti de Saint-Pétersbourg. Environ un millier de patients venus de Moldavie, d'Ukraine, de Biélorussie et du Caucase étaient internés dans cet établissement situé en plein cœur de la ville de Dniepropetrovsk.

S'il avait été facile de localiser Oxana, s'introduire dans les lieux serait nettement moins simple.

L'hôpital appartenait désormais au Comité ukrainien de sécurité nationale, l'équivalent du F.S.B. russe. Par chance, le colonel Nikonenko, le médecin-chef, avait fréquenté l'académie en même temps que le colonel Karpov, dans la classe supérieure.

— Transmettez-lui mes amitiés, lui avait dit Karpov à Moscou en remettant à Taras son *Oznakomitelnaïa poezdka*, l'autorisation pour un voyage de reconnaissance. Et prenez le temps de vous familiariser avec l'hôpital, son personnel et ses patients. Inutile de précipiter les choses, avait-il ajouté en posant sa main sur l'épaule de Taras.

Son ton était bienveillant et presque paternel, mais la lourdeur de cette patte sur son épaule ne laissait à Taras aucun doute. Il n'avait pas droit à l'erreur dans cette affaire.

Taras connaît bien son chef. Karpov n'agit pas par appât du gain ni dans l'espoir de déclencher un tollé international. La vanité ne fait pas non plus partie de ses motivations. Non, ce dossier non refermé dérange tout simplement le cours bien ordonné de sa vie. Il se moque de savoir si l'issue en sera heureuse ou tragique. Il veut simplement tourner cette page.

Et Taras peut lui garantir que ce sera fait. Il sait parfaitement qui sont les patients du groupe B. À l'académie, le sujet de son mémoire de fin d'études était l'analyse des modes de diffusion de la littérature dissidente et de la propagande antisoviétique. Dans le cadre de ses recherches, il avait dû remplir d'innombrables formulaires pour avoir accès à des informations concernant les prisonniers politiques « placés sous surveillance » dans les hôpitaux psychiatriques aux quatre coins de l'Empire soviétique. Toutefois, il n'avait jamais mis les pieds dans l'un de ces établissements et n'aurait jamais imaginé qu'une telle occasion se présenterait dix années plus tard.

Les patients du groupe A recevaient des injections qui paralysaient la volonté, mais pas le corps, et qui pouvaient parfois provoquer des pertes de mémoire. Dans leur cas, une guérison était possible. Ils pouvaient être interrogés et parfois même remis en liberté. S'ils persistaient à vouloir se rebeller, ils étaient traités au Borax, une substance qui provoquait de fortes fièvres, des convulsions et des quintes de toux extrêmement douloureuses.

Pour les patients du groupe B, il existait deux types de prescription. Des vitamines et des fortifiants conservés au poste central des infirmières. Mais aussi des médicaments dont l'ordonnance était rangée sous clé dans le bureau du médecin chef, le *glavratch*. Les patients de ce second groupe recevaient de petites doses d'un neuroleptique appelé chlorpromazine, dont les dommages étaient graduels et irréversibles : perte de coordination, troubles de l'humeur et paralysie des muscles de la bouche, si bien que le patient finissait par baver en permanence. Les injections de Teturam inhibaient la production des ferments sanguins, privant les cellules d'oxygène. Transformés en robots obéissants, décervelés et inertes, les patients du groupe B excellaient à exécuter des tâches manuelles répétitives et vivaient retranchés dans leur monde sombre et solitaire.

Taras ne peut pas voir le bâtiment depuis la route en raison du mur, assez haut pour permettre un suicide. Il sait qu'autrefois l'hôpital et la maison d'arrêt se partageaient le même territoire. La prison a été transférée il y a longtemps, mais la sécurité reste stricte. Clôture électrique, double portail d'entrée et deux adjudants en faction au poste de garde. Taras doit remettre à ces derniers son passeport et son billet d'avion, ainsi que sa montre et le contenu de ses poches. *Le simple fait de mettre le pied dans cet endroit suffit à vous rendre dingue*, pense-t-il en pénétrant dans la cour intérieure.

Il est attendu à l'entrée du bâtiment par un homme trapu aux traits bouffis.

— Je suis Iouri, se présente-t-il en soufflant au visage de Taras une haleine mêlant des vapeurs d'alcool, de tabac et de menthe. Le chef m'a demandé de vous servir d'escorte. Je suis médecin ici, mais je ne m'occupe que de la kiné.

Il se tait avant d'en avoir trop dit. Alors qu'ils franchissent l'entrée principale, l'écho du crissement du gravier sous leurs pas envahit l'espace de la cour. Taras note parmi les gravillons la présence de pilules blanches.

— Qu'est-ce que c'est ? s'enquiert-il.

— Certains patients rechignent à prendre leur traitement, vous savez.

Taras ne sait pas, mais Iouri n'a guère envie de le renseigner.

— Je quitte bientôt l'établissement, déclare celui-ci en guise d'explication. Ils m'ont attiré ici il y a cinq ans en m'alléchant avec un gros salaire, mais maintenant je sais pourquoi ils nous paient autant. Avant de venir ici, je travaillais dans la médecine sportive. Je m'occupais de champions de natation, de jeunes hommes robustes et en pleine santé. À propos, qu'est-ce que vous avez là ? demande-t-il en montrant le bandage au poignet gauche de Taras.

Celui-ci remarque que la main du médecin est agitée d'un tremblement.

— Trop de boxe et pas assez d'entraînement, répond-il en fournissant la première explication qui lui vient à l'esprit.

L'autre homme semble surpris.

— Vraiment ? Ça n'a pourtant rien d'une blessure typique de boxeur. Comment est-ce arrivé ?

Erreur idiote, pense Taras, *j'aurais dû préparer une histoire plus plausible, mais comment aurais-je pu deviner que j'allais tomber sur un kiné spécialiste des sportifs ?*

Heureusement, Iouri est déjà revenu à ses propres blessures.

— Rien ne peut être plus éloigné de mon précédent emploi que le travail que je fais ici. Vous avez besoin de toute votre énergie pour ne pas devenir complètement marteau. Ma femme m'a quitté, et je me suis mis à boire.

Il marque une pause et soudain sa voix perd toute son amertume.

— Plus que quarante-sept jours à tirer. Ensuite je pars m'établir dans un village de Crimée. Le parfum des herbes de la steppe, les chevaux, le firmament étoilé et un petit potager. Qui sait, j'arriverai peut-être même à chasser cet endroit de ma mémoire. En tout cas, je ferai tout mon possible pour y arriver.

Ils marchent un moment en silence, puis avec un soulagement visible Iouri confie le visiteur à une infirmière prénommée Svetlana, une femme d'une trentaine d'années à la beauté défraîchie.

Elle conduit Taras jusqu'à l'étage en lui débitant un laïus de guide touristique.

— L'hôpital, ainsi que la prison furent construits sous le règne de Catherine la Grande. Les murs ont une épaisseur de un mètre. Le bâtiment compte quatre niveaux. Les femmes vivent dans un quartier séparé. Deux sentinelles et deux infirmières sont en permanence de garde à chaque étage…

L'odeur est la première chose qui le frappe. Un mélange persistant d'urine et de vomi. Puis le bruit.

Un bourdonnement constant de mugissements inarticulés parfois ponctué de cris. C'est alors qu'il les voit. Les unités de soins n'ont pas de portes, juste des grilles.

Svetlana a l'air de se sentir ici comme chez elle.

— Chaque unité compte entre cinq et vingt patients. Les lumières restent allumées en permanence. Il n'y a pas de porte, comme vous pouvez le constater. C'est beaucoup plus facile ainsi de les tenir à l'œil.

— Comment faites-vous pour leur administrer leurs médicaments ? parvient à demander Taras d'un ton poli tout en s'efforçant de respirer par la bouche.

— Pour ça, les procédures sont très strictes, répond la jeune femme. D'ailleurs, vous pourrez le constater vous-même d'ici environ une demi-heure. Chaque membre de l'équipe, des infirmiers au médecin-chef, est tenu personnellement responsable de toute défaillance dans la procédure. L'armoire à pharmacie, par exemple, ne peut être ouverte que par le personnel habilité et seulement en présence de deux d'entre nous. Cette règle garantit un double contrôle et réduit les risques d'accès non autorisé aux médicaments. Le patient reçoit ensuite son traitement, qui lui est administré, là encore, en présence de deux personnes : l'infirmière et l'agent de sécurité. Celui-ci demande au malade d'ouvrir la bouche, puis en sonde la cavité à l'aide d'une cuillère pour s'assurer que tout a été avalé.

Nous avions parfois des problèmes avec les patients du groupe A, reconnaît Svetlana. Certains arrivaient à arrêter les cachets avec leur langue puis les jetaient par la fenêtre ou bien se forçaient à vomir quand ils revenaient dans leur service. Heureusement, nous n'avons plus beaucoup de patients de ce groupe de nos jours.

Se souvenant des pilules blanches qu'il a aperçues dans le gravier, Taras est sur le point de faire une plaisanterie à propos de l'inefficacité des équipes de ménage, mais se ravise. L'établissement accueille peut-être plus de patients du groupe A que Svetlana ne veut bien l'admettre.

Une demi-heure plus tard, face à une rangée d'hommes ouvrant docilement la bouche pour avaler vitamines et fortifiants, avant de recevoir des injections d'autres substances qui les tuent à petit feu, Taras comprend pourquoi dans les années 1970 l'Union soviétique a été exclue de la société mondiale de psychiatrie.

Une frêle créature vêtue d'une robe de chambre en flanelle usée s'avance d'un pas incertain vers l'armoire à pharmacie.

— Je vous présente Oxana, déclare Svetlana, non sans une certaine fierté. Notre doyenne. Elle a le cœur à toute épreuve. Beaucoup de nos patients plus jeunes qu'elles sont morts, mais elle a toujours bon pied bon œil.

Allons, Svetlana, elle n'est pas si vieille, songe Taras en contemplant le dos voûté, le visage raviné et les cheveux mités de la patiente. Oxana a l'air d'avoir quatre-vingts ans, alors qu'en réalité elle n'en a que cinquante-huit.

La créature se tourne vers l'agent de sécurité, pointe vers Taras un doigt noueux déformé par les rhumatismes et articule : « Tak... » Le garde reste sourd, alors elle se tourne vers Taras. Celui-ci est mal à l'aise, car l'étincelle qui vient de s'allumer dans le regard bleu de la femme semble signifier qu'elle l'a démasqué. Puis, du ton le plus sérieux, elle répète : « Tak... »

— Que cherche-t-elle à dire ? demande-t-il à Svetlana.

— Oh, pas grand-chose, à mon avis. C'est le premier mot qu'elle prononce depuis des années.

— Est-ce qu'elle reçoit des visites ? demande Taras d'un ton circonspect.

— Aucune depuis son arrivée ici, c'était l'année de ma naissance.

Elle rit puis le fixe droit dans les yeux, et Taras se dit que sa mission va peut-être se révéler plus simple que prévu.

Il avait d'abord pensé que deux jours lui seraient nécessaires, mais qui sait ? Il peut tenter sa chance dès maintenant. Il lui faut agir vite, car l'occasion qui lui est offerte ne durera peut-être pas plus d'une minute. Taras répond au sourire et au regard de la jeune femme tout en frottant son poignet bandé de sa main gauche.

— J'ai passé trop de temps à m'entraîner à mon club de sport, dit-il, et voilà que j'ai récolté une tendinite.

Il tâte la bosse sous son bandage. Une minuscule pilule capable de tuer une personne au cœur solide. Résultat garanti.

— Peut-être pourriez-vous me prescrire un traitement spécial ?

D'une main douce mais ferme, il attire la jeune femme vers lui. Elle détourne la tête, rougit et d'un geste furtif enfonce la main portant son alliance dans la poche de sa blouse. Tout à son émoi, elle ne remarque pas que le jeune lieutenant vient de glisser une petite pilule sur le plateau de plastique destiné à Oxana. Quant à l'agent de sécurité, occupé à vérifier l'intérieur de la bouche d'un autre patient, il n'y a vu que du feu. Taras relâche son étreinte, puis reste un moment à regarder les malades prendre leurs médicaments.

Son humeur devient de plus en plus joyeuse à chaque pas qui l'éloigne des portes de l'hôpital. Il a annoncé à Svetlana qu'il reviendrait demain pour poursuivre sa « visite de reconnaissance », mais il sait déjà qu'il appellera l'hôpital pour dire qu'un travail urgent l'oblige à rentrer à Moscou. Il est très fier de sa prouesse de prestidigitateur. D'autant plus fier qu'il vient d'épargner à Oxana des années de souffrance. Pour lui, la bonté n'est pas affaire de mots doux, mais d'actes. Oxana va partir paisiblement, et personne ne se souciera de pratiquer une autopsie sur une patiente du groupe B internée à l'hôpital psychiatrique R.P.B.

17

TARAS

Kiev, aéroport Borispol, avril 2001

Du grand travail d'illusionniste. Une main gantée agite sa baguette magique dans l'air laiteux, et soudain une tache rouge surgit de nulle part. Un autre coup de baguette et la tache se transforme en une porte puis en une portière de 4 x 4 Toyota. Cette fois, le prestidigitateur vêtu de l'uniforme de la police se montre, non pour recevoir les acclamations du public mais pour indiquer au conducteur de la Toyota de se garer sur le parking. À en juger par ses traits tendus, le brouillard n'est pas qu'une simple nuisance pour lui, c'est un accident qui n'attend que de se produire.

L'architecte devait avoir ce genre de conditions climatiques présentes à l'esprit quand il a conçu le hall des départs, une sorte de soucoupe volante filant vers le néant dans un brouillard à couper au couteau. À l'intérieur de la soucoupe, l'impression d'étrangeté est renforcée par la lueur menaçante de l'écran des départs qui affiche sur chaque ligne le même mot : « *Retard... Retard... Retard...* »

Taras se demande pourquoi les vols de Dniepropetrovsk à Moscou doivent systématiquement transiter par Kiev. Il rentre chez lui, sa mission accomplie, et il a bien le droit de manifester un peu d'impatience ! Il a lu et relu le journal du jour. Il a contemplé le paysage dehors en réfléchissant au rapport qu'il va rendre à Karpov. À présent, il n'a d'autre choix que d'obéir au grand principe du colonel Kaletski, leur professeur d'analyse politique à l'académie : « Face à l'inéluctable, économisez-vous, ne résistez pas, mais acceptez, détendez-vous et profitez de l'instant. » Au fond, il y a du vrai dans tout ça. Il pourrait jouer au jeu que Kaletski leur a appris : s'amuser à deviner ce que les titres des journaux ne disent pas. Lire entre les lignes. Essayer de prendre de la hauteur et de voir les choses dans leur ensemble. « Essayez, lieutenant Petrenko, en commençant par le titre de la une. »

Taras reprend son journal. En première page, il lit :

Bon voyage en Europe. La semaine prochaine, notre président entamera sa visite officielle dans trois pays européens. Après la France et l'Allemagne, il se rendra en Angleterre, point d'orgue de son voyage, pour participer à des pourparlers à Londres.

Ici, il faudrait lire : le président ukrainien s'apprête une fois de plus à aller mendier des fonds auprès des Européens. Il est en perte de vitesse dans les sondages et a besoin de ces nouveaux prêts pour faire remonter sa cote avant les élections. Quant à savoir si ces pays lui accorderont ce qu'il demande, c'est une autre affaire.

Dans l'article suivant, il est question d'un autre voyage et celui-là se déroule aussi comme prévu :

En regagnant Moscou après sa visite en France, le président russe s'arrêtera en Ukraine.

Et plus loin :

Le président russe apporte avec lui la vague de froid qui sévit actuellement en France, mais cela ne sera pas un obstacle au réchauffement des relations entre Kiev et Moscou. À l'ordre du jour des discussions entre les chefs d'État russe et ukrainien figureront, entre autres, la question de la constitution d'un espace économique commun et le partage des ports maritimes. Les deux présidents ont déclaré leur intention de faire table rase du passé et des différends qui les ont opposés.

Quelques pages plus loin, à la rubrique économique, Taras lit le paragraphe suivant :

Sa situation géopolitique au centre de l'Europe signifie que notre pays est en train de s'imposer comme l'une des principales plaques tournantes pour le transit...

Traduction : l'une des principales plaques tournantes du trafic de drogue et d'êtres humains. La corruption qui règne au sein du service des douanes favorise le phénomène. La présence de plusieurs ports sur la mer Noire et le sous-équipement chronique des autorités de surveillance des frontières font de l'Ukraine la cible privilégiée des réseaux mafieux.

Rubrique « International » :

L'O.T.A.N. s'apprête à exécuter de nouveaux exercices cet été sur les champs de manœuvre d'Iavorov, dans l'ouest de l'Ukraine.

Traduction : retour au titre du deuxième article. Sa situation géopolitique au centre de l'Europe fait aussi de l'Ukraine une zone stratégique de premier plan.

Rubrique « Sport » :

Mauvaise saison pour nos joueurs. Le match disputé hier par le Dynamo de Kiev contre la Juventus de Turin l'a encore prouvé. Notre équipe pourra-t-elle un jour se hisser dans la ligue européenne des champions ?

Traduction : nous avons vendu nos meilleurs joueurs aux principaux clubs européens. Que peut-on attendre de mieux de ce qui reste de l'équipe ?

En dernière page, un portrait bordé de noir, celui d'une vieille femme qu'il a vue pour la dernière fois quelques jours plus tôt dans l'appartement qu'elle occupait à Kiev.

C'est bien triste, pense-t-il, en lisant la nécrologie qui accompagne la photo :

Notre célèbre historienne Vera Maximovitch est décédée hier à son domicile. C'est sa fille qui l'a découverte, et le médecin légiste a conclu à une intoxication au monoxyde de carbone. Il semble que Vera Maximovitch ait fermé par inadvertance l'évacuation du vieux chauffe-eau à gaz qu'elle avait dans sa cuisine. Elle avait fêté cette année ses quatre-vingt-un ans. Terrassée par le chagrin, sa fille a mis cette erreur sur le compte de l'âge avancé de sa mère. « Maman gardait un souvenir très vivace du passé, mais perdait peu à peu le contact avec le présent. »

Avec la disparition de Vera Maximovitch, nous perdons l'un des plus éminents historiens de notre temps. Son prénom Vera, la « foi », était en lui-même un symbole, car Vera Maximovitch, gardienne de notre mémoire ukrainienne, a toujours eu foi en la renaissance de notre nation. Aux heures les plus sombres de la censure soviétique, son audacieux article intitulé « L'Atout ukrainien dans l'histoire du monde » a continué d'être cité et de circuler. Nous admirons les astrologues pour leur capacité à prédire l'avenir. Nous nous souviendrons avec admiration de Vera Maximovitch pour la lucidité de son regard et son talent incomparable à percer les ténèbres des siècles et de la propagande soviétique.

Taras sourit en lisant ce portrait du professeur. *Merci,* pani *Maximovitch !* prononce-t-il silencieusement. *Merci de m'apporter cette nouvelle confirmation. Pour moi, cette mission ne se résume pas à régler de vieux comptes ni à décrocher une promotion, mais à tenir en main l'atout ukrainien.* Il replie soigneusement son journal.

Au cours des deux derniers mois, tout ne s'est pas exactement déroulé comme prévu. Il n'a pas réussi à mettre la main sur ces fichus documents, mais au moins il a fait tout son possible pour éliminer les problèmes potentiels. Le président ukrainien sera à Londres la semaine prochaine. Le moment ne pourrait être mieux choisi pour clore ce dossier et mettre un point final à sa mission. Justement, en parlant de timing… Taras consulte le tableau des départs. Aucune évolution.

Autour de lui, sur les rangées de sièges entrecoupées de kiosques de souvenirs, de bars et de cafés, une sorte d'unité règne. Près de lui, une femme d'âge moyen qui tient sur ses genoux un dossier intitulé *Convention ophtalmologique de Bratislava, 2001* écoute avec attention une jeune blonde en minijupe ultracourte et veste de fourrure lui décrire les dangers de la vie en Espagne.

Un missionnaire américain dans un vieil anorak remue les lèvres en déchiffrant sa bible près d'un prêtre à la mise distinguée lisant un journal dans un alphabet fait de crochets et de vagues, probablement du géorgien.

Un homme en costume sombre et cravate rouge vif dévore une énorme part de gâteau au chocolat, et son visage est éclairé par une joie enfantine. Chauve et rond comme une boule de billard, il flotte au septième ciel, au-dessus de la nappe de brouillard, à mille lieues de l'écran des départs et du monde qui l'entoure.

Quatre adolescents boutonneux portant des vestes de survêtement identiques au dos desquelles on peut lire en lettres jaunes et bleues « *Équipe junior d'athlétisme d'Ukraine* » plaisantent avec une jeune fille au teint pâle assise dans un fauteuil roulant. La fille rigole bruyamment en couvrant de ses doigts fins les tubes qui lui sortent du nez.

Un fan de football en kilt est en grande conversation avec un homme au visage hâlé dans un T-shirt qui affiche ses origines : « *Australie... pour planer au sommet du monde !* »

À en juger par le nombre de canettes de bière et de paquets de chips vides jonchant leur table, ces deux-là n'ont pas l'air perturbé le moins du monde par les retards, et l'ironie de l'enseigne au néon du bar Fortuna semble leur avoir échappé.

À la table voisine, une jeune femme au teint pâle et aux traits las fixe Taras avec insistance. Croyant qu'elle l'a reconnu, Taras lui adresse un signe de la main, mais elle ne lui répond pas. À bien y regarder, ce n'est pas lui qu'elle fixe mais un point au-delà de sa tête, comme lors de leur dernière rencontre au musée. C'est ainsi qu'elle passe le temps en attendant. Les yeux dans le vague, se balançant légèrement de droite à gauche, les deux mains serrées entre ses genoux. Son long cou gracile suit les mouvements du reste de son corps avec un retard d'une fraction de seconde. À la voir, on croirait qu'elle répète une danse sur une musique qu'elle joue dans sa tête.

Deux rencontres en moins de trois jours, c'est une coïncidence qu'il ne peut ignorer.

Cette fois, il ne la laissera pas s'échapper. Il va lui offrir un café, et ils pourront bavarder de choses et

248

d'autres : du brouillard, de leur destination finale, de leur séjour à Kiev. Taras se lève et s'avance lentement vers le kiosque pour se joindre à la longue file d'attente qui attend un café. Cinq minutes plus tard, alors qu'il n'est arrivé qu'au milieu de la queue, il est tenté de vérifier si la jeune femme est toujours là, mais s'en abstient. Le brouillard enveloppe l'aéroport d'une nappe si dense et une place assise dans l'aérogare est si difficile à trouver qu'elle ne prendrait jamais le risque de quitter sa table au bar Fortuna.

18

KATE

Kiev, avril 2001

La ville a changé. La photo en noir et blanc d'autrefois a cédé la place à une illustration en couleurs sur papier glacé. Quatre ans plus tôt, lors de sa première visite à Kiev, une patine grise recouvrait tout : la neige sale sur les routes, les façades oppressantes des bâtiments soviétiques, les visages fermés, les silhouettes serrées dans des manteaux sans coupe. Elle ne garde qu'un vague souvenir de ce voyage. À dire vrai, elle l'a sciemment effacé de sa mémoire. L'un de ses clients avait légué sa collection d'icônes à la laure de Petchersk, et Kate avait été envoyée sur place pour finaliser l'opération. En réalité, l'initiative était venue d'elle. Elle aurait pu tout régler par téléphone et par fax, mais elle se sentait *shmaltzy*, pour reprendre l'expression favorite de l'une de ses amies juives. Ce mot exprimait très précisément ce qu'elle éprouvait, une nostalgie, une curiosité teintée de sentimentalisme pour ses racines.

Ce voyage avait été un véritable fiasco dès le moment où Kate, sourde aux lourdes insinuations des agents des douanes parlant d'une « taxe pour les étrangers », avait refusé de glisser un billet de cent dollars dans son passeport.

C'est ça, avait-elle pensé. *Est-ce que vous me donnerez un reçu ? Et pourquoi le texte de la loi idoine n'est-il pas affiché ici, avec sa traduction en anglais ? Je suis avocate et à ce titre je représente la loi. Payer des pots-de-vin n'entre pas dans mes attributions.*

En fait, cent dollars n'était rien pour qui veut s'épargner l'humiliation d'une fouille minutieuse de sa lingerie dépareillée par des douaniers hilares, songeait-elle une heure plus tard tandis qu'elle se frayait un chemin dans le hall des arrivées. Dans ce lieu mal éclairé où flottait un brouillard de fumée de cigarettes, elle avait été poussée par la foule vers un groupe d'hommes en vestes de cuir noir qui lui répétaient sans fin le même mot. « *Nadataksinadataksi* », c'était comme une litanie grecque qu'ils reprenaient en chœur tout en essayant de l'attraper, elle et sa valise. Par chance, elle avait entendu quelqu'un appeler son nom à l'extérieur de cette mêlée et, en jouant des coudes, s'était dirigée vers cette voix. Sur le trajet du centre-ville, à bord de la vieille Volga mise à sa disposition par ses hôtes, elle avait enfin compris. Cette psalmodie grecque était en fait chantée par un groupe de chauffeurs de taxi privés qui se disputaient âprement les courses, à en juger par leur façon de s'accrocher à sa valise. « *Nado Taksi ?* » signifiait tout simplement : « Vous avez besoin d'un taxi ? »

Le centre de Kiev lui ayant semblé sombre et hostile, Kate avait décidé de repousser au lendemain sa visite de la ville, d'autant que sa rencontre avec le prieur du monastère et l'*Injurcolleguia*, le service national des successions, était programmée pour 15 heures.

À son hôtel, elle avait été accueillie par une matrone officiant comme femme d'étage. « *Tchaï ? Tea ?* » Au ton qu'avait pris la femme, Kate s'était sentie prête à passer aux aveux en cas de nouvelle question, si elle voulait du sucre par exemple. Elle avait fait non de la tête et s'était dirigée vers le restaurant. Selon la brochure de l'hôtel, celui-ci devait se trouver au deuxième étage, mais pendant dix bonnes minutes Kate avait été incapable de le trouver, jusqu'à ce que la femme d'étage qui l'observait avec une mine amusée lui demande : « Restaurant ? » Quand Kate avait opiné, l'employée l'avait prise par la main et avec la fierté d'un guide d'aveugles l'avait amenée devant une porte marquée *Ресторан*. Kate avait vu cette inscription énigmatique sans comprendre que c'était tout simplement le mot « restaurant » écrit en alphabet cyrillique.

Son exaspération était à son comble quand une serveuse à l'air hagard avait déposé devant elle une assiette fumante de bortsch. Au bout de deux cuillérées, Kate pourtant affamée avait dû se rendre à l'évidence. Ce brouet n'avait de commun avec le bortsch de sa Baboussia que le nom. Pour la première fois de sa vie, elle s'était félicitée d'être désordonnée, car du fouillis qui emplissait son sac à main elle avait exhumé un vieux Kit Kat qui allait la sauver de l'inanition.

Le lendemain matin, quand elle avait mis le nez dehors, il ne lui avait pas fallu plus de dix minutes pour comprendre qu'une Anglaise farfelue partie dans une mission d'exploration de la ville en talons hauts, sans chapeau ni gants de laine, offrait un spectacle désolant. Mais, dans ce pays, personne ne s'était ému de la voir marcher en escarpins dans la neige. Sous leur toque de fourrure, les visages des passants semblaient aussi glacés que les trottoirs sur lesquels elle tentait d'avancer.

Dans une autre vie, Kate aurait trouvé une bonne dizaine de raisons de ne pas remettre les pieds à Kiev. Aujourd'hui, elle n'en a qu'une d'y retourner.

Les bonnes surprises l'attendent dès sa descente de l'avion. Dans l'aéroport rénové, des néons jaunes et bleus l'accueillent en anglais. La file d'attente jusqu'au contrôle des passeports est peuplée de jeunes mères minces et volubiles, habillées de couleurs gaies et accompagnées de leurs enfants. Les visages sont souriants, et les épais manteaux de fourrure ont disparu.

Toutefois, dans sa guérite, l'agent de la police des frontières n'est pas du genre avenant. Il fronce les sourcils en voyant le passeport de Kate et lui fait signe de se mettre sur le côté en lui lançant d'un ton catégorique : « *Toudi.* »

Kate ne comprend pas et l'homme continue de répéter d'un ton impatient « *toudi, toudi* », tout en lui désignant un autre box où deux de ses collègues l'attendent avec une mine fermée. Voilà, la partie d'échecs est terminée alors que Kate vient à peine de déplacer son premier pion. Elle ne peut qu'admirer la diligence de la police britannique et la rapidité des communications internationales. Lorsque l'inspecteur échevelé de Cambridge l'a priée de ne pas quitter le pays, il était donc extrêmement sérieux. En tout cas, assez pour la faire suivre et avertir la police des frontières à Kiev. Vont-ils la cuisiner ou bien se contenter de la renvoyer au bercail aux frais de Sa Majesté ?

Kate remet son passeport et son destin entre les mains des deux gardes-frontière.

— Britannique ? lui demande l'un, tout en feuilletant son passeport.

Kate hoche la tête. Est-ce que ce n'est pas évident ?

— Il vous faut un visa, dit l'homme en anglais.

Un visa, évidemment. Elle n'est pas sortie d'affaire pour autant. Certes la police anglaise n'a pas été aussi efficace qu'elle le pensait, mais il n'empêche qu'elle sera quand même expulsée. La dernière fois, pour obtenir ce visa, elle avait dû attendre une semaine, puis faire la queue pendant deux heures au consulat d'Ukraine. Cette fois, c'est vrai, elle a oublié ce fichu visa, elle avait d'autres préoccupations en tête, mais à l'enregistrement à Gatwick, l'hôtesse aurait quand même dû la mettre au courant.

Le garde-frontière propose obligeamment une solution à ce problème.

— Vous pouvez acheter votre visa ici même. Il coûte quatre-vingts dollars.

Cette fois l'échange est opéré dans la plus parfaite légalité. Ses dollars encaissés, Kate reçoit en retour un tampon dans son passeport, un reçu et même un peu de monnaie. Elle est maintenant libre de circuler et d'affronter la prochaine étape : le passage de la douane.

Une jolie employée au maquillage un peu trop appuyé lui rend son passeport avec les cent dollars que Kate a glissés à l'intérieur et demande en battant ses cils de poupée Barbie : « Rien à déclarer ? » Kate ne répond pas et prend une grande inspiration. La panique s'empare d'elle. Ils vont fouiller ses bagages. Quelle idiote de n'avoir pas envisagé cette possibilité !

— Transportez-vous des objets de valeur ? insiste la jeune femme. De l'or, des devises étrangères, des œuvres d'art ?

Non, pense Kate, *juste l'avenir de votre pays.*

La jeune femme a des manières avenantes. Elle est encore trop jeune pour avoir été corrompue par le pouvoir que lui a délégué l'État.

— Non, je n'ai que cette bague en or à mon doigt, finit par répondre Kate. Et deux cents dollars dans mon portefeuille. Faut-il que je note tout ça dans ma déclaration de douane ?

Mais la fille lui fait déjà signe d'avancer et bat des cils à l'intention du passager suivant, un Américain à la stature de basketteur.

Kate aperçoit le cercle des chanteurs de *Nadatak-sinadataksi* et s'avance vers celui qui a l'air le plus sympathique.

Le chauffeur se présente en anglais.

— Je m'appelle Nikolaï, Nick, lance-t-il avec un sourire.

Il lui explique qu'il était autrefois maître d'école, mais qu'il a décidé de se mettre à son compte. Il a emprunté de l'argent à des amis pour l'achat d'une voiture et fait maintenant le taxi en reversant un tiers de ses recettes à ses bailleurs de fonds.

— Laissez-moi prendre vos valises, dit-il en ouvrant le coffre d'une vieille Volvo bleue.

Mais Kate tient fermement la poignée de son petit sac de voyage qu'elle a déjà chargé près d'elle sur la banquette. Il ne manquerait plus qu'elle se fasse voler les précieux documents. Surtout que, à la sortie de l'aéroport, un écriteau en mauvais anglais est là pour la mettre en garde : « *La direcsion n'est pas responsable des baggages laisser sans sur-veillence.* »

La ville brille de mille feux. Quand ils franchissent le pont menant au centre historique, Kate est subjuguée. Des rayons de lumière verte zèbrent la statue géante d'une créature brandissant une épée et un bouclier.

— La mère patrie, explique Nick, mais entre nous on la surnomme la « femme fantôme ».

Non loin de là, sur une colline illuminée, on aperçoit les dômes dorés des monastères.

L'hôtel où elle a réservé donne sur la grande place. La façade est repeinte de frais, la réception est moderne et accueillante. La femme d'étage est toujours là, mais elle a retrouvé le sourire. Toutefois, Kate n'ose pas lui demander du thé de peur de voir se dissiper cet agréable mirage.

Sa chambre rénovée est visiblement l'œuvre d'un décorateur daltonien, car les rideaux bleus ornés de tulipes roses jurent avec la moquette verte ainsi qu'avec le couvre-lit bistre. Avec ça, pas étonnant que les chérubins sur une reproduction de Raphaël encadrée au mur aient l'air tellement dubitatifs. Pour se reposer les yeux, Kate regarde par la fenêtre et contemple la place. Les goûts affichés par le décorateur de cet hôtel sont finalement très répandus dans ce pays, ne peut-elle s'empêcher d'observer. L'immense espace est tout encombré par plusieurs monuments de styles disparates. Perchée sur une colonne massive, une femme aux ailes d'or lui tourne le dos, et Kate se demande quelle expression a son visage. Grave ? Gai ? Pourquoi est-elle ailée ? Kate décide de s'aventurer sur la place plus tard pour la regarder en face. « Regarder le danger en face », l'expression surgit à ce moment-là dans son esprit. Kate reste un long moment devant la fenêtre à contempler le paysage. Des bâtiments construits en arc de cercle, dont les façades austères sont adoucies par la lumière orange des réverbères ; le clignotement bleu et vert des enseignes publicitaires sur les toits ; des fontaines multicolores et une église brillamment éclairée partageant l'horizon avec la tour de télévision. La peur ne l'a pas encore gagnée, à peine frémit-elle sous la lourde chape qui l'insensibilise. Est-elle surveillée ? Ceux qui ont tué Andreï l'ont-ils suivie jusqu'ici ? Sont-ils de mèche avec la poupée Barbie de la douane, avec Nick, le sympathique chauffeur de taxi, et avec l'aimable femme d'étage ? Cette affabilité de tous n'est-elle qu'une façade ? Vont-ils bientôt fondre sur elle ?

Kate se masse les tempes pour chasser ces craintes ridicules.

En tout cas, une chose est certaine : ils ne s'attaqueront pas à elle ici, au milieu de toutes ces lumières et parmi tous ces passants. La place n'est qu'à deux minutes à pied de l'hôtel. Il suffit de traverser un passage souterrain.

Le policier en faction dans le hall décide de la laisser sortir sans lui poser de questions après l'avoir scrutée de la tête aux pieds. *J'espère qu'il me laissera rentrer tout aussi facilement*, pense Kate.

En entrant dans le souterrain, elle plonge dans un lieu mal éclairé, empli de fumée de tabac et d'un brouhaha de bruits incongrus. Au cliquetis des bouteilles de bière et aux rires gras se mêlent les accents d'une musique et les demandes insistantes des mendiants de tous âges et de toutes origines.

Deux mondes tellement dissemblables à quelques pas l'un de l'autre. Kate s'ouvre un passage dans la foule et longe une interminable rangée d'échoppes, où sont exposées des imitations chinoises en plastique de tous les produits de grande consommation. Elle y est presque. Dans deux minutes à peine, elle aura atteint le halo de lumière orangée. Mais un obstacle vient s'interposer. Une jeune Gitane se dresse sur la première marche, serrant un bébé contre son sein blanc. Elle ne s'écarte pas et reste là à tendre silencieusement sa main en fixant Kate d'un regard intense. Celle-ci fait un pas vers la gauche, aussitôt imitée par la petite mendiante qui continue de lui agiter sa main sous le nez, tout en s'approchant dangereusement de son sac à main. Kate bat en retraite. D'un pas précipité, elle traverse le souterrain enfumé puis remonte les marches jusqu'au parvis de granit qui fait face à son hôtel. Là, elle s'arrête le temps de reprendre son souffle et sent une violente poussée à l'épaule gauche. Quelqu'un veut lui arracher son sac. Kate le reprend d'un geste vif et pivote vers son agresseur. Ce faisant, elle coupe la route à une adolescente montée sur un skate-board, qui pile aussi sec et se met à lui hurler dessus. Pour une fois, Kate est bien contente de ne pas comprendre la langue locale, mais le ton employé ne lui laisse aucun doute quant à la teneur des paroles prononcées.

Elle s'engage dans une rue plus calme et passe devant un immeuble à la façade bleu azur dont la vitrine expose des photos de jeunes femmes avenantes dans le style des années 1950. À en juger par la foule pomponnée et parfumée qui se presse devant sa porte, il s'agit d'un théâtre, et le spectacle va bientôt commencer. Un homme mal rasé se place devant elle et lui agite des billets sous le nez dans une tentative désespérée de vendre les dernières places. Kate l'esquive et grimpe quatre à quatre une volée de marches pour fuir cette agitation.

Décidément, alors qu'elle se croyait maintenant la bienvenue dans cette ville, voilà que le danger la guette à chaque coin de rue. Mais ce sont peut-être ses nerfs à vif qui lui jouent des tours.

Sur sa gauche, un grand immeuble gris semble s'animer sous ses yeux. Il bouge, vit, palpite, comme s'il était construit sur des sables mouvants. Quelle bâtisse tourmentée ! À l'arrière, ses six étages s'accrochent désespérément au flanc de la colline. À l'avant, ils ne sont plus que trois. Son toit est peuplé de grenouilles grimaçantes et de monstres marins, tandis qu'un poulpe géant déploie ses tentacules sur sa façade, où des rhinocéros et des cerfs se disputent le haut des colonnes.

Cette partie de la ville est beaucoup plus calme. On n'y entend plus ni les sirènes de police ni les braillements des ivrognes. C'est presque trop silencieux. Peu de fenêtres sont encore allumées. Elle doit se trouver dans un quartier de bureaux.

Devant une boulangerie, une camionnette est en train de décharger sa marchandise. Kate s'en approche dans l'espoir de demander sa route, voire d'obtenir un petit pain frais contre les quelques pièces de monnaie qu'elle a dans sa poche, car elle meurt de faim. Deux hommes robustes s'activent de concert. De leurs bras musclés ils soulèvent les caisses avec des gestes rapides. Kate est sur le point de leur demander son chemin pour rentrer quand l'un des deux ouvriers se tourne vers elle et l'enveloppe d'un regard froid et hostile. Tout bien réfléchi, elle se dit que l'endroit est suffisamment éclairé pour consulter son plan de la ville. À son grand soulagement, elle constate qu'elle n'est qu'à deux pas de son hôtel. Il lui suffit de tourner deux fois à gauche.

Le crépuscule est un moment curieux de la journée. Un moment où les contours s'estompent, où même les sentiments se brouillent. Elle ne sait plus si ce qu'elle éprouve est la peur d'être égarée dans une ville inconnue ou la terreur animale à l'idée d'être suivie.

Il lui vient à l'esprit qu'en dehors de Sandra, la secrétaire du cabinet, et de ceux par qui elle se croit surveillée, le monde entier ignore où elle se trouve en ce moment. Les rues lui semblent soudain étroites et sombres. Elle n'entend plus que l'écho de ses pas et finit par regretter le passage souterrain et les cris des ivrognes.

Soudain, elle entend une voix au ton pressant et autoritaire. Elle comprend même ce qu'elle dit : « *Idi soudi negaïno* ! Viens ici tout de suite ! » C'est ainsi que Baboussia l'appelait à table le dimanche. Mais sa grand-mère prononçait ces mots avec une tendresse teintée parfois d'une pointe d'agacement quand elle voyait Kate trop absorbée par son monde imaginaire. Dans le cas présent, c'est un ordre. Elle ne voit pas l'homme qui a parlé. Il se cache dans la pénombre, s'attendant à ce qu'elle obéisse à son commandement.

Elle envisage de prendre ses jambes à son cou et de dévaler les escaliers jusqu'à la place peuplée d'adolescents, mais il courra sûrement plus vite qu'elle. Elle peut tenter de lui répondre, mais sa panique est telle qu'elle a oublié tout ce que Baboussia lui a appris.

L'homme répète son ordre, et Kate distingue maintenant sa silhouette. Il est petit et trapu. Un bras raide plaqué contre son corps se termine par un poing fermé et son autre main agite une corde d'un geste impatient. Sa voix est jeune, aussi s'attendait-elle à voir quelqu'un de plus élancé. C'est probablement un vétéran du K.G.B., peut-être même un retraité. Pourquoi mettraient-ils sur ses traces de jeunes agents qui seraient plus utiles ailleurs ? Et qu'a-t-il l'intention de faire avec cette corde ?

Il se tient à une dizaine de pas, sous un marronnier. Assez loin d'elle pour lui permettre encore de réfléchir. Dans sa bouche sèche, elle sent le goût métallique de la peur. En une fraction de seconde, elle opte pour la tactique à laquelle il s'attend le moins. Elle fonce sur lui et l'écarte violemment sur son passage. Puis elle se met à courir à perdre haleine, tandis qu'un vieil homme déconfit la suit des yeux dans la lumière déclinante du jour. Il ne cherche pas à la prendre en chasse. Étonnée, Kate ralentit son allure et jette un regard en arrière.

Il n'a pas bougé de sa place sous le marronnier. Penché en avant, il noue sa corde à quelque chose qui se trouve près du sol tout en répétant son ordre. Mais cette fois son ton est celui d'une réprimande affectueuse. Kate se laisse tomber au sol, les larmes aux yeux et les jambes tremblantes. L'homme passe devant elle sans un regard pour cette femme bizarre, assise par terre sous un arbre, qui se balance d'avant en arrière et enfonce ses ongles dans ses genoux. Il est bien trop occupé à gronder son chenapan de scottish-terrier qu'il tient maintenant en laisse.

19

Kiev, laure de Petchersk, avril 2001

Comment faire la différence ? Comment distinguer les pèlerins des simples touristes ? Toutes les femmes ont la tête coiffée d'un foulard et toutes se signent avec des gestes rapides. Toutes ont les yeux baissés, comme si elles espéraient trouver la vérité, le courage et la force derrière les lourdes portes de plomb.

Elle est la seule à se détacher du lot. Elle n'a pas la tête couverte ni les yeux rivés au sol. Pourquoi ces femmes ne tournent-elles pas leur regard vers le ciel ? C'est là que se trouve le divin, sous ce vaste dôme avec sa voûte peinte, dans les archanges qui la contemplent de haut, dans le carrousel de lumière entrant par des dizaines de fenêtres étroites. Les cloches se mettent à sonner. Le bourdon marque la cadence au moment où le carillon joue sa ritournelle pour appeler les fidèles à la messe. En suivant le flot des ouailles, elle passe devant une table chargée de miches de pain, d'œufs et de pots de miel déposés là pour les moines, puis devant un chandelier de bronze aux flammes orangées et se rapproche de l'autel, où un jeune prêtre récite à mi-voix une prière. Une Vierge aux yeux en amande la regarde depuis son support richement ouvragé. Kate murmure des mots anciens qu'elle reprend après le prêtre et le chœur.

Dans l'air saturé des vapeurs d'encens, des lueurs des bougies et du bruissement des prières, la Vierge donne l'illusion de remuer la tête d'un hochement à peine perceptible.

« Je sais, murmure Kate. Je vais le faire, je suis presque au but. »

C'est étrange comme le temps semble s'étirer en longueur depuis qu'elle est ici. Dix-neuf heures qu'elle est dans ce pays. Des heures qu'elle a passées à observer la grande place, à tourner et se retourner sur le matelas trop ferme de son lit, puis à rouler dans un taxi qui l'a conduite chez le professeur. « Il y a quelqu'un qui en sait plus que n'importe qui sur cette affaire d'héritage, lui a confié Andreï alors qu'ils rentraient de Buenos Aires. Je regrette que nous ne puissions pas aller trouver cette personne tout de suite. Un jour, peut-être. Tu me le rappelleras ? » Sur quoi, il avait noté son nom au dos d'une des pages du dossier. Bizarrement, il connaissait cette adresse par cœur. Elle voulait lui demander pourquoi, mais ne l'avait jamais fait.

Son rendez-vous au monastère étant prévu pour 14 heures, elle avait décidé de profiter de ce quartier libre pour se rendre à cette adresse. Toutefois, par la force des choses, sa visite n'avait été que de pure forme. La vieille dame l'avait accueillie très chaleureusement, mais leur conversation était restée très limitée. De tout ce que lui avait dit le professeur, Kate n'avait compris que les mots « cosaque » et « Cambridge ».

Après cette rencontre, comme il lui restait encore un peu de temps à tuer, elle avait exploré le monastère dans ses moindres recoins, des musées aux églises.

À présent, il est l'heure de retourner à l'entrée. Enfin !

264

Un jeune homme en soutane l'attend déjà.

— Êtes-vous Kate ? Le prieur vous attend. Je suis le frère Sergueï et je serai votre interprète pendant votre entretien avec le métropolite, si vous n'y voyez pas d'inconvénient.

Sa voix chaude de baryton est mélodieuse. *Il doit être soliste*, se dit Kate, *à moins qu'ici tous les choristes soient des chanteurs exceptionnels*. Son anglais teinté d'un léger accent américain est d'une précision impressionnante.

— Où avez-vous appris à parler anglais ? finit-elle par oser lui demander.

Elle n'est visiblement pas la première à lui poser la question, et la réponse coupe court à toute discussion.

— J'ai étudié les sciences politiques à Harvard grâce à une bourse du gouvernement ukrainien. Je suis sorti de cette expérience désillusionné. La politique est un sujet étroit, alors que Dieu, lui, est partout.

Ils poursuivent en silence leur marche jusqu'au presbytère.

Kate est attendue à l'entrée par le prieur en personne. La jeune femme est soulagée de retrouver son visage aimable.

— Katerina, quelle joie de vous revoir ! s'exclame-t-il, avant de baisser aussitôt la voix pour ajouter d'un air soucieux : que se passe-t-il ? Que signifient cet appel urgent et cette demande d'entretien avec le métropolite ? Dieu a exaucé vos prières, car par chance Sa Sainteté se trouve justement au monastère aujourd'hui afin de veiller aux préparatifs de la messe de Pâques. J'espère que vous êtes au fait de l'étiquette à respecter en sa présence.

Kate le regarde d'un air surpris. Elle pensait tout simplement s'adresser à lui en l'appelant « métropolite ».

— Vous devez bien comprendre qu'il n'est pas un simple évêque, poursuit le prieur, mais le plus haut dignitaire de l'Église dans ce pays. Encore au-dessus d'un archevêque. C'est le « métropolite », *vladiko*, « Sa Sainteté », *vaché sviachenstvo*.

Ils entrent ensemble dans le bâtiment, suivis de quelques pas par le frère Serguéï.

— Soyez brève et allez droit au but, chuchote le prieur. J'ignore de quoi vous souhaitez l'entretenir, mais j'espère que ça en vaut la peine. Je me suis mouillé pour vous.

Il se tourne une dernière fois vers elle avant d'ouvrir la porte de son cabinet de travail.

— Je vais assister à votre entretien, mais je ne pourrai pas en faire la traduction pour une question de lien de subordination. Cependant, le frère Serguéï est très compétent, comme vous l'avez sans doute constaté. Vous pouvez vous fier à lui. Vous disposez de dix minutes, Katerina. Que Dieu soit avec vous.

Le métropolite est assis derrière un grand bureau tendu d'un tissu vert bouteille. Une lampe de table en malachite éclaire en partie son visage et déforme ses traits sous sa mitre blanche. Le prélat salue la visiteuse d'un sobre hochement de tête. Face à ce représentant du haut clergé orthodoxe, celui que l'on dit blanc par opposition aux soutanes noires du bas clergé, Kate se demande s'il est vrai que ses membres n'ont pas le droit de toucher une femme, pas même pour lui serrer la main.

Le métropolite reste silencieux, et Kate saisit cette chance de prendre la parole. Elle ouvre la bouche pour parler et réalise avec effroi qu'elle a oublié comment s'adresser à lui. Cher métropolite ? Votre Sainteté ? Elle opte finalement pour un sobre « monsieur » avec l'espoir que le frère Serguéï possède des talents de diplomate en plus de ses compétences linguistiques.

— Monsieur, commence-t-elle, Paerson et Butler, le cabinet d'avocats qui m'emploie, est entré en possession du testament d'un de ses clients.

Qui est au juste ce client ? se demande-t-elle à peine a-t-elle prononcé ces mots. *Un chef cosaque qui a vécu au XVIIIe siècle ? Ou bien l'ivrogne argentin qui est son noble descendant ?* Redoutant cette question, Kate accélère son débit pour ne pas laisser à son interlocuteur la moindre chance de l'interrompre.

— Selon les termes de ce testament, un héritage substantiel doit être légué à l'État indépendant d'Ukraine. Toutefois, notre client nous a laissé des instructions très précises. (Zut ! Voilà qu'elle vient encore de parler de « client ».) Les documents doivent être remis au président en main propre.

Kate est surprise par la fermeté de sa voix. Elle n'a pourtant pas répété son discours. Et elle n'est pas moins surprise par la concision de son exposé.

Le métropolite hoche une nouvelle fois la tête pour lui signifier qu'il a bien entendu, mais continue de se taire.

Le prieur, qui s'est effacé en présence du métropolite, décide un peu tardivement de présenter la visiteuse.

— *Vaché blajenstvo*, le cabinet Paerson et Butler a autrefois travaillé pour nous. J'ai fait la connaissance de Katerina voilà quatre ans. À l'époque elle s'est occupée de régler les détails d'une donation portant sur une collection d'icônes qui est aujourd'hui exposée au musée du Trésor. Cette jeune femme est une avocate compétente et digne de confiance, mais aussi une grande amie de notre pays.

J'aimerais que Carol l'entende, pense Kate en l'écoutant.

Le regard du métropolite se fait dubitatif et soupçonneux.

— Vous parlez d'un héritage substantiel. À combien s'élève-t-il ?

Kate s'abstient de répondre.

— Il vous demande quelle est la somme en jeu ? insiste le frère Sergueï.

Kate a parfaitement compris la question et pour la première fois elle annonce le montant à voix haute. La somme est tellement astronomique qu'elle en devient abstraite.

Un long silence s'installe. Il est finalement brisé par le prieur.

— *Vaché blajenstvo*, si vous me permettez… Il me semble que si notre président apprend que l'Église en la personne de son plus haut représentant a apporté son aide dans cette affaire, alors, par la grâce de Dieu, il saura se montrer reconnaissant envers nous lorsque les fonds seront versés.

Kate sent sur elle le regard perçant du métropolite.

— Avez-vous ces documents avec vous ?

Elle a tous les papiers dans son sac, mais au moment d'opiner, quelque chose l'arrête.

— Non, et ils ne sont pas non plus à mon hôtel. Je les conserve dans une cachette sûre. Comme je vous l'ai dit, je ne les remettrai qu'au président.

Elle n'imagine pas un seul endroit sûr à Kiev et préfère ne pas en dire plus. Son silence donne plus de poids à ses paroles et décide de l'issue de l'entrevue.

Le métropolite parle lentement en ponctuant ses phrases par des coups frappés de la paume de sa main sur l'étoffe verte qui recouvre son bureau. Chacun de ses mots est une vérité absolue et irréfutable, dont la traduction par le diplômé d'Harvard ne peut adoucir le sens.

— L'Église a grand besoin de donations. Avec cet argent nous pourrions susciter plus de vocations parmi les jeunes. La jeunesse, de nos jours, est soumise à tellement de tentations : la drogue, les jeux de hasard, la pornographie. Elle est en manque de repères clairs, d'éducation spirituelle. Nous avons le devoir d'ouvrir son cœur à la foi et l'amour. Les hommes politiques ne parlent que de sauver la nation. Nous, c'est aux hommes que nous nous adressons, aux âmes égarées. Jésus ne nous a pas confié la mission de sauver l'humanité, mais celle de sauver l'homme dans sa singularité.

Vous comprenez sans doute que ce que vous nous demandez constitue une infraction à nos règles. N'importe qui peut venir ici et demander à parler au président en prétendant détenir je ne sais quels documents secrets. Mais, puisque vous bénéficiez de la recommandation du prieur, je vais voir ce que je peux faire. Le président rentre demain d'une visite officielle en Lettonie. Prenez contact avec mon bureau mercredi.

Le métropolite conclut son discours par un nouveau hochement de tête. Fin de l'entrevue. Il est évident que la véritable vocation de cet homme est de prêcher, non de soulager les souffrances de ses prochains. Kate sort, puis se retourne dans l'espoir d'offrir ses remerciements au prieur, mais la porte s'est déjà refermée sur les deux hommes restés à l'intérieur. Kate se demande s'ils vont avoir un entretien privé ou s'il s'agit encore d'une affaire de protocole. Le frère Sergueï la raccompagne vers la sortie en silence, avant de déclarer :

— Je vous appellerai mercredi et je passerai vous chercher à votre hôtel.

Ce n'est qu'une fois dehors que Kate réalise ce qui vient de se passer. On lui demande de rester sur place jusqu'à mercredi, soit quarante-huit longues heures à séjourner dans ce pays. Encore heureux que le président ukrainien ne soit pas parti pour une tournée en Asie ! Elle est contrariée, et Andreï est le seul contre qui elle puisse diriger sa colère. Par chance, elle se trouve dans un monastère. Tout le monde ici passe son temps à se signer en marmonnant des prières, et personne ne trouve anormal de voir cette jeune femme parler toute seule en gesticulant.

Comment as-tu pu m'entraîner dans cette histoire ? peste-t-elle. *Pourquoi faut-il que je consacre quarante-huit heures de mon existence à transformer la vie de tous ces gens ? Ce couple qui s'embrasse sur un banc, cette* babouchka *avec son écharpe violette assise derrière sa caisse, ce bambin qui marche vers sa poussette, ce guide touristique à la barbe taillée en bouc ? Tu m'as trahie. Et ne cherche pas à m'attendrir avec ton sourire désarmant. Tu connaissais les risques. Je meurs de trouille et je mets ma vie en jeu pour un problème qui ne me concerne même pas. Aujourd'hui encore, quand j'ai annoncé la somme à haute voix, j'ai compris que tout cet argent allait être enlevé à mon pays. Est-ce que ce que je fais est mal ? Et si ton affaire provoquait une crise nationale chez moi ? J'en ai plus qu'assez de tout ça. J'aurais mieux fait de laisser ce dossier ici et de sauter dans un taxi pour retourner à l'aéroport. C'était tellement facile, il me suffisait d'ouvrir mon sac, d'en sortir la chemise plastifiée et d'abandonner le coffret en bois sur ce banc ensoleillé.*

Elle se sent comme cet homme minuscule qu'elle a vu ce matin marcher sur un fil en spirale au musée des Miniatures. La légende rédigée dans cinq langues expliquait :

Le ressort prélevé sur une montre miniature est là pour marquer les moments importants de la vie. La taille de l'homme qui marche dessus est de cinq microns.

C'était donc ça, un homme de cinq microns, en équilibre sur un ressort, marchant à la rencontre des instants décisifs de son existence. Elle-même avait perdu l'équilibre à ce moment-là. Elle avait trébuché, heurté un autre visiteur du musée et lâché son sac. L'homme l'avait rattrapée par le bras et avait ramassé son sac en continuant à lui tenir le coude un peu plus longtemps que nécessaire. Il lui avait parlé. Qu'avait-il dit ? Ah, oui. « J'aimerais pouvoir vous offrir une vraie rose », une allusion à la rose placée à l'intérieur d'un cheveu humain qui faisait aussi partie de l'exposition. C'était gentil de sa part. Peut-être aurait-elle dû lui demander son aide. Ou tout au moins lui confier son problème.

Quarante-huit heures ! Une éternité ! Il va falloir trouver un moyen de tuer le temps. Kate feuillette son guide touristique.

Podil, en bordure du fleuve, fut autrefois un quartier d'artisans et de commerçants. Ce mot désigne le bas, le bord, l'ourlet d'une jupe, et cet ancien faubourg qui s'étend sur les berges du Dniepr a marqué pendant des siècles la limite de la cité palatine perchée sur les collines. Plusieurs rues descendent de la ville haute jusqu'au quartier de Podil. La plus célèbre d'entre elles est…

Elle sait comment cette rue s'appelle. Combien de fois s'est-elle entraînée à prononcer son nom ?

C'est un lieu de rencontre animé tant pour les habitants de la ville que pour les touristes.

Kate consulte sa carte. Le trajet représente une petite trotte, mais le chemin descend tout du long et principalement à travers des parcs. Qui sait, avec un peu de chance, elle se fera peut-être une nouvelle frayeur en croisant un propriétaire de chien ?

Kontraktova Ploshcha, la place marquant le centre de Podil, l'accueille sous le maquillage de ses bâtiments fraîchement repeints et lui ouvre ses nombreux bars et restaurants. Mais Kate choisit de grimper sur les hauteurs. Elle ne s'avoue pas la raison qui la pousse à gravir cette rue pavée en pente abrupte, pas avant d'avoir atteint le sommet de la colline. Là, elle marque une halte et fait mine de lire la plaque fixée au mur, alors qu'en réalité elle tente de reprendre haleine. Puis, lentement mais sûrement, elle reprend son ascension, étonnée de voir la multitude d'échoppes vendant des objets de bois peint, des imitations d'icônes, des poteries artisanales, des broderies ainsi que des aquarelles et des peintures à l'huile de toutes sortes. Elle s'arrête encore, cette fois devant une toile en grand format aux couleurs agressives qui est exposée sur un chevalet de bois brut. L'œuvre représente un chien couleur rouge sang endormi sous une table de forme bizarre. La table est recouverte d'une nappe d'un blanc qui n'a rien de naturel. Il doit y avoir un sens au choix des objets disposés dessus : un calice empli de vin, des graines noires et épineuses, une noix moisie. Près de la noix, un oiseau blanc sommeille, la tête sous son aile. Le fond bleu nuit est composé d'une cacophonie de visages et de formes.

Une ombre aux longs cheveux gras surgit de nulle part et se lance dans un interminable monologue :

— Laissez-moi vous expliquer le symbolisme de cette œuvre. Le chien représente votre énergie vitale. Il protège l'étoffe blanche de votre vie, de vos idées enfermées dans cette noix. Les graines que vous voyez sont celles du futur. Le calice contient la sombre magie de l'existence, et l'oiseau blanc symbolise vos rêves, votre moi encore inexploré.

Il parle anglais avec un fort accent, sans la regarder en face. Pour lui, elle n'est qu'une cliente parmi d'autres disposée peut-être à lui acheter sa créativité et son âme.

C'est alors que Kate se l'avoue enfin. Cette pénible ascension, l'accent de ce peintre, jusqu'au nom de la rue Andreïvski Ouzviz et à l'église Saint-André au sommet de la colline, tout cela est habité par le souvenir d'Andreï. Elle achète le tableau.

De retour à l'hôtel, elle contemple la toile en réfléchissant à sa propre vie. L'énergie du chien rouge l'a désertée, laissant une trace sanglante sur la nappe blanche. Le calice magique est vide, l'oiseau des rêves s'est envolé, et rien de ce qu'elle fera ne pourra sauver l'étoffe souillée, la noix rabougrie et les graines abandonnées.

Mais, pour l'heure, ce n'est pas son problème le plus urgent. Elle aurait dû y réfléchir plus tôt. Cette toile est bien trop grande pour tenir dans son sac, pour être ramenée en avion et même pour être accrochée dans son appartement. Espérant malgré tout un miracle, Kate vide entièrement son sac, et c'est alors qu'elle retrouve un paquet enveloppé de papier kraft oublié dans un recoin. Zut, ça lui était complètement sorti de la tête ! Comment régler cet autre problème ?

Elle compte le temps qui lui reste avant l'appel du frère Sergueï. Ce sera juste, mais elle peut y arriver. Si elle ne traîne pas, si elle trouve des billets… Elle s'arrête au septième « si » et remet toutes ses affaires en vrac dans son sac.

Elle a encore une dernière chose à faire pour Andreï, et cette rencontre promet de ne pas être facile. Pas facile du tout.

20

Lvov, avril 2001

Pourquoi n'ai-je pas suivi les conseils de l'agence de voyages de l'hôtel ? peste intérieurement Kate. *Pourquoi n'ai-je pas pris l'avion ?* Cette solution aurait été tellement plus simple. Un vol de quarante-cinq minutes tout au plus. Certes dans un Antonov inconfortable et bruyant, mais au moins elle se serait épargné le cauchemar de rester coincée ici pendant douze heures.

Le train est d'une propreté étonnante. La préposée en uniforme vient de servir le thé dans des porte-verres en aluminium ouvragé à Kate et à sa compagne de voyage, une femme d'une soixantaine d'années. Cette enquiquineuse n'a pas cessé un seul instant de parler depuis deux heures, et Kate connaît maintenant par cœur l'histoire de sa vie. Aux expressions de son visage, à ses gestes et aux quelques rares mots qu'elle a reconnus de son enfance, elle en a compris les grandes lignes. La dame retourne à Lvov après un séjour à Kiev, où elle a rendu visite à sa fille et à son petit-fils de deux ans, qui est tellement adorable, et malin avec ça. (Sur ce apparaît une photo du bambin, et Kate renonce au livre qu'elle s'apprêtait à ouvrir.) Aussi intelligent que son défunt mari emporté par une crise cardiaque trois ans ou trois mois plus tôt… (Un baiser, des doigts qui indiquent le chiffre trois, une main sur le cœur et un rapide signe de croix sur la photographie dudit mari.) Elle n'apprécie pas son gendre, toujours en quête d'argent facile, toujours à traîner dans son blouson de cuir noir autour des nouveaux marchés qui vendent des vêtements. Qui sait s'il n'est pas mêlé à des histoires de racket. (Un poing serré devant le portrait d'un jeune homme à l'air plutôt tranquille. Légèrement rondouillard, les cheveux coupés en brosse, il tient sur ses genoux un gamin qui est son portrait craché. Il ne correspond en rien à l'image que Kate avait en tête quand la dame lui a martelé les mots « mafia » et « business » en agitant en l'air le canif lui servant à découper son saucisson. À moins que ce ne soit la mafia qui en veuille à son business ? Kate n'a pas bien compris cette partie de l'histoire.)

Elle refuse poliment les chocolats enveloppés dans des papiers colorés, la cuisse de poulet et la tomate, offerts dans cet ordre, et tourne son regard vers le paysage de collines et de villages aux maisons blanches. Un chemin serpente au flanc de la montagne et s'enfonce dans la forêt. Andreï s'est-il promené ici ? Est-il venu avec sa classe dans ce château bâti au sommet ?

Elle descend à la gare de Lvov et se retrouve sous un toit en verrière face à des locomotives à vapeur qui semblent tout droit sorties d'un film des années 1950. Elle explore les rues dans le grincement des trams, dans les effluves de café sortant des portes ouvertes des bistrots et arrive ainsi à la place du marché.

Elle grimpe ensuite dans un taxi et montre au chauffeur l'adresse en ukrainien écrite par Andreï au dos d'une enveloppe de papier marron. Elle ignore quelle distance elle va devoir parcourir, mais cinq minutes plus tard, le chauffeur la dépose devant une sorte de manoir dont le porche est surmonté d'un bas-relief orné de lions. La demeure qui a été divisée en appartements, accueille au rez-de-chaussée une boutique, plusieurs bars et un endroit marqué de l'enseigne *Ресторан*. Même si Kate sait à présent ce que signifie ce mot, elle ne s'explique pas la présence de barreaux à sa devanture. Sont-ils là pour décourager les jeunes vandales ou pour repousser les visiteurs affamés ?

Kate franchit le porche et grimpe jusqu'au deuxième étage, mais en arrivant devant la porte du logement elle se fige avant d'appuyer sur la sonnette. Carol avait peut-être raison, après tout, quand elle disait d'elle qu'elle était parfaite en logistique mais nulle en logique. Carol a toujours raison, du moins c'est ce qu'elle affirme, mais dans le cas présent elle a incontestablement vu juste. Kate a brillamment géré la logistique. Elle est arrivée jusqu'ici dans un temps record, mais que va-t-elle dire maintenant ? Et par quel moyen va-t-elle communiquer ? Elle a pourtant tant de questions à poser et de condoléances à formuler.

Elle s'assied sur le palier au moment où à l'étage du dessus une porte s'ouvre en grinçant. Des pas traînants ponctués de quintes de toux se font entendre. Levant la tête, Kate voit une créature toute ridée en pantalon de pyjama et veste de tricot descendre péniblement l'escalier. Comprenant qu'elle va se trouver en travers de sa route et retarder la promenade de santé de cette vieille personne, dont elle ne parvient pas à distinguer si c'est un homme ou une femme, elle se dit que le meilleur moyen de s'écarter de son chemin est d'entrer dans l'appartement. Elle se relève et appuie résolument sur le bouton de la sonnette. Le carillon joue quelques notes d'une valse de Strauss beaucoup trop légère pour ce lieu et pour les circonstances. La porte s'ouvre aussitôt, comme si quelqu'un, tout aussi gêné que Kate par la gaieté incongrue de cette musique, se tenait derrière à l'attendre.

La femme aux cheveux gris qui l'accueille a les yeux noirs d'un vieil oiseau plein de sagesse. Elle laisse entrer Kate sans rien demander, comme une personne habituée à recevoir un flot constant de visiteurs. Arrivée dans l'appartement, Kate comprend pourquoi.

Andreï l'attend au salon. Elle marche tout droit vers lui, vers ses yeux, vers son sourire teinté d'ironie. Mais cet Andreï n'est pas celui qu'elle connaît. Ou plutôt, celui qu'elle a connu. La photographie est celle d'un Andreïko, plus jeune, plus tendre, encore ouvert à tout ce que la vie peut lui offrir. À moins qu'il ne paraisse plus jeune parce que sa photo est éclairée par la lumière chaude d'un cierge. Le portrait est barré d'un bandeau noir. À côté de lui, sur une serviette en broderie noire et rouge, en tout point identique à celle que possédait Baboussia, un morceau de pain est posé sur un petit verre d'eau. Pour son âme assoiffée et affamée pendant le temps qu'elle demeurera encore parmi nous, devine Kate.

La vieille dame s'est assise sur le canapé, le dos droit, les mains à plat sur ses genoux. Elle porte un corsage noir en dentelle piqué d'une broche en camée, et ses cheveux gris sont retenus par un peigne d'écaille. Elle a tout d'une comtesse espagnole telle qu'on les peignait jadis : impeccable dans sa mise et digne dans son chagrin.

Kate sort une photo de son sac, la seule qu'elle ait d'elle et d'Andreï. Elle a été prise dans ce café de Buenos Aires à la faible lueur d'une bougie. Elle se souvient du serveur mal embouché, trop occupé à apporter aux clients leurs *asados* pour avoir le temps de prendre des photos. Andreï avait fait mine de ne pas comprendre et avait insisté pour que l'homme recommence. Il avait donc obtenu deux Polaroid, un pour elle, un pour lui.

La vieille dame regarde la photo, puis presse ses mains l'une contre l'autre. Elle prend ensuite la main de Kate et de la voix rauque d'une grosse fumeuse tente de lui dire une chose extrêmement importante. Elle montre une boîte à chaussures sur la table, emplie de photos d'Andreï. Kate devine qu'on lui propose de se servir et en choisit deux. La première le représente une canne à pêche à la main au bord d'une rivière. Il n'a pas plus de treize ans et semble en harmonie avec la nature et avec lui-même. L'autre le montre le jour de la remise de son diplôme. Il est le seul à sourire au premier rang. *C'est lui tout craché*, pense Kate. Désinvolte et ironique, même en ce jour solennel.

La grand-mère d'Andreï revient de la cuisine avec une tasse de café et réussit à la poser devant son invitée sans en renverser la moitié. Pourtant, ses mains tremblent tellement que la cuillère tombe et heurte le sol avec un tintement triste.

Kate sort alors le paquet de son sac. « Laisse-moi, je m'en charge, avait-elle dit à Andreï. Au bureau nous envoyons tout le temps des plis en Ukraine et nous bénéficions d'un tarif dégressif. Ta grand-mère le recevra à coup sûr et dans les plus brefs délais. »

— Tu vois, je ne t'ai pas menti, dit-elle en le regardant dans les yeux. Je t'avais garanti une livraison en main propre.

Sara Samoïlovna déballe le petit paquet. Il contient une figurine d'oiseau. Un martin-pêcheur sculpté dans une pierre rose.

Kate tente d'expliquer que cette pierre originaire d'Argentine s'appelle de la rhodochrosite, qu'Andreï a acheté cet objet dans une boutique du quartier de San Telmo, à Buenos Aires, spécialement pour sa grand-mère. Mais rapidement elle renonce. La vieille dame caresse tendrement le petit oiseau, puis le place près du portrait d'Andreï. Elle prend la main de Kate entre ses petites paumes sèches, et les deux femmes s'asseyent pour regarder brûler la flamme du cierge. Kate, le moineau ébouriffé, et Sara Samoïlovna, le sansonnet éploré, devant le martin-pêcheur rose venu d'Argentine. Trois oiseaux en deuil. Kate se réjouit à présent qu'elles ne parlent pas la même langue. Elle ne peut pas interroger Sara Samoïlovna à propos de ces histoires de drogue et de mensonges, mais elle n'a plus besoin de le faire. Les photos de la boîte à chaussures lui ont donné toutes les réponses qu'elle était venue chercher. Maintenant qu'elle a reconstitué la vie d'Andreï grâce à ces images figées, maintenant qu'elle a souri à son regard franc et moqueur, elle sait que sa mort n'était pas un accident, quoi qu'en dise la police de Cambridge, ni un suicide. Meurtre non résolu. Quand bien même elle saurait le dire en ukrainien, jamais elle n'aurait la force de prononcer ces mots devant la grand-mère d'Andreï.

Les deux femmes restent assises en silence jusqu'à ce que vienne pour Kate le moment de prendre congé. Alors elle montre à Sara Samoïlovna son billet de train, et un taxi est appelé pour la raccompagner à la gare.

Quand la jeune femme entre dans son compartiment, deux hommes en veste sans manches sont déjà installés. Ils doivent être arrivés depuis un moment, parce qu'ils sont déjà en plein milieu d'une partie de cartes et ont attaqué leur deuxième bouteille de vodka. Elle les salue d'un signe du menton et s'apprête à grimper dans sa couchette quand l'un d'eux lui adresse un clin d'œil en lui servant un verre de vodka. Elle fait non de la tête, mais soucieux de montrer son sens de l'hospitalité l'homme insiste et lui colle d'autorité le verre entre les mains. Kate boit une gorgée à contrecœur. L'alcool lui brûle la gorge, mais apaise sa douleur. Elle se retrouve bientôt adossée à la porte du compartiment à écouter fanfaronner ses deux compagnons de voyage. Tous deux sont techniciens dans l'industrie pétrolière. Ils travaillent deux semaines d'affilée sur une plate-forme et passent le reste du mois dans leur famille. (Des photos des enfants sont exhibées, des alliances tapotées du bout des doigts avec tendresse.) Kate reste un moment à les regarder jouer aux cartes en essayant de comprendre les règles du jeu et accepte un second verre. Puis elle grimpe dans sa couchette et s'y endort d'un sommeil de plomb.

Elle est réveillée par une odeur d'essence. Encore somnolente, elle essaie de se relever, mais une masse pèse de tout son poids sur elle, la plaquant sur la couchette. Le temps qu'elle comprenne et tente de hurler, il est déjà trop tard. Le son de sa voix est assourdi par une main imprégnée d'essence qui lui couvre la bouche. Il est trop tard pour avoir peur, et son cerveau analyse la situation avec la logique froide d'un enquêteur de police. Un homme ivre qui empeste l'essence est couché sur elle et essaie de lui arracher son jean. Elle se débat frénétiquement, suffoque, frappe du poing contre la cloison et enfonce ses ongles dans la chair suante de son assaillant. De lui, elle n'entend que le bruit de son souffle haletant contre son oreille. Soudain, l'homme laisse échapper un grognement bestial, puis s'effondre aussi inerte et mou qu'un gros ours en peluche. Il s'écarte d'elle, et tout est fini, aussi vite que c'est arrivé. Le jean de Kate est toujours fermé. L'homme est de retour sur sa couchette, face à son copain qui ronfle bruyamment.

Elle sait ce qu'elle va faire. Elle va attendre qu'il soit endormi, puis elle ouvrira la porte coulissante du compartiment et ira chercher de l'aide. Mais elle ne fait rien de tout ça. Tremblant de tous ses membres, elle se tourne vers le mur, se recroqueville en position fœtale et fixe les motifs verts sur la cloison. Elle finit sûrement par se rendormir, parce lorsqu'elle reprend conscience le train s'est arrêté, et un courant d'air lui glace le dos. La porte du compartiment est grande ouverte. Derrière elle, elle perçoit de l'agitation. Des sacs sont descendus des porte-bagages, des voyageurs quittent leur compartiment. Soudain, Kate sent une main tirer doucement le drap qui la recouvre, puis des lèvres humides se poser sur sa peau. Une feuille de papier est déposée sur l'oreiller devant son visage. Aussi incroyable que cela puisse paraître, avant de partir l'homme a déposé un baiser sur son bras et lui a laissé son numéro de téléphone.

Tout le monde a déserté les lieux depuis longtemps, mais Kate reste immobile à fixer le mur jusqu'à ce qu'une main énergique la secoue avec insistance. C'est le contrôleur du train. Où était-il passé quand elle cognait contre le mur ? Il prenait le thé ?

Elle se concentre sur les gestes qu'elle doit accomplir, son cerveau fonctionnant comme un ordinateur en mode veille. Son coude est écorché, elle a dû le frotter contre la cloison quand elle se débattait. Son drap est remonté sous son menton, mais sur sa cuisse elle sent une tache humide. Sans doute du sperme. Froidement, elle se dit qu'elle va devoir sor-

282

tir un autre pantalon de son sac et se changer avant de descendre du train. Elle accomplit tous ces gestes avec une précision mécanique. D'abord le drap qu'elle repousse, puis la fermeture Éclair de son sac qu'elle ouvre, son pantalon qu'elle change, le jean sale qu'elle glisse dans un sac en plastique pour pouvoir s'en débarrasser dans la première poubelle qu'elle croisera sur le quai.

Elle accepte sans broncher le prix exorbitant que le taxi lui annonce pour la conduire à son hôtel, passe devant le vigile à la mine fermée et récupère sa clé auprès de la femme d'étage. Dans la salle de bains, elle note sans y réfléchir la présence d'une fuite sur un tuyau rouillé et le chiffon crasseux placé dessous, une faute d'orthographe sur le bandeau en papier marqué « *Désinffecté* » sur le siège des toilettes. Soudain, elle est pliée en deux par un spasme violent et se met à vomir. Ses mains tremblent, et elle n'arrive pas à refermer la porte de la salle de bains. Elle s'échine un moment, puis comprend que la porte est bloquée par la carpette. Elle entre dans la douche et après plusieurs tentatives infructueuses pour fixer le pommeau à son crochet, elle abandonne. Le crochet est trop haut et le tuyau, trop court. Le temps qu'elle tourne le robinet d'eau froide et s'écarte brusquement en attendant que l'eau bouillante commence à refroidir, elle commence à entrevoir la logique de cet endroit. Elle reste sous la douche pendant un long moment, tandis que son cerveau saturé lui envoie ses dernières commandes. Sortir de la douche, se sécher, puis dormir. Tout sera bientôt fini. Bientôt.

21

Kiev, aéroport Borispol, avril 2001

Du grand travail d'illusionniste. Quelqu'un a agité une baguette magique, et l'aéroport est maintenant enveloppé dans du coton. La couverture blanche agit comme un emplâtre qui calme les émotions à fleur de peau et dissipe les mauvais souvenirs. Les passagers se déplacent au ralenti et les haut-parleurs même semblent assourdis tandis qu'ils répètent sans fin d'une voix contrite : « Retardé… Retardé… Retardé. »

Kate regarde l'écran des départs. Encore trois heures, et elle sera loin d'ici, elle retrouvera la liberté et la normalité. Elle a beaucoup appris pendant son voyage. Elle a appris que la peur a un goût métallique et empeste un mélange d'essence et de tabac. Que le chagrin dans ce pays a l'éclat des cierges jaunes qu'on voit dans les églises. Que le danger peut être tapi à chaque coin de rue. Elle a aussi compris qu'elle a la capacité physique de grimper d'une traite (ou presque) une rue en côte, de repousser un violeur (certes très ivre, mais quand même) et assez de cran pour s'entretenir en tête à tête avec les plus hautes autorités du clergé et avec le président de ce pays.

La journée tout entière s'est déroulée comme dans un rêve. Depuis l'appel téléphonique qui l'a brusquement ramenée à la réalité (le frère Sergueï, son divin assistant, l'attendait dans le hall d'entrée), elle n'a plus été qu'une feuille d'automne portée par le tourbillon des événements : une seconde rencontre avec le prieur, une voiture la conduisant au siège de l'administration présidentielle, la longue promenade à travers les coulisses du pouvoir, les interminables contrôles de sécurité et pour finir son entretien avec le président en personne.

Elle a dû éprouver quelque chose quand elle lui a remis le coffret en bois, les documents d'Andreï et la photocopie du numéro d'enregistrement dans le grand livre de la Banque d'Angleterre. Mais elle ne se souvient pas de ce qu'elle a ressenti, ni même du trajet jusqu'à l'aéroport. Elle ne se souvient que de cet assistant du président près d'elle qui lui parle en anglais et l'escorte jusqu'au comptoir d'enregistrement. Il était chauve, lisse et rond comme une boule de billard. Sa cravate rouge était trop tape-à-l'œil et son anglais, loin d'être aussi limpide que celui du frère Sergueï, mais au moins elle n'était pas toute seule. Quelqu'un veillait sur elle.

Sur le siège voisin du sien, le président lui adresse un sourire reconnaissant à la une du journal publié à destination des étrangers avec les meilleures intentions du monde mais dans un mauvais anglais. La raison pour laquelle quelque génie du marketing a décrété que ce numéro devait être distribué à tous les passagers de ce vol est parfaitement claire.

Bon voyage en Europe, dit le titre surmontant la photo du numéro un ukrainien. La semaine prochaine, notre président entamera sa visite officielle dans trois pays européens. Après la France et l'Allemagne, il se rendra en Angleterre, point d'orgue de son voyage, pour participer à des pourparlers à Londres.

Kate ferme les yeux. Le moment ne pouvait pas être mieux choisi.

Le président lui a demandé pourquoi elle s'était chargée de cette mission.

— Parce que je suis avocate, c'est mon métier. Je ne fais que respecter les volontés de mon client, lui a-t-elle répondu.

— Ce fameux client, que pouvez-vous me dire de lui ?

Elle s'attendait à cette question et cette fois s'y était préparée.

— Pas grand-chose, a-t-elle éludé en secouant la tête. Hélas, le testament comportait une clause de confidentialité.

Et qu'aurait-elle pu dire d'autre ? Comment aurait-elle pu parler d'Andreï ? De la douceur de ses caresses qu'elle croyait encore sentir sur sa peau ? De l'odeur de ses cheveux pareille à celle des foins coupés séchant au soleil ?

Elle aurait bien sûr dû se montrer plus professionnelle. Elle aurait dû répondre une banalité du genre : « J'ai fait tout ça pour la prospérité de votre pays, pour l'Europe nouvelle. » Ou quelque chose dans ce goût-là.

Elle ne pouvait pas avouer la vraie raison. Face à sa table, sur un pilier, le même avertissement lui tourne un œil noir : « *La direcsion n'est pas responsable des baggages laisser sans surveillence.* » C'est exactement ce qu'elle ressent maintenant. Elle s'est déchargée de son fardeau en le confiant à ce pays et se moque bien de savoir qui va s'occuper de ce lourd bagage. Tel un magicien dans un conte pour enfants, elle a levé la malédiction qui durait depuis des siècles, elle a mis le point final à une sombre histoire de peur, de mort et de trahison. Elle repense à la liste que lui a montrée Andreï de tous les gens morts ou disparus à cause de ce testament.

Quelle que soit cette malédiction, elle n'a plus à s'en soucier désormais. Elle n'a plus rien à craindre. Elle se sent plus légère, assise à cette table de Formica, sous le néon rouge du bar Fortuna. Son seul souci pour l'heure est de décider si elle va déguster sa mandarine maintenant ou bien attendre encore une ou deux heures. Elle approche le fruit de son visage et hume son parfum qui lui rappelle tant de souvenirs.

— Je peux vous offrir un café ?

Elle ne réagit pas tout de suite à cette invitation inattendue. Elle repose lentement sa mandarine et lève la tête.

L'homme répète sa question, mais cette fois avec une pointe d'accent dans la voix.

— Un café, ça vous dirait ?

Un jeune homme se tient devant sa table avec deux tasses de café dans les mains. Son visage lui dit vaguement quelque chose. À le regarder de plus près, il pourrait aisément passer pour le frère d'Andreï. Il est plus grand, plus large d'épaules, mais ses lunettes cerclées de métal et son sourire timide sont les mêmes. Les yeux sont différents, non pas verts comme l'étaient ceux d'Andreï, mais gris et perçants. Un jour, au parc animalier de Longleat, elle a vu un loup qui veillait sur sa meute. Indifférent aux mouvements de va-et-vient des Jeep, il se tenait là, fier et méfiant. Ses yeux étaient pareils à ceux de cet homme.

— Vous vous rappelez l'autre jour, au musée de la laure de Petchersk ? C'est moi qui vous ai rattrapée quand vous êtes tombée.

— Ah, oui, et je vous ai marché sur le pied.

Cette fois, elle lui rend son sourire.

— On dirait que nous sommes coincés là pour un moment, prononce-t-il avec le même accent étranger. Vous êtes aussi sur le vol de Moscou ?

— Non, sur celui de Londres. Enfin, si je puis dire, car pour l'instant nous n'avons pas décollé.

Elle n'a pas le temps de dire « ouf » que l'homme a posé les cafés sur la table et s'est assis près d'elle.

Elle attrape la tasse en plastique et manque la laisser échapper. Au début, ce n'est qu'un fourmillement dans ses doigts, mais la sensation de brûlure remonte jusqu'à sa gorge en faisant fondre les émotions. D'une seconde à l'autre, elle va se mettre à pleurer. Il faut qu'elle parle. Oui, parler la soulagerait.

— Je suis désolé, j'aurais dû vous prévenir. C'est très chaud, lui dit l'homme.

Kate le regarde. En dépit de son épouvantable accent, cet inconnu est la première personne avec qui elle peut réellement discuter depuis qu'elle est arrivée dans ce pays. Le frère Sergueï ne compte pas, la plupart du temps il faisait semblant de ne pas l'entendre. Soudain, c'est comme un barrage qui se rompt. Elle déverse sur cet inconnu un flot de paroles, sans savoir s'il comprend bien tout ce qu'elle dit. En tout cas, à son air grave, elle sait qu'il l'écoute attentivement.

— Je viens de perdre un être qui m'était très cher, lui confie-t-elle. J'avais pris envers lui un engagement qu'il m'était extrêmement difficile de tenir. Avez-vous jamais eu cette sensation d'être seul et de penser que le monde entier était contre vous ? Pensez-vous qu'il soit possible de continuer à vivre dans de telles conditions ?

Derrière ses lunettes, l'homme l'enveloppe d'un regard compatissant.

— C'est une question à laquelle il n'est pas facile de répondre. J'ignore ce qui vous est arrivé, je peux seulement deviner ce que vous traversez en ce moment. (Il lui prend la main. La fraîcheur de ses doigts sur sa peau est réconfortante.) Mais vous devez trouver en vous la force de tenir votre promesse, pour vous-même et pour celui que vous avez perdu.

« *Passajiry do Londona…* Les passagers en partance pour Londres… »

Le haut-parleur semble avoir retrouvé sa bonne humeur. Sur le tableau des départs, la porte d'embarquement de Kate vient de s'afficher.

— Merci de m'avoir écoutée, dit-elle, puis sans s'y attendre elle-même elle ajoute : Est-ce qu'il vous arrive de venir à Londres ?

Il hoche la tête.

Elle plonge la main dans son sac à la recherche d'une carte de visite. La fouille dure une éternité, et l'embarras s'installe. Si elle continue, elle va rater son avion. Alors elle déchire un morceau de journal et note à la hâte son numéro de téléphone dans la marge.

Elle le tend à l'homme en disant :

— Appelez-moi si vous êtes de passage à Londres.

Il le lit, puis demande en montrant un chiffre griffonné.

— C'est un 6 ou un 8 ?

— Un 8 et ici aussi.

Elle lui lit à haute voix le numéro.

— C'est bien, dit l'homme.

Au début, Kate comprend qu'il veut dire que c'était bien de faire sa connaissance, puis ensuite elle comprend que son maniement de l'anglais étant ce qu'il est, il a probablement voulu dire : « Ce serait bien. »

Tout en se penchant pour compenser le poids du grand tableau qu'elle a enveloppé dans son sac, elle se mordille le coin de la lèvre et demande :

— Vous m'appellerez, promis ?

Il la regarde d'un air grave et terriblement sérieux derrière ses lunettes.

— Oui, je vous appellerai quand je viendrai à Londres. C'est promis.

TROISIÈME PARTIE

La sagesse

« Le vrai mystère dans le monde
est le visible, pas l'invisible. »

Oscar WILDE (1854-1900)

22

TARAS

Moscou, lundi 9 avril 2001, 19 h 30

Il n'aurait pas dû la payer pour qu'elle s'arrête. Il avait pressenti qu'elle n'en ferait rien. Elle a pris l'argent, a essuyé son nez morveux, toussé et repris sa chanson avec un regard de défi : « *Nie-e-se Ha-a-a-lia... vo-o-dou...* » À présent, ses mains gercées dansent sur le rythme de la mélodie. C'est une ballade ukrainienne de son enfance que chante cette gamine qui n'a pas plus de douze ans et le dernier souvenir qu'il ait conservé de sa mère.

« *Da-aï vo-o-dou... napi-i-tsia...* » Elle y met trop de tristesse, alors qu'il y a dans ces paroles l'espoir et les attentes d'un jeune garçon : « Donne-moi de l'eau, Galia, laisse-moi te regarder, ma beauté... »

Cela fait maintenant trois mois qu'elle occupe ce coin de rue, près de la sortie du passage souterrain, indifférente au monde des survivants de la *perestroïka*, ces retraités qui vendent des journaux et leur espoir de passer leurs vieux jours à l'abri du besoin, ces anciens ingénieurs réduits à faire commerce de quelques cigarettes. Il y a toujours quelques pièces de monnaie dans la boîte à chaussures placée devant elle, son tribut à sa mère alcoolique pour qu'elle continue de la laisser vivre chez elle et ne la vende pas au plus offrant.

Il soupire, se penche pour jeter une pièce dans la boîte, mais à ce moment-là il est bousculé par une grosse brute au visage rougeaud transportant une énorme caisse.

— Qu'est-ce que tu fous là, connard, à bloquer le passage ? Tu vois pas que tu gênes tout le monde ?

Son haleine empeste l'alcool à plein nez.

— Où tu te crois, ducon ? T'es dans un passage souterrain, pas au Bolchoï.

Bienvenue au pays, pense Taras. Ou ce qu'il doit désormais appeler « son pays », avec ses étendues de barres d'immeubles toutes identiques, loin très loin des chaumières de son village dans les montagnes. Jamais il ne retournera là-bas. Trop de murmures restent attachés à ces lieux. Trop d'ennemis qui n'ont jamais pardonné et continuent de l'attendre, gardant encore le souvenir douloureux de son fameux coup de poing, les jointures de son poing serré qui frappent durement le nez de son opposant en provoquant une douleur insupportable, un écoulement de sang immédiat et la fin du combat.

« Qu'allons-nous faire de lui ? » se désespérait Baba Gapa. Sur quoi, elle se signait plusieurs fois en répétant : « *Gospodi pomoji* », pour demander à Dieu d'aider le jeune Taras à trouver sa voie.

Quand il eut dix-huit ans, l'âge du service militaire, le facteur lui apporta sa *povestka*. Le papier jaune lui ordonnait de se présenter au bureau du recrutement militaire de la ville la plus proche à 9 heures précises, le 5 mai. Il était aux anges. Enfin il tenait sa chance de voir le monde, le vrai.

Il ne lui fallut pas longtemps pour comprendre que ce monde était peuplé d'hommes bien plus costauds que lui et que d'autres règles s'y appliquaient.

296

Comme il s'y connaissait en tracteurs et machines agricoles, il fut affecté à un corps d'élite, la division de chars d'Extrême-Orient. Après quatre mois d'un intense entraînement physique à l'*ouchebka*, au centre d'entraînement, il rejoignit les baraquements de son unité, où il devait passer les dix-huit mois suivants de sa vie. Dès l'instant où il franchit ses portes vertes frappées de deux grandes étoiles rouges, Taras aima cet endroit. Il s'éprit de l'ordre qui y régnait, de la propreté du bitume régulièrement balayé, des affiches patriotiques et du vieux tank T34 exposé sur son socle de béton gris. L'odeur de l'herbe coupée et les bordures blanchies à la chaux des massifs de fleurs lui rappelaient son village.

Ce jour-là, il resta immobile un long moment à l'entrée du baraquement. Le temps de s'habituer à la pénombre qui régnait à l'intérieur, il finit par distinguer des rangées de couchettes superposées et leurs grossières couvertures grises bordées au carré. Il se demandait comment identifier la sienne quand trois soldats s'approchèrent lentement. En guise d'accueil, l'un des trois hommes lui décocha un violent coup de poing au creux de l'estomac. Un coup précis, parfaitement ajusté, en plein dans le plexus solaire. On le frappa, encore et encore, jusqu'à ce qu'il tombe à genoux et se roule en boule par terre, en se protégeant la tête de ses bras, tel un animal aveuglé et blessé. Un autre homme s'empara de son sac de marin, arracha les quelques pages que comptait son carnet d'adresses et piétina sa brosse à dents. Toute la scène se déroula sans qu'un seul mot ne soit prononcé.

C'est ainsi que Taras fit connaissance avec ceux que l'on appelait les « rois », trois Tchétchènes qui en étaient au milieu de leur deuxième année de service militaire. Rustam, Akhmed et Mayrbek étaient originaires du même village. Ils n'agissaient pas ainsi par cruauté, mais simplement pour tester les nouvelles recrues et savoir jusqu'où ils pouvaient aller avant de briser chez elles toute volonté et les transformer en serviteurs dociles. L'ennui prenait rapidement le pas sur la curiosité, car il était rare qu'un bleu essaie de se rebeller après l'« épreuve du bouton », comme ils l'appelaient. Celle-ci consistait à écraser et aplatir méthodiquement le troisième bouton métallique de sa chemise sur le torse du jeune bidasse, ce qui lui laissait une ecchymose rougeâtre. L'unité tout entière s'était soumise au trio tchétchène, chacun ravalant la haine et l'humiliation au plus profond de son cœur endurci de soldat. Mais désormais, les Rois avaient une nouvelle coquille à briser en la personne de ce natif des Carpates au regard rogue.

Dès la première nuit, Rustam le jeta au bas de sa couchette en lui disant :

— Prends ta brosse à dents et cire mes bottes. Exécution !

Taras serra les poings de toutes ses forces et moins d'une seconde plus tard Rustam eut le nez en sang. L'incident provoqua un vif émoi. Personne dans leur chambrée n'avait jamais osé tenir tête aux trois Tchétchènes. Rustam ne riposta pas. Ç'aurait été trop facile. Il choisit cinq bleus pour se charger du sale boulot à sa place. Le lendemain matin, quand le régiment se présenta à l'appel et que le sergent brailla le nom de Petrenko dans la fraîcheur revigorante d'une journée d'octobre, personne ne répondit.

On retrouva Taras baignant dans une mare de sang sur le plancher de leur baraque, entre deux rangées de couchettes. Il fut hospitalisé pour une commotion cérébrale et deux côtes cassées. Bien sûr, toute la chambrée avait dormi du sommeil du juste cette nuit-là et personne n'avait rien entendu.

À son retour de l'hôpital, Taras passa trois nuits tranquilles. Personne ne lui adressa la parole. La quatrième nuit, il se réveilla en sentant quelque chose couler sur sa peau. L'un des Rois se tenait au-dessus de lui et lui pissait au visage. Tout le monde était réveillé et observait la scène en silence. Taras pouvait endurer la douleur, mais pas l'humiliation. Les Rois savaient que le bleu ne se laisserait pas faire et cette fois ils ne délégueraient à personne le plaisir de le corriger.

Ils le traînèrent hors de sa couchette jusqu'à la porte du baraquement. Rustam lui coinça la main dans la charnière, après quoi Akhmed referma lente-ment le battant en lui brisant les doigts. Pas un ins-tant, il ne quitta des yeux sa victime, se tenant prêt à lui bâillonner la bouche de sa large main si celle-ci se mettait à brailler. Mais Taras ne cria pas. La dou-leur était telle que tout son sang afflua à ses oreilles avec le grondement d'une cascade. Des taches vertes se mirent à exécuter devant ses yeux une danse guer-rière, tandis que sous son crâne une vis s'enfonçait lentement. Il était aveugle, livide, à deux doigts de perdre conscience, mais pas un cri ne s'échappa de sa gorge.

Le lendemain, ses trois doigts brisés entourés d'un bandage, il se présenta devant le commandant de leur régiment.

Le colonel Serov buvait du thé agrémenté de cognac arménien.

— Soldat Petrenko, le rapport que j'ai reçu du centre d'entraînement vous présente comme un bon élément et un excellent mécanicien de chars. Il serait regrettable de vous perdre, soit parce que vous auriez été affecté à une autre unité, soit parce vous auriez été réformé pour invalidité. Mais…

Le colonel se pencha sur son bureau pour donner plus de poids à ses paroles.

— Mais vous êtes un fauteur de troubles. Les officiers ne peuvent pas être derrière chacun de vous à vous dorloter. L'armée n'est pas une partie de plaisir. Vous pouvez faire une demande de transfert, et nous vous affecterons à une autre unité.

Le colonel était prudent dans le choix de ses mots. Taras comprenait où son supérieur voulait en venir. Si le centre d'entraînement diligentait une enquête, Serov se ferait remonter les bretelles, et ça finirait forcément par lui retomber dessus.

— Je n'ai rien à dire, répondit-il en fixant le jaune terne du mur au-dessus de la tête du colonel. C'est juste une mauvaise chute.

— Dans ce cas, expliquez-moi ces trois doigts brisés, insista son supérieur, visiblement agacé par cette réponse.

— Je vous l'ai dit, camarade colonel. C'était une mauvaise chute, répéta Taras sans détacher ses yeux du mur défraîchi.

— Eh bien, à l'avenir regardez où vous mettez les pieds, soldat Petrenko, parce que si vous tombez encore une fois et que vous vous cassez quelque chose, vous serez seul responsable. Suis-je assez clair ?

— *Tak totchno, tovaritch polkovnik*, parfaitement clair, camarade colonel, répondit Taras avant de disposer.

Il savait ce que pensait Serov. Toutes les jeunes recrues avaient subi la *dedovshchina*, le « bizutage ». Pour arriver en deuxième année, un bleu devait apprendre à serrer les dents et à obéir au doigt et à l'œil à son sergent, mais aussi aux autres soldats qui avaient plus d'ancienneté. Celui qui se soumettait survivait, celui qui se rebellait était mis hors jeu. C'était ainsi que marchait l'armée partout dans le monde, non ?

Taras allait devoir s'enfoncer de force cette règle dans le crâne.

Et il tira effectivement une leçon de cette histoire, mais pas celle qu'on attendait. « Si tu n'es pas assez fort pour te défendre avec tes poings, bats-toi avec ta tête. Sois patient et attends ton heure. Si tu sais réfléchir, tu en sortiras vainqueur. »

Alors il cira les bottes d'Akhmed avec sa brosse à dents, lava le sol des latrines avec son mouchoir en pleine nuit, et rapidement il cessa d'amuser les trois Rois. À leurs yeux, sa brève tentative de résistance s'était soldée par un échec. Taras était seul à savoir que bientôt viendrait un jour où il pourrait prendre sa revanche.

Pendant plusieurs semaines, l'unité de chars fut sous pression constante. La caserne attendait la visite de représentants de l'état-major général ainsi que d'observateurs venus d'autres pays du pacte de Varsovie pour des manœuvres prévues à la fin du mois.

Le commandant de la division de chars d'Extrême-Orient tenait sa chance de montrer de quoi il était capable et de décrocher une promotion. Lors des manœuvres, ses hôtes distingués assisteraient à une démonstration des rapides capacités de déploiement de sa division.

Les nouveaux chars T72 furent donc vérifiés plutôt deux fois qu'une. Les officiers et leurs sous-officiers répétèrent encore et encore leurs ordres de bataille, et le régiment de Serov reçut ses instructions. Personne, pas même le commandant, ne connaissait avec certitude l'heure *H* à laquelle débuterait l'exercice.

Celui-ci démarra en fait à 3 heures du matin. Le régiment de Taras devait couvrir le flanc droit des troupes d'assaut mécanisées de la division. Il était prévu qu'il avancerait après que les missiles antichars auraient neutralisé les leurres rouges des cibles ennemies.

Toute la bataille avait été orchestrée à la minute près, et tout se déroulait comme prévu. Si bien que lorsque le colonel entendit la nouvelle, il crut d'abord à un mauvais canular de troufion. L'un des blindés T72 s'était apparemment trouvé dans la ligne de tir des batteries antichars. Ses feux arrière rouges, en veilleuse pendant la bataille, avaient été confondus avec les cibles ennemies se déplaçant sans intervention humaine. Le blindé avait reçu deux projectiles, l'un à la base de sa tourelle et l'autre au niveau des réservoirs de carburant extérieurs. Son équipage n'avait pas eu le temps de soulever l'écoutille pour se dégager, et tous ses membres étaient morts à l'intérieur de l'habitable.

— Pourquoi ? pesta Serov au milieu d'une série de jurons bien sentis. Il y a trois écoutilles, et il ne faut pas plus de dix secondes pour ouvrir celle du dessus !

Pour couronner le tout, le char en question était piloté par le meilleur équipage du régiment. Son commandant, son pilote et son tireur n'étaient autres que les trois Tchétchènes.

Les soldats qui avaient fait feu sur le tank furent sévèrement réprimandés pour leur négligence, mais l'affaire n'arriva pas jusqu'au tribunal militaire. La faute fut rejetée sur Rustam, le commandant d'équipage, qui avait amené son T72 dans la zone de tir avec ses feux arrière allumés avant le déclenchement de l'opération.

L'enquête ne réussit pas à déterminer ce qui l'avait poussé à agir ainsi. On pensa qu'après avoir été touché par les tirs de missiles il était probablement trop sonné pour ouvrir l'écoutille supérieure. Endommagée par l'impact et déformée par la chaleur, celle du pilote s'était coincée. Le tireur avait probablement été pris de panique ou était trop gravement blessé pour soulever l'écoutille inférieure. Les six secondes qui auraient pu leur sauver la vie avaient donc été perdues. Les enquêteurs conclurent que le char n'avait pas pu être averti qu'il avait bougé trop tôt, en raison du silence radio imposé pour empêcher toute interception des communications durant la première phase de l'exercice. C'était un regrettable accident, mais les forces armées bénéficiaient chaque année d'un quota officieux de pertes humaines à l'occasion des manœuvres. Ce cas venait juste s'ajouter aux statistiques.

Toutefois, les rapports n'avaient pas pris en compte une certaine conversation qui avait eu lieu deux jours avant le déclenchement de l'exercice, durant une courte pause-déjeuner. S'adressant à Rustam assis près de lui sur le bord d'une chenille de char rouillée, Taras avait dit :

— T'es pas au courant ? Le colonel a annoncé que le premier tank à bouger la nuit de l'attaque serait récompensé pour sa capacité de réaction et que son équipage aurait droit à dix jours de perm ou peut-être même à une démobilisation anticipée d'un mois. Ce serait vachement chouette, non ? T'as plus que trois mois à tirer avant la quille. Et si tu le savais pas, l'heure *H* a été avancée de dix minutes. J'ai surpris Serov qui en parlait. T'as plus qu'à profiter de l'aubaine.

Il avait réussi à conserver un ton détaché, alors qu'en réalité il répétait cette conversation dans sa tête depuis des jours et des jours. Il avait tout anticipé : la fierté et la fougue des Tchétchènes, leur passion des chevaux qu'ils avaient reportée sur la monture d'acier qu'était le T72 et leur souhait d'être accueillis en héros lorsqu'ils rentreraient dans leur village.

Quand il était chargé de la maintenance des chars, Taras avait essayé plusieurs façons de serrer les boulons du système de fermeture, de telle sorte que l'écoutille se coince en cas d'impact. Il n'avait rien laissé au hasard, pas même le moment précis de cette conversation avec Rustam. Autour d'eux, les autres troufions affamés étaient bien trop occupés à racler les restes huileux de leur bouillie de sarrasin dans leur gamelle pour s'intéresser à autre chose.

Plongé dans ses souvenirs, il a regagné son logement en pilotage automatique. Il se lave les mains pour la première fois ce soir-là. Ou bien les a-t-il déjà lavées ?

Un sachet de mauvais thé indien, de l'eau bouillante, deux sucres. Il dispose les tranches de fromage dans son sandwich en une seule couche bien fine et regarde par la fenêtre. Qu'y a-t-il au programme ce soir dans le feuilleton du bâtiment d'en face ?

Quatrième étage, troisième fenêtre en partant de la gauche, la mère de famille est de retour d'un de ses voyages d'approvisionnement. Ses filles sautillent autour de ses ballots et essaient leurs nouveaux T-shirts sous l'œil fatigué de leur mère qui les regarde faire depuis le fauteuil où elle s'est laissée tomber. Il ne voit pas son visage, mais il est certain qu'elle sourit. Le mari a dû réussir à s'extirper de son canapé, parce qu'il a disparu. Elle l'a peut-être fichu à la porte, mais c'est peu probable : elle a besoin de lui pour surveiller les enfants quand elle repartira pour une nouvelle expédition en Turquie. Son homme a dû fuir cette explosion de joie entre filles pour aller vider quelques verres avec les copains et dépenser l'argent gagné par sa femme.

Cinquième étage, deuxième fenêtre en partant de la droite. Le retraité est toujours là, penché sur ses papiers dans le cocon de son appartement. Visiblement, il ne met jamais les pieds dehors, et Taras se demande qui paie la facture d'électricité.

À la longue, il s'est habitué à observer chaque soir le spectacle que lui offre l'immeuble d'en face. Cette routine lui manquera certainement quand il obtiendra sa promotion et déménagera dans un logement plus spacieux et plus proche du centre-ville. Pour lui, ce ne sont pas seulement des fenêtres ouvertes sur d'autres vies. Ces gens sont peu à peu devenus sa seule famille.

Il allume la radio. Une voix suave lui souhaite le bonsoir et lui annonce les dernières nouvelles du jour.

« Après sa victoire sur la Slovénie la semaine dernière, la Russie espère bien se qualifier pour la Coupe du monde.

Aujourd'hui, à Moscou, s'est tenue la cérémonie récompensant les meilleures productions théâtrales présentées dans le cadre du festival du Masque d'or.

À la suite d'une enquête du F.B.I., les États-Unis ont déclaré *persona non grata* quatre diplomates russes. Accusés d'espionnage pour le compte de Moscou, les indésirables ont été priés de quitter le pays. »

Bientôt, pense-t-il, il ne se contentera plus d'écouter les nouvelles, il en sera partie prenante. Il créera l'événement. Il est déjà l'artisan de celle-là : « Le président ukrainien entame sa tournée européenne. »

Bien sûr, ils ne peuvent pas ajouter : « et il rentrera bredouille », parce qu'ils l'ignorent, mais lui a veillé à ce que ce soit le cas.

Il a remis son rapport aujourd'hui, après y avoir travaillé tout le week-end. Demain, il doit rencontrer Karpov pour lui présenter le bilan de sa mission. Si son supérieur ne lui propose pas de promotion, faut-il qu'il aborde le sujet ? L'idéal serait une affectation au service de surveillance des activités subversives et des actes de sabotage. Karpov connaît sûrement quelqu'un là-bas. Ce type a des copains partout. Il le recommandera. Après tout, Taras a d'excellents états de service. Certes, il n'a pas suivi la préparation de l'école du renseignement n° 101, à Balachikha, et ils pourraient le juger trop âgé pour intégrer cette unité, mais pour sa défense il leur citerait cet adage du colonel Sourikov : « Un esprit acéré vaut mieux qu'une vue acérée. »

Taras s'étire sur son étroit canapé dont il sent les ressorts lui rentrer dans le dos. Les paroles d'une chanson entendue à la radio, juste avant le journal, lui reviennent en mémoire :

Danse avec moi, mon destin. Pour le bonheur, pas pour la peine. Danse avec moi, mon destin, et change mes lendemains.

Les yeux clos, il sourit.

Demain, son destin va changer. Demain, une nouvelle vie va commencer.

23

Il est tout juste 14 heures quand Taras est appelé au bureau du colonel Karpov. Le cœur plein d'espoir, il traverse les couloirs déserts, et l'écho de son pas décidé bat la mesure d'une marche triomphale. Il n'y a personne en vue, si bien qu'il peut même siffloter entre ses dents.

Karpov ne le salue pas, mais ses yeux humides le transpercent, et ses lèvres minces sont plus serrées que jamais.

— C'est un excellent rapport que vous nous avez remis là, lieutenant Petrenko. Très complet, très détaillé.

Il marque une pause, toussote et se racle la gorge.

— Dommage que son contenu laisse à désirer.

Taras ne comprend pas. Il essaie de sonder l'expression de Karpov, mais son supérieur évite son regard.

— Avant de parler de votre rapport, j'aimerais entendre ce que vous avez à dire à propos de ceci.

Karpov ouvre un tiroir de son bureau et en sort deux photographies qu'il place devant son lieutenant.

Les pensées de Taras s'embrouillent. Comment est-il possible qu'il n'ait rien remarqué ? Il est vrai qu'au milieu de toute cette foule… L'ont-ils seulement suivi à Kiev ou bien a-t-il été surveillé dès le premier jour ? Que sait exactement Karpov ?

— Eh bien, déclare alors son supérieur après un long silence. J'espère que vous avez passé un agréable moment.

— Elle n'était qu'une passagère coincée dans cet aéroport comme beaucoup d'autres, répond Taras d'une voix ferme. Son vol et le mien étaient retardés, et nous avons pris un café ensemble. Nous avons juste bavardé. Je ne connais même pas son nom.

C'était la stricte vérité. La jeune femme était tellement pressée par le temps qu'elle n'avait fait que noter à la hâte son numéro de téléphone.

— J'ignorais que ce genre de divertissement faisait partie de notre plan, enchaîne Karpov d'un ton glacial. Mais supposons que vous disiez vrai. Dans ce cas, peut-être pourrez-vous m'expliquer ceci ?

Il place un document sous le nez de Taras et attend.

Selon des sources informées, l'une des questions à l'ordre du jour de la rencontre au sommet entre le président ukrainien et le Premier ministre britannique sera la présentation de documents officiels permettant de réclamer l'or des Cosaques déposé auprès de la Banque d'Angleterre au profit de la nation ukrainienne souveraine.

Pour la seconde fois de sa vie, Taras entend ce bruit. Le sifflement du danger tout proche. La première fois, c'était durant son service en Extrême-Orient, au début de sa deuxième année dans l'armée. Oleg, son adjudant, l'avait emmené en expédition à la recherche d'un lys tigré destiné à l'épouse d'un général venu de Moscou en visite. Les autochtones disaient que pour cueillir cette fleur orange zébré de noir il fallait traverser trois cercles de l'enfer sous la forme de trois cercles de serpents. Taras qui n'en croyait pas un mot avait été surpris quand Oleg lui avait ordonné de nouer autour de sa taille un tablier de toile cirée et d'enfiler des gants de caoutchouc épais, ainsi que des bottes que la division conservait en cas d'attaque nucléaire.

Ils étaient partis à l'aube. Taras admirait les collines désertes recouvertes d'un tapis de fleurs violettes quand soudain il avait entendu un étrange sifflement et avait vu Oleg frapper à grands coups sur un petit ruban brun pâle. Puis sur un autre et encore un autre. Quand le bruit s'était tu, il avait enfin compris que ces rubans étaient en réalité des serpents.

— Nous venons de franchir le premier cercle, avait lâché Oleg. Il reste maintenant à traverser le deuxième.

Taras avait passé sa langue sur ses lèvres sèches.

Dans le deuxième cercle, les reptiles étaient plus gros, d'un brun plus foncé, et leurs mouvements, plus gracieux.

Mais c'était le troisième cercle dont il avait gardé le souvenir le plus vivace, au point qu'il lui arrivait encore d'en rêver. En arrivant en haut d'une colline, alors qu'ils avaient presque atteint les flammes orange du lys tigré, Taras l'avait vu. Il était magnifique avec sa peau verte, tachetée de noir, qu'éclairaient les premiers rayons du soleil levant. L'animal fixait d'un regard supérieur ces deux hommes qui empiétaient sur son royaume, ces intrus qui convoitaient son précieux trésor, et il était bien décidé à ne pas l'abandonner sans résistance. Son sifflement solitaire avait résonné dans l'air matinal.

— C'est maintenant qu'on va s'amuser, avait murmuré Oleg en adressant un clin d'œil à un Taras livide.

Une seconde plus tard, le royal serpent se tortillait au bout d'un crochet et tentait de cracher son venin mortel sur les deux hommes.

— Cueille la fleur, l'avait enjoint Oleg.

Mais Taras n'avait pas bougé.

— Nom de Dieu, mais vas-y, qu'est-ce que tu fous ?

Oleg ne souriait plus. Fini de rigoler, il voulait qu'on lui obéisse.

Taras avait coupé la tige aussi près du sol que possible. La fleur était toujours vivante et lui brûlait la main de ses pétales de feu quand ils avaient regagné le camp.

S'il existait un quatrième cercle de l'enfer, alors Taras se trouvait en son centre en ce moment précis, tandis qu'il écoutait ce sifflement qui gonflait au point de devenir un vacarme étourdissant sous son crâne.

— Cette question à l'ordre du jour de la visite du président ukrainien nécessite quelques éclaircissements. Qu'en dites-vous, Petrenko ? reprend Karpov en tambourinant sur la table du bout des doigts.

Taras n'y comprend plus rien. Les mots étalés devant lui n'ont plus aucun sens. Il sait seulement que ces mots sont une sentence de mort. Il fouille frénétiquement son esprit à la recherche d'une explication convaincante.

— Hier, j'ai pris un verre avec le général Ipatiev, enchaîne Karpov. Et je lui ai parlé de vos récents exploits.

Pour la première fois depuis le début de leur entretien, Taras croit entendre une légère note d'émotion dans la voix de Karpov, mais pas le genre d'émotion à laquelle il s'attendait avant d'entrer dans ce bureau.

— Ce matin, le général m'a convoqué pour me montrer ceci. C'est la transcription d'un entretien téléphonique enregistré hier. Dieu seul sait comment ils ont réussi à mettre la main dessus. « Quand on parle du loup… », m'a dit le général en me le tendant. J'imagine que c'était de vous qu'il parlait, Petrenko.

Il avance un autre document vers lui, mais Taras ne peut rien lire. Les lettres dansent devant ses yeux, sautent de la page blanche puis disparaissent.

Cette conversation a eu lieu à Londres, le 9 avril, à 16 heures G.M.T., entre A, représentant du Premier ministre britannique, et B, représentant de la Banque d'Angleterre.

A : À propos de cette histoire d'héritage, le calendrier des négociations que nous ont soumis les Ukrainiens n'en fait pas mention. D'après moi, ils ont prévu que leur président annonce la nouvelle à brûle-pourpoint lorsque nous aborderons le point numéro sept de l'ordre du jour : Questions diverses. Pensez-vous qu'ils soient réellement en droit de le réclamer ?

B : À condition d'être en possession de tous les documents requis, et si ce n'était pas le cas, j'imagine que leur président n'aborderait pas le sujet, je crains que oui, monsieur.

A : Quelle est exactement la somme en jeu ?

Long silence.

B : Selon nos estimations, avec les intérêts, le montant total devrait s'élever à plus de deux cent soixante-dix milliards de livres.

Nouveau silence.

A : Nous ferions bien de nous préparer, alors. Bien sûr, nous assurerons au président ukrainien que le gouvernement de Sa Majesté fera tout ce qui est en son pouvoir pour l'aider à récupérer ces fonds. Le Premier ministre dira qu'il comprend le souhait des Ukrainiens d'obtenir cet argent maintenant, en cette période particulièrement délicate pour l'essor de ce nouvel État souverain. Mais nous devrons également les avertir subtilement que la procédure risque de se révéler longue et de leur coûter des millions en frais de justice. Compte tenu de la somme en jeu, tout me porte à croire que c'est précisément ce qui se passera dans cette affaire d'héritage. Or, l'année prochaine, les Ukrainiens sont appelés aux urnes. En la circonstance, il ne sera pas facile au président sortant d'expliquer le bien-fondé d'une telle dépense.

Il pourra également être utile de mentionner que si l'Ukraine, avec le soutien du gouvernement britannique, entrait dans l'O.T.A.N., le président aurait toutes les cartes en main pour garantir à son pays une paix durable. Un bon argument de campagne, non ?

B : Certes, mais l'Ukraine est dans une mauvaise passe avec une inflation galopante et un déficit budgétaire abyssal. Ce pays a un besoin urgent de ces fonds. À mon avis, ils seraient fous de ne pas faire valoir leur droit à cet héritage. Il est leur seule chance de survivre et d'acquérir leur indépendance vis-à-vis de la Russie.

A : Je vous remercie. Je ferai mention de votre avis dans notre rapport sur la conduite à adopter sur ce dossier.

— J'attends toujours vos explications, Petrenko. Je me trompe peut-être, mais il me semble que vous n'avez rien à répondre, ajoute Karpov d'un ton cette fois franchement caustique.

Taras sent une goutte de sueur froide courir le long de sa tempe. Il ne prend même pas la peine de l'essuyer. Le voilà impliqué dans un scandale diplomatique mettant en scène trois pays. Il est certain que son nom sera cité, que d'autres questions seront posées.

— C'est tout simplement impossible, déclare-t-il d'une voix sans timbre. Vous connaissez l'affaire, camarade colonel. Il ne manquait que trois documents dans le dossier. J'ai tout vérifié dans les moindres détails. En me reportant au sommaire, j'ai pu établir que les pièces manquantes étaient le procès-verbal de l'interrogatoire de Pavlo Poloubotko, le rapport sur un descendant déclarant être en possession du testament et la copie du texte intégral dudit testament. Aujourd'hui, ce descendant n'est plus de ce monde, et c'est aussi le cas de l'autre personne qui risquait de fourrer son nez dans cette affaire. Andr... Cette seconde personne a par ailleurs été empêchée de mettre la main sur l'original du testament. Or la présentation de cet original est la condition sine qua non à l'obtention de l'héritage.

Karpov le fixe de ses petits yeux plissés.

— Êtes-vous certain de ne rien avoir trouvé à Cambridge, lieutenant Petrenko ? J'ignore ce que vous avez fricoté là-bas et à quel jeu vous jouez, car mes sources m'ont aussi confirmé que le testament a transité par la Grande-Bretagne. Il est arrivé en Ukraine par l'intermédiaire d'une avocate anglaise, martèle le colonel.

— Je ne comprends pas comment...

Taras se tait, réalisant soudain qu'il a commis une grossière erreur, une faute inadmissible même pour un bleu de l'académie. Il vient de se rappeler avoir lu dans le rapport de 1962 que l'unique descendante en ligne directe vivant sur le sol ukrainien était une dénommée Oxana Poloubotko. Les mots « vivant sur le sol ukrainien » étaient soulignés, et jusqu'à cette minute Taras n'avait pas compris pourquoi. Ses facultés de réflexion étaient à ce point troublées par sa soif d'assouvir une vengeance personnelle qu'il n'avait pas pensé à vérifier s'il existait d'autres héritiers à l'étranger. Borné par ses œillères, il n'avait suivi qu'une seule piste. Une erreur idiote et impardonnable.

Taras déglutit. Une grosse boule lui noue la gorge.

— Vous feriez bien d'aller nous rédiger un autre rapport, Petrenko, lâche Karpov qui ne le regarde déjà plus. Car vous avez décidément beaucoup d'explications à nous fournir.

Mais, en sortant du bureau du colonel, Taras ne retourne pas à son poste. Il n'a aucune intention de revenir écrire ce rapport. L'écho de ses pas emplit l'immense vestibule, tel un puissant génie surveillant ses gestes d'en haut.

Une fois dehors, il s'arrête un instant, ébloui par la lumière vive d'un soleil printanier. Il avait oublié combien cette place était immense. Ou peut-être ne l'avait-il encore jamais remarqué. Au feu rouge, des Bentley et des Mercedes 500 sont arrêtées près d'une vieille Lada, toutes égales face à l'attente. Des touristes américains, le nez collé aux vitres de leur autocar, photographient à tout-va le cœur de l'empire du mal, ainsi qu'ils nomment le bâtiment où Taras travaille. Ou plutôt, le bâtiment où il travaillait. Dédaignant le métro et les minibus bondés de la ligne 211, il décide de faire à pied le long trajet pour rentrer chez lui.

Quand il arrive au pied de son immeuble, la nuit est déjà tombée. Il n'est plus habitué à faire tant d'exercice, et ses chevilles sont tout endolories. Mais il n'est pas au bout de ses peines, car une fois de plus l'ascenseur est en panne. Il aura amplement le temps de réfléchir en grimpant les escaliers jusqu'au septième étage.

Sur le palier du sixième, il entend un gémissement. L'ampoule du plafonnier est cassée, et la lumière tombant de l'étage du dessus est très faible. Toutefois, Taras parvient à voir assez clair pour comprendre que ce bruit ne vient pas d'un chien mais d'un petit garçon. Accroupi sur un paillasson crasseux devant la porte du numéro soixante-deux, le gosse en sous-vêtements étale du revers de sa main un filet de morve qui se mêle au sang coulant de sa lèvre ouverte.

— Qu'est-ce que tu fais ici, Vassia ? lui demande Taras.

Question idiote, car derrière le fin panneau de la porte il entend les éclats d'une dispute d'ivrognes. Le garçon s'est échappé pour fuir les poings de son père, tout comme le faisait Taras autrefois. Sauf que lui n'avait même pas de paillasson ni de toit sous lequel s'abriter. Il devait aller se réfugier dans les bois ou bien traverser le potager pour s'enfermer dans la remise de Baba Gapa.

Taras passe devant le garçon sans s'arrêter et grimpe la dernière volée de marches. Dès qu'il a ouvert sa porte, il va directement à la salle de bains, où il se lave longuement les mains. Ensuite, il entame son cérémonial du soir. Il beurre son pain et dispose dessus des tranches de fromage qu'il arrange soigneusement. Il prépare un thé moins corsé que d'ordinaire et après un léger moment d'hésitation ajoute une cuillérée de sucre dans la tasse. Puis il glisse la clé de son appartement dans sa poche et sort. Il tient dans une main l'assiette de sandwiches, dans l'autre le thé qu'il s'efforce de ne pas renverser tandis qu'il descend l'escalier dans le noir. Arrivé au sixième, il dépose l'assiette et la tasse sur le sol de béton, sort un mouchoir qu'il gardait bien plié dans sa poche, frotte vigoureusement les joues crasseuses du garçon, puis replie le carré de tissu. Sans un mot, il s'assied sur les marches et regarde Vassia manger. Le garçon a cessé de geindre. Il ne pense plus qu'à engloutir au plus vite son repas avant que sa mère n'ouvre la porte. Taras s'approche de lui et glisse un billet dans sa chaussette trouée et sale.

— Tiens, cache-le bien. C'est pour manger, pas pour t'acheter des jouets, compris ? Si tu achètes des jouets, ils les casseront ou les revendront, tu le sais bien.

Vassia lève son regard vers lui, et Taras remarque qu'il a l'œil gauche tuméfié. Voyant tressauter le coin de sa lèvre supérieure, il se demande si c'est un tic nerveux provoqué par le coup qu'il a reçu au visage.

Tout d'un coup il se lève et sonne. À l'intérieur de l'appartement, les cris cessent immédiatement. Quand enfin la porte s'ouvre, il écarte d'un geste la mère de Vassia, complètement saoule, et marche jusqu'à la cuisine, longeant une enfilade de bouteilles vides dans le couloir.

Les coudes posés sur la table, le menton sur ses poings fermés, le père du garçon lui tourne le dos et regarde par la fenêtre. Quelle gentille image du bonheur domestique ! Taras lui prend la main d'un geste délicat et soudain lui tord le poignet.

Il plonge son regard dans les yeux étonnés de l'homme et lâche :

— Si tu poses encore une fois la main sur lui, je te casse le bras.

Il n'a pas besoin d'en dire davantage. Il sait qu'il n'y aura pas de prochaine fois, comme il sait que la douleur associée à cette mise en garde va s'imprimer dans l'esprit de cet ivrogne et que son souvenir sera la meilleure des préventions. Les coups cesseront de pleuvoir, du moins pendant quelque temps.

Vassia, qui entre-temps s'est caché dans la salle de bains, sort la tête. Ses larmes ont séché, et sa lèvre qui tremble de plus en plus esquisse un sourire timide. Personne jusqu'à ce soir n'est jamais venu à son secours. Taras ressort, sourd aux cris et aux injures qui fusent dans son dos, sans prendre la peine de refermer la porte. Ils n'appelleront pas la police. Ces gens sont des poivrots notoires, et personne ne se déplacerait pour eux. Il monte chez lui, se lave une nouvelle fois les mains et va se préparer un autre sandwich.

Il essuie sa bouche, plie sa serviette et se lève pour prendre au-dessus du réfrigérateur une chemise verte plastifiée. Elle renferme les pages qu'il a recopiées dans le dossier N1247. Il n'a plus grand-chose à faire dans le présent, alors autant s'échapper dans le passé.

Au maréchal Razoumovski, Saint-Pétersbourg, juin 1748. De la part de l'agent Khristoforov Zakhar. En ce qui concerne la devitsa *Sofia Poloubotko voyageant présentement en Europe, nous avons l'honneur de porter à votre connaissance les renseignements suivants...*

24

Palais de l'impératrice Élisabeth,
Saint-Pétersbourg, juin 1748

Le pouvoir compte plus que la richesse. Désormais, il le sait. Assis sur l'appui de fenêtre, tandis qu'il regarde sa femme en tenue de chasse traverser la cour à petits pas, il réfléchit aux événements survenus dans la matinée.

Ils venaient de finir leur collation tardive. La veille avait eu lieu le grand bal d'avril, et une odeur rance de bougies éteintes et de poudre à perruque flottait encore dans l'air. Élisabeth était en train de lui parler du cafetan que le comte Narichkine avait revêtu pour l'occasion. Le vêtement était orné en son milieu d'un large tronc cousu de fil d'or, d'où partaient des branches argentées qui descendaient le long des manches jusqu'aux poignets.

— Il vous faut avoir plus fière allure que ce comte, *mon cher**, avait-elle dit, reprenant ce *mon cher* entendu la veille dans la bouche du Parisien Lestoque. Je vais vous faire commander des boutons et des épaulettes en diamants.

Puis elle avait demandé au majordome d'apporter le courrier.

— Soyez gentil de me faire la lecture, Alexis, l'avait-elle prié tendrement. J'ai encore la vision

319

troublée par la migraine d'avoir tellement dansé hier soir.

Razoumovski savait parfaitement, comme le reste de la cour, qu'Élisabeth détestait lire. C'était selon elle une occupation dangereuse et elle était convaincue que trop de lecture avait causé le décès d'Anna, sa sœur adorée.

Une lettre venait du comte Saltikov, *poslannik* (« ambassadeur ») de Russie en Grande-Bretagne.

> *... et je m'empresse de vous informer,* Matouchka, *que j'ai croisé l'autre jour le comte Orly, à la salle de café Child's. Ce Français d'adoption est en réalité un Cosaque petit russien né sous le nom de Grigori Orlik. Il était en compagnie d'une jeune et, ma foi, fort belle personne d'origine ukrainienne. Comme vous ne l'ignorez pas, en Angleterre les femmes sont autorisées à fréquenter certains de ces établissements. Il ne m'a pas été facile d'entendre leur conversation par-dessus le brouhaha des autres voix, car les cafés londoniens sont connus pour être des lieux fort bruyants. Toutefois, j'ai pu comprendre qu'il était question de certains documents et d'un voyage. La jeune personne se nomme...*

Alexis avait interrompu sa lecture.

— Eh bien, qu'avez-vous, *mon cher* ? Auriez-vous du mal à lire ? Ce serait bien la première fois.

Alexis s'était ressaisi.

> *La jeune personne se nomme Sofia Poloubotko. Sa prochaine destination ne nous est pas encore connue. Nous attendons les ordres de Sa Majesté.*
> Nijaïchiï poklon*, mes salutations respectueuses,*
> *Votre humble serviteur, comte Saltikov.*

— Qu'allons-nous lui répondre, Alexis ? La jeune personne en question porte un nom illustre. Cela fait plus de vingt ans que la famille Poloubotko est considérée comme hostile à l'Empire. À moins qu'il ne s'agisse d'un autre Poloubotko. Tous ces noms petits russiens se ressemblent à la longue. Se pourrait-il que vous les connaissiez ?

Le comte Razoumovski se remémora le jour où son ami Iakov était devenu père. Combien il avait été désolé d'apprendre que c'était une fille.

— Peu importe, je l'élèverai en véritable Cosaque, avait-il déclaré. Nous l'avons prénommée Sofia. Consentirais-tu à être son parrain, Olexeï ? La rencontre de vos deux noms serait de bon augure. *Razoum*, la « raison » en russe et *sofia*, la « sagesse » en grec. La raison et la sagesse n'ont-elles pas besoin l'une de l'autre ?

Ils avaient beaucoup bu ce soir-là, sans doute, sinon il n'aurait jamais accepté. Cette conversation avait eu lieu quatre mois seulement avant que, grâce à sa voix angélique, sa vie ne change à jamais. Non qu'il eût oublié les siens. C'était toujours une joie pour lui de recevoir des nouvelles de Sofia et de la famille Poloubotko. Une fois, il avait même pris la liberté de leur écrire pour exprimer ses réserves quant à l'éducation qui était donnée à la jeune fille. Mais ses devoirs à la cour l'accaparaient, pris qu'il était dans les intrigues amoureuses et politiques. Un soir, il avait même dû feindre de perdre aux cartes pour faire la preuve qu'il n'était pas très malin. Toute sa vie depuis son arrivée ici n'avait été qu'un jeu de hasard.

Le comte Razoumovski avait fait non de la tête en répondant :

— Je ne le crois pas, *Matouchka*. Ce nom ne m'évoque rien.

Élisabeth l'avait fixé d'un regard intense.

— C'est curieux, mais pas impossible. Après tout, cette personne devait être très jeune quand vous avez laissé votre ancienne vie derrière vous. Eh bien, *goloubtchik* (« ma petite colombe », c'était le nom affectueux qu'elle lui donnait dans l'intimité), vous êtes maréchal à présent, vous pouvez donc régler vous-même cette affaire ! Vous savez combien j'aime votre pays et votre peuple. Je trouve vos compatriotes charmants et sans malice, mais on ne saurait être trop prudent de nos jours, et je suis lasse de ces intrigues de Français qui empoisonnent la cour. Vous seul m'avez toujours protégée. Je veux tout savoir des déplacements de cette jeune personne. Je veux savoir où elle va, quand et pourquoi. Ayez la bonté de vous charger de cette mission pour moi, *goloubtchik*.

La tsarine avait enveloppé son époux secret d'un regard tendre. À la cour, personne, hormis le père Pavel, ne savait qu'ils s'étaient mariés à Perovo trois ans auparavant.

Par la fenêtre, le comte Razoumovski regarde sa femme et admire sa manière élégante de monter à cheval. Elle est excellente cavalière et tellement intelligente. Pourquoi a-t-elle insisté pour qu'il lui lise cette lettre ? Est-elle au courant de ses liens avec la famille Poloubotko ? A-t-elle voulu le mettre à l'épreuve ? Il est en train de perdre son influence et se doit de réagir au plus vite.

Pour commencer il est devenu la risée des courtisans après la malencontreuse visite de sa mère. La pauvre femme, apercevant dans un miroir le reflet de son visage fardé et de sa tenue apprêtée, avait cru voir la tsarine et s'était prosternée.

Et voilà que maintenant il doit affronter la concurrence du jeune et beau Vanka Chouvalov, ce roturier reçu chaque jour par l'impératrice. Or, lors de ses visites, le paltoquet vient souvent accompagné de Piotr Chouvalov, l'homme le plus redoutable de tout l'Empire. Alexeï préfère la religion à la politique. Il est connu à la cour pour ne jamais colporter les médisances ni prendre part aux intrigues, mais il n'est pas aveugle au point de ne pas se rendre compte que ces liaisons sont dangereuses pour sa position.

Olexeï Razoum a toujours su qu'un jour ou l'autre ses humbles origines le rattraperaient.

Derrière la fenêtre, il voit sa femme s'élancer au galop. Elle glisse de sa selle, mais réussit à se rétablir promptement.

Le comte Razoumovski n'est pas en position de se laisser démonter.

Il va charger un escadron de dragons d'arrêter Sofia Poloubotko à la frontière puis de l'amener sous bonne escorte jusqu'à Saint-Pétersbourg. Au moins sera-t-elle en sûreté sous la protection de ces soldats obéissant à ses ordres. De là, il l'aidera à rentrer chez elle.

Il se tourne vers Iegorov, son secrétaire particulier.

— Veuillez écrire à notre ambassadeur à Londres de garder cette personne sous étroite surveillance.

Puis de sa main il rédige un message confidentiel qui sera joint au courrier de son secrétaire :

La jeune personne doit être placée sous protection. Je me chargerai personnellement de l'interroger.

Ce message éveille les soupçons d'Iegorov. Le maréchal ne lui a jamais inspiré confiance. Un Cosaque ukrainien dans le lit de la tsarine, et la rumeur dit qu'ils seraient mariés, par-dessus le marché !

Il préfère de loin le jeune et brillant Vanka Chouvalov. Celui-là ne vole pas encore l'impératrice, une qualité rare à la cour. Ici, tout le monde vole, y compris le vieux comte Panchine surpris l'autre jour près des cuisines en train de passer à son valet des billets de banque venant de la table de jeu, qu'il avait cachés dans son chapeau. Mais Chouvalov est d'une autre trempe. Si Iegorov avait à choisir, c'est ce jeune homme qu'il aimerait servir. Qu'y aurait-il de mal à l'informer des ordres donnés par Razoumovski ? Ce faisant, il agirait dans l'intérêt de son impératrice et ne se rendrait donc pas coupable de trahison. L'argent n'entrait pas en ligne de compte. À moins que...

Iegorov s'abstient donc de joindre le message de Razoumovski au courrier destiné à l'ambassadeur et le transmet, dans son enveloppe, au valet de Vanka Chouvalov. Sur quoi, il décide d'aller faire une petite inspection aux cuisines. Trois cents plats ont été servis au bal de la veille, et il reste sûrement quelque part un peu de cette succulente boisson au chocolat préparée par le nouveau chef français. Un fameux cuisinier, bien que trop français au goût d'Iegorov. L'homme insiste même pour qu'on appelle ses pâtisseries des *desserts**.

Taras tourne la dernière page du rapport de police.

Suite à l'arrestation de la devitsa *Sofia Poloubotko, nous vous informons de ce qui suit...*
Commandant des dragons Alexandre Morozov.

« Bonjour, il est 17 heures à Moscou, et vous écoutez Irina Strelnikova... » La radio lui parle, mais Taras n'écoute pas.

Il a les yeux fixés sur les dernières lignes du rapport qu'il relit attentivement. Dans un éclair de lucidité il devine ce qui va arriver ensuite, non à cette Sofia, mais à Kate.

« Nous avons juste bavardé », a-t-il déclaré d'une voix ferme quand Karpov lui a montré les photos prises à l'aéroport, et son patron a eu l'air de le croire. Que savent-ils exactement au sujet de la jeune femme ? Son nom, son téléphone, son numéro de vol ?

Sans se lever de la table – l'avantage d'avoir une cuisine minuscule, c'est que tout est à portée de main –, il s'empare d'une feuille de papier. Puis il contemple longuement sur un bout de journal le numéro de téléphone qu'elle a noté à la hâte près du titre « BON VOYAGE EN EUROPE ». Il n'a aucun mal à le mémoriser. « Je ne connais même pas son nom », avait-il ajouté. En réalité, il le connaissait déjà.

Kate, c'était le prénom qu'Andreï avait écrit de sa main au dos de la photographie que Taras avait trouvée dans son bureau à Cambridge quand il cherchait les documents. « *Kate, mars 2001.* »

Il sort le Polaroid de dessous la pile de torchons soigneusement pliés et contemple les deux visages souriants, éclairés par la bougie allumée sur la table.

Il les regarde, ces deux êtres qui ont déterminé son passé, conditionné son présent et volé son futur. Andreï et une jeune femme aux yeux gris coiffée d'une queue-de-cheval. À la manière dont sa main effleure les doigts de sa compagne, l'homme semble proclamer au monde entier : « Cette fille m'appartient. »

Taras l'a immédiatement reconnue ce jour-là, au musée du monastère, bien qu'elle ait perdu son sourire radieux.

« Le testament a transité par la Grande-Bretagne. Il est arrivé en Ukraine par l'intermédiaire d'une avocate anglaise », lui a appris Karpov, mais Taras n'était qu'à deux doigts de l'avoir deviné tout seul.

Il aurait dû se demander ce que la fille de la photo fabriquait à Kiev trois jours à peine après la mort d'Andreï. Mais il avait l'esprit trop occupé par sa prochaine rencontre avec Oxana pour se poser les bonnes questions. Comme aurait dit Sourikov : « Ne pas tenir compte des coïncidences est le premier pas vers l'échec. »

Quand la jeune femme avait failli tomber, il aurait dû serrer son bras plus fort. Il aurait suffi d'un sourire, de lui demander son chemin ou même de sortir avec elle du musée. Comment avait-il pu se montrer aussi négligent alors qu'il était à deux doigts de commencer une nouvelle vie ?

Danse avec moi, mon destin… Pour danser, il avait dansé. Dansé jusqu'à revenir dans cette cuisine exiguë, dansé jusqu'à l'étourdissement. Il avait laissé passer sa chance. Comment n'avait-il pas deviné ce qu'elle était venue faire dans ce pays ? Pourquoi ne l'avait-il pas arrêtée quand il l'avait croisée à l'aéroport ?

« Accordez-moi une journée, avait-il demandé à Karpov. Une journée pour régler cette affaire. »

Une heure plus tard, Taras remercie le nouveau système de réservation mis en place par la compagnie Aeroflot – « un simple appel suffit », disait sa campagne promotionnelle – et le scepticisme des clients qui n'ont pas cru à cette promesse, car des places sont encore disponibles sur le prochain vol. Il remercie également l'ambassade britannique qui lui a délivré un visa de tourisme pour un mois et se remercie personnellement d'avoir fait l'achat d'un nouveau porte-documents. Comble du bonheur, il apprend qu'Aeroflot propose un nouveau service et qu'il peut désormais réserver une chambre d'hôtel en même temps que son vol.

— Il y a justement un hôtel où je souhaiterais résider, répond Taras à la jeune femme qui vient de lui faire cette offre.

Après quelques minutes d'attente, l'employée lui annonce que la suite qu'il a demandée est libre, mais que son prix est prohibitif.

— Je peux peut-être vous proposer une autre solution moins coûteuse.

— Non, merci, je prendrai la suite. Je prévois de rester une ou deux nuits, mais par prudence j'aimerais que vous réserviez pour trois nuits.

Cela fait, il range dans sa sacoche en cuir quelques chemises et sa vieille ceinture, puis il va prendre dans un tiroir de la cuisine une liasse de dollars cachée dans un paquet de cigarettes. Il rêve depuis longtemps de séjourner dans cet hôtel qui donne sur la Tamise, parce qu'il a lu dans de nombreux dossiers des archives que cet endroit est depuis toujours un point de rencontre pour les espions. La suite au cinquième étage a abrité l'ambassade de Russie du temps de la Seconde Guerre mondiale. La grande histoire, en plus de la grande classe. Certes, il y a un prix à payer, et celui-ci est très élevé, mais qu'a-t-il à perdre ? Il a déjà tout perdu. Enfin, presque tout. Au moins, il lui reste la vie.

25

KATE

Londres, lundi 9 avril 2001, 10 h 30

Elle pourrait le payer pour qu'il s'arrête, mais elle sait qu'il n'en ferait rien. L'homme ne fait qu'un avec son saxophone. Lui et son instrument vivent cette mélodie désespérée à l'unisson.

Cela fait trois mois, peut-être quatre, qu'il hante ce coin d'un couloir du métro. Elle l'a entendu jouer bien des fois, mais ne s'est jamais arrêtée et n'a jamais vraiment écouté ce musicien fêlé à barbe grisonnante qui semble n'exister que pour son lamento.

Elle soupire, se penche pour jeter une pièce dans la boîte, mais à ce moment-là elle est bousculée par une grosse brute au visage rougeaud transportant une énorme caisse.

— Qu'est-ce que tu fous dans le passage ? Tu vois pas que tu gênes tout le monde. Tu peux pas bouger ton cul d'là ? Où tu t'crois ? T'es pas dans les salons de Buckingham !

Bienvenue au pays. De retour au bureau, Kate retrouve le pépiement d'Amy et le tableau pointilliste au mur.

Au moment où elle traverse le hall d'accueil, la réceptionniste lève le nez de son ordinateur pour l'apostropher.

— Kate ! Mlle Fletcher vous cherche.

Kate parvient à esquisser un sourire. C'est finalement plus facile qu'elle ne le pensait. Mais le maquillage d'Amy – yeux charbonneux et fard à paupières mauve à paillettes – y est pour beaucoup.

Évidemment que Mlle Fletcher me cherche, pense-t-elle en pénétrant dans l'ascenseur. *Elle attend des explications.*

Elle a passé son week-end à rappeler tous ceux à qui elle a fait faux bond. D'abord, Philip. À en juger par la musique et les rires à l'arrière-plan, son fiancé faisait la fête quelque part et se trouvait dans un état d'ébriété avancée. « Il est 4 heures du mat' ici, Kate ! » avait-il braillé dans le combiné. Ensuite, Fiona, qui se faisait bronzer en Espagne depuis trois jours et avait eu la bonne idée de trouver une remplaçante plus responsable pour nourrir son chat. Enfin, Marina. Kate avait été soulagée de tomber sur sa boîte vocale, qui ne lui laissait pas trop le temps de s'éterniser en explications. Elle lui avait laissé un message embarrassé pour s'excuser d'avoir raté leur séance d'essayage.

À présent, elle se tient devant la porte de Carol, mais au lieu de frapper, elle tourne à gauche dans le couloir et marche jusqu'à son propre bureau. Elle n'est pas encore prête pour une confrontation avec sa patronne. Ses muscles faciaux n'y résisteraient pas.

Elle se glisse dans l'espace entre sa table de travail et son fauteuil. Elle a accompli sa mission. Comment va-t-elle vivre maintenant ?

En regardant dehors, elle découvre la rue comme si c'était la première fois : l'enseigne rouge et vert de chez Tonino ; la mine renfrognée de la petite amie allemande du patron qui fait le service ; Jamie, le stagiaire du cabinet, les cheveux fièrement dressés sur la tête, qui trépigne dans la file d'attente et grimace dans les courants d'air. On devine déjà les pousses vert tendre des premières feuilles du printemps sur les branches nues et noires de l'arbre devant sa fenêtre.

La simplicité du quotidien a quelque chose de fascinant. Kate repousse sa tasse de café jusqu'au centre de la table et regarde une éclaboussure brune s'étaler sur le dessous-de-verre en carton. Elle place un obstacle sur le trajet d'un crayon qui roule vers le bord, forme une pile avec le courrier arrivé dans sa corbeille. Une enveloppe brune assez épaisse ne tient pas au sommet de la pile, alors elle la met de côté. C'est alors que son regard est attiré par un intitulé en caractères gras : « **Service historique de l'armée de terre. Château de... »**

Qu'est-ce que cette enveloppe fait ici ? Elle essaie de la déchirer, mais n'y arrive pas et s'empare d'une paire de ciseaux. À l'intérieur, elle trouve une lettre tapée sur du papier à en-tête, des documents photocopiés et une coupure de presse.

Elle se rappelle leur avoir écrit à présent, plus par curiosité que par réelle nécessité. En lisant les notes d'Andreï, un détail lui avait semblé curieux. Selon la légende des Poloubotko, le testament était resté entre les mains du comte Orly, puis de ses descendants, et n'avait été remis au grand-père de Grigor Poloubotko qu'à la fin du XIXe siècle, lorsque cet Ukrainien avait fait halte en France avant son départ pour l'Amérique du Sud.

Pourquoi précisément ce comte ? s'était demandé Kate, d'où sa requête au service des archives. Avec tout ce qui s'était passé dans sa vie au cours des dernières semaines, elle avait totalement oublié cette lettre, mais visiblement quelqu'un s'était chargé d'y répondre. En fait, sa requête avait même été traitée avec le plus grand sérieux. Un archiviste méticuleux, probablement chauve et proche de la retraite, avait consacré une journée entière de sa vie à retrouver les documents qu'elle lui avait réclamés et à rédiger sa réponse :

Nous accusons réception de votre demande. Le comte Orly est un personnage remarquable dans l'histoire de France. Pendant la guerre de Sept Ans, il fut commandant de la cavalerie royale allemande. Je joins à la présente deux copies d'articles consacrés à ses faits d'armes. Le comte Orly a souvent servi d'agent politique pour le compte du roi de France et à ce titre il a parcouru l'Europe à la recherche de soutiens pour son monarque. Il signait ses rapports de différents noms tels que Bartel, Gare ou Lamont, si bien qu'il est impossible de reconstituer l'intégralité de sa correspondance.
Vous nous demandez si nous disposons de documents attestant de liens entre le comte et un dénommé Pavlo Poloubotko. Hélas, une recherche exhaustive dans notre fonds ne nous a fourni aucun résultat probant. Toutefois, nous sommes en possession d'une lettre du 18 juillet 1748 adressée par le comte Orly à un certain Iakov Poloubotko. Compte tenu de la date, il pourrait s'agir d'un fils de Pavlo Poloubotko ou d'un autre parent de la même génération. Si ces informations peuvent vous aider dans vos recherches, nous vous invitons à venir consulter ladite lettre. Notre fonds s'étend de 1630 à 2001. Il contient des manuscrits, des documents privés, des cartes et des photographies. Nous sommes ouverts de 10 heures à 17 h 30, du lundi au samedi. Nous vous prions de vous munir d'une pièce d'identité lors de votre première visite à notre salle de lecture.

Merci, monsieur… Kate lit le nom inscrit au bas de la lettre. *Merci, monsieur Brisson. Je viendrai visiter vos archives un jour. Quand je prendrai ma retraite, peut-être.*

Elle remet le courrier dans son enveloppe et jette le tout dans sa corbeille. Cette histoire est maintenant terminée. Elle ne veut plus rien voir qui pourrait la lui rappeler.

Elle est occupée à empiler les feuilles qui jonchent son bureau quand son téléphone se met à sonner.

— Kate, Marina est là, lui annonce Amy. Elle dit qu'elle a une affaire extrêmement urgente à régler avec vous.

Kate raccroche et se replonge dans son exercice de rangement. Soudain, ça fait *tilt* dans sa tête. Marina est là !

La panique la prend à la gorge. Non, pas Marina !

Elle songe pendant un instant à se barricader, à se cacher sous son bureau. Des options bien plus tentantes qu'affronter Marina, mais il est déjà trop tard.

Précédée par sa généreuse poitrine, par ses bras qui battent l'air et le tintement de ses nombreux bracelets, puis par sa voix pareille au roucoulement d'une colombe, Marina fait son entrée. Elle est essoufflée, car elle a visiblement monté l'escalier à pied, ce qui n'est pas facile pour quelqu'un de sa corpulence. Mais la connaissant, attendre l'ascenseur ne serait-ce qu'une minute aurait été encore plus difficile. Marina est une femme d'action, la patience n'est pas son fort.

Elle coince Kate, qui essaie de battre en retraite derrière sa table.

— Katerinko, je sais, je sais, j'aurais pu t'envoyer la robe par coursier, j'aurais pu attendre jusqu'à notre petite virée de demain, mais les autres filles seront là, et je mourais d'impatience. Alors raconte, comment s'est passé ton voyage ? C'est Sandra l'autre jour qui m'a appris que tu étais à Kiev, quand tu ne t'es pas montrée à notre séance d'essayage. Comment as-tu pu partir sans me prévenir ? Je t'aurais confié un colis à transporter là-bas.

Kate est totalement perdue. De quoi ? Quel rendez-vous demain ? Et soudain la mémoire lui revient, faisant redoubler sa panique. Demain, Marina enterre sa vie de jeune fille dans un spa ultrachic qu'elle a réservé il y a des mois. Elle se marie dimanche prochain, et Kate est sa demoiselle d'honneur.

Les deux femmes se sont rencontrées trois ans plus tôt, quand Marina lui a été recommandée comme traductrice de l'ukrainien. Tout d'abord, sa personnalité exubérante a déstabilisé Kate. Corpulente et bruyante, Marina parlait trop et de choses insignifiantes. Mais bientôt, Kate a remarqué chez elle un talent rare. Marina attirait les gens comme un aimant. Avec sa voix grave et apaisante, ses manières gracieuses et son abord chaleureux, elle était le centre d'attraction de toutes les soirées et en outre très appréciée de la gent masculine. Il était impossible de sortir avec elle pour simplement papoter entre copines. La jeune femme finissait invariablement par repousser une horde d'hommes de tous âges, professions ou orientations sexuelles.

Dès leur première rencontre, Marina lui avait déballé toute sa vie en quelques minutes. Ancienne guide employée par l'Intourist, au début de la *perestroïka* elle avait été chargée d'accompagner un rocker anglais sur le retour venu faire une tournée dans la Russie post-soviétique. La soif de tout ce qui venait d'Occident était telle que la star vieillissante emplissait des stades entiers. Lors de ce voyage riche en émotions, le musicien avait demandé à Marina de l'épouser. Le temps qu'elle comprenne que cette spontanéité – toujours suivie de remords – de son futur mari incluait également la drogue, l'alcool et une bimbo à l'occasion, il était trop tard. Elle était enceinte. La seconde mauvaise surprise était venue neuf mois plus tard, alors que son rocker, sous l'influence de ses avocats et de diverses substances illicites, lui avait présenté une demande de divorce en prétendant que le petit garçon qu'elle avait mis au monde n'était pas de lui. Quand la jeune femme s'était tournée vers sa mère restée à Kiev, celle-ci lui avait annoncé qu'elle accueillerait son petit-fils à bras ouverts, mais pas pour trop longtemps, car l'ancienne chambre de Marina était maintenant occupée par sa grand-mère invalide.

En pareilles circonstances, n'importe qui aurait sombré dans le désespoir, mais Marina n'était pas n'importe qui. Elle avait retroussé ses manches – littéralement – pour faire la plonge dans un café italien de Clapham, interrompant toutes les demi-heures son service pour remonter dans le petit studio qu'elle louait au-dessus du café et s'assurer que son petit Sachenka était bien endormi. Dans la journée, elle faisait des traductions tout en berçant son fils. Et voilà que sept ans plus tard, elle irradiait de bonheur à l'idée d'épouser dans quelques jours Mario, le propriétaire du fameux café.

— Ce spa est formidable, tu vas l'adorer. Et maintenant, tu vas me raconter ton voyage à Kiev. Je veux tout savoir.

La future mariée cesse un instant de roucouler pour approcher un fauteuil et s'y installer, attentive et tout ouïe comme une écolière, les mains à plat sur les genoux, ses bracelets immobiles sur ses poignets potelés.

Déboussolée, Kate recule et s'assied sur le bord de son bureau. Elle va avoir besoin de ce support pour affronter la situation. Pour faire de la place, elle écarte les documents qu'elle a si soigneusement empilés sur sa table et trouve alors une voie de sortie inattendue. Enfin, tout au moins quelque chose qui va lui donner un court répit. Elle s'empare d'une feuille de papier imprimée de caractères en alphabet cyrillique.

— Marina, je suis contente de te voir, parvient-elle enfin à articuler. Merci d'avoir apporté la robe... Regarde, on m'a donné ça à Kiev. Il paraît que c'est important, mais je n'en comprends pas un traître mot. Tu pourrais y jeter un coup d'œil et me dire vite fait de quoi il s'agit ?

Elle colle d'autorité le document entre les mains de son amie. Marina soupire, déchiffre ce qui est écrit et se met à faire ce qu'elle fait tellement bien, traduire en conservant le style et le ton de l'original.

— « Les Ukrainiens au service de la couronne de France. » Non, je corrige : « du royaume de France » est sans doute plus juste. « Un article de Vera Maxi-movitch. »

Elle s'arrête de lire et demande :

— Qui est cette Vera Maximovitch ? Ce nom ne m'est pas inconnu.

Kate se souvient des paroles d'Andreï : « Il y a quelqu'un qui en sait plus que n'importe qui sur cette affaire d'héritage. »

— Une historienne, répond-elle. Je lui ai rendu visite à Kiev à la demande d'un ami. Elle m'a remis cet article, et je devais revenir la voir le lendemain, mais j'ai eu un empêchement. Je devrais lui écrire pour m'excuser.

Kate est surprise par la légèreté de ses propos. Elle semble éprouver si peu de culpabilité d'avoir manqué ce rendez-vous avec le professeur. Avec quelle facilité elle évoque laconiquement cet empêchement, un mot parfaitement anodin pour résumer son escapade à Lvov, le cauchemar du trajet de retour en train, l'audience auprès du métropolite et sa rencontre avec le président ukrainien.

— « Les Ukrainiens au service du royaume de France », commence Marina, cette fois sans se reprendre.

Elle pousse un autre soupir, un peu trop sonore celui-là, et regarde Kate.

— Je ne savais pas que tu t'intéressais à l'histoire de France. Est-ce que ça ne peut pas attendre ? J'espérais que tu aurais le temps de passer la robe, étant donné que tu as raté le dernier essayage. Regarde, j'ai apporté la photo de classe de Sachenka. Tu ne le reconnaîtras pas quand tu le verras dimanche. Il a tellement grandi !

Elle veut rendre l'article, mais Kate insiste :

— S'il te plaît, est-ce qu'on peut finir ça d'abord ?

La jeune femme espère avoir le temps de trouver une excuse pour se débarrasser de Marina le temps que celle-ci ait terminé sa lecture. Elle a l'esprit tellement occupé que la voix de son amie n'est plus qu'un écho lointain.

— « Demandez à un Ukrainien de quoi traite cet article, et il vous répondra sans hésitation qu'il parle d'Anna Iaroslavna. La fille aînée du grand prince de Kiev, Iaroslav, devint reine de France au XIᵉ siècle lorsqu'elle épousa Henri Iᵉʳ en la cathédrale de Reims en mai 1051 (ou bien en 1049 selon d'autres sources). Un chroniqueur d'un monastère français a écrit à son propos qu'elle était la femme la plus instruite d'Europe et il n'avait pas tort : Anna savait lire et écrire (contrairement au roi) et parlait plusieurs langues. Lors de la cérémonie du couronnement, elle prêta serment sur son missel, rédigé en slavon, qu'elle avait apporté d'Ukraine. Ce même évangéliaire de Reims fut par la suite utilisé lors du sacre de tous les rois de France de 1059 à 1793. Il est aujourd'hui conservé au département des manuscrits de la bibliothèque municipale de Reims... »

Marine interrompt un instant sa lecture et commente :

— Je n'avais jamais entendu parler de ce missel sacré. Nous avons tous appris à l'école l'histoire d'Anne de Kiev devenue reine de France, mais j'en ignorais les détails.

Kate est sur le point d'encourager Marina à continuer, car elle n'a pas encore trouvé l'excuse qu'elle cherche, mais c'est inutile. Captivée par l'article, son amie reprend sa traduction sans se faire prier.

— « Notre propos n'est pas de raconter l'histoire d'Anne de Kiev, sur laquelle tant de choses ont déjà été écrites, mais de traiter d'un thème jusqu'ici négligé par les historiens, celui des liens qui ont uni au XVIIIe siècle d'illustres familles cosaques et la couronne de France. S'il vous est jamais arrivé d'être coincé dans les embouteillages du fameux périphérique parisien en vous rendant à Orly, il ne vous est probablement pas venu à l'esprit que le nom de cet aéroport est directement lié à l'une des premières Constitutions démocratiques du monde. Vous vous demanderez peut-être où est le rapport. Il est en réalité moins complexe que vous ne le pensez.

L'aéroport d'Orly fut construit sur des terres qui au XVIIIe siècle étaient la propriété du comte Orly, un Cosaque originaire d'Ukraine. Grégoire Orlik était le fils de l'hetman Philippe Orlik, auteur de la première Constitution cosaque en latin intitulée *Pacta et Constitutiones Legum Libertatumque Exercitus Zaporoviensis...* » T'entends ça, Kate ? Je n'ai pas oublié mon latin ?

— Oui, j'ai entendu, répond Kate. Tu peux répéter ce que tu viens de lire à propos de ce Cosaque, s'il te plaît ?

— « Grégoire Orlik, était le fils de l'hetman Philippe Orlik… reprend Marina. Comment Grégoire Orlik s'est-il retrouvé à la cour de France ? Trois des grands noms des Lumières y ont contribué : Charles XII de Suède, Philippe Orlik, hetman en exil, et Voltaire, rien de moins. Le plus grand philosophe et le plus brillant intrigant du XVIIIᵉ siècle joua lui aussi un rôle dans cette affaire.

Au début du XVIIIᵉ siècle, avec l'émergence de nouvelles voies commerciales partant d'Angleterre et la montée en puissance de la Russie, l'alliance entre la France et la Suède avait plus que jamais besoin de se renforcer. Or, qui était mieux placé pour s'acquitter de cette mission que l'hetman Orlik exilé en Suède, le commandant suprême des guerriers les plus téméraires d'Europe ?

Voltaire était venu en Suède sous le prétexte d'écrire un livre consacré au grand Charles XII. (Livre qu'il écrivit avec l'immense talent qui était le sien.) Lors de cette visite, le roi de Suède lui présenta l'hetman et son fils. La suite appartient à la grande histoire. Grégoire Orlik épousa la fille d'un banquier français fort influent à la cour et fit preuve d'une telle bravoure sur le champ de bataille et d'un tel dévouement envers le roi Louis XV qu'il reçut le grade de général de l'armée française.

Par ailleurs, les Orlik étaient liés à une autre illustre famille cosaque, celle des Poloubotko… »

— Stop, qu'est-ce que tu viens de dire ? l'interrompt Kate.

— Vas-tu cesser de me couper à tout bout de champ ? proteste Marina. Si tu continues, j'arrête de lire. Les Poloubotko étaient une famille noble de Kiev.

Oui, je ne le sais que trop bien, pense Kate en se mordant la langue pour ne rien dire.

Marina reprend sa traduction :

— « Philippe Orlik, qui fut contraint à un long exil après sa tentative de soulever les Cosaques contre le tsar Pierre, entretint une correspondance suivie avec Pavlo Poloubotko, un autre hetman. Du reste, l'un des chefs d'accusation retenus contre Pavlo Poloubotko lorsque celui-ci fut arrêté à Saint-Pétersbourg en 1723 fut les contacts qu'il entretenait avec Orlik, déclaré ennemi de l'Empire. La correspondance entre les deux hommes est bien connue des chercheurs. En revanche, on connaît beaucoup moins les relations d'assistance mutuelle qu'auraient entretenues les fils des deux hetmans, Grégoire Orlik et Iakov Poloubotko. Leur correspondance fut découverte dans les années 1930 par l'historien ukrainien Mikola Martchouk, alors qu'il étudiait les archives militaires françaises au Service historique de l'armée de terre. Martchouk a avancé une théorie selon laquelle, marchant sur les traces de leurs pères, les deux hommes auraient comploté à rétablir l'indépendance de l'Ukraine.

Hélas, l'historien ne put poursuivre ses recherches, puisqu'il fut arrêté comme ennemi du peuple en 1935. Rappelé à Moscou depuis Paris, il mourut ensuite au Karlag, un goulag créé sur ordre de Staline dans le nord du Kazakhstan. Mon grand âge ne me permet plus d'aller en France pour poursuivre son travail. J'espère toutefois que cet article servira à susciter un regain d'intérêt pour ce sujet. Nous recherchons activement de généreux donateurs qui nous aideraient à envoyer l'un de mes assistants sur place pour reprendre ces recherches d'une grande importance pour notre patrimoine culturel. »

À l'écoute de cette lecture, Kate est peu à peu gagnée par le sentiment d'avoir fait fausse route.

« Martchouk a avancé une théorie selon laquelle, marchant sur les traces de leurs pères, les deux hommes auraient comploté à rétablir l'indépendance de l'Ukraine. »

Une boule d'angoisse s'est coincée dans sa gorge. Un sombre pressentiment l'envahit.

Marina a terminé sa lecture.

— C'est aussi passionnant qu'un roman, tu ne trouves pas ? Qu'est-ce qui ne va pas, Kate ? Qu'est-ce qui te prend de fouiller comme ça dans ta corbeille ? Oh, tu m'écoutes quand je te parle ?

Kate lève le nez de la corbeille à papier et regarde la pendule au-dessus de la tête de Marina. 11 heures, lundi matin. Il reste trois jours avant la visite du président ukrainien à Londres.

— Marina, je ne pourrai pas venir avec toi au spa demain, annonce-t-elle, serrant dans sa main l'enveloppe de papier kraft qu'elle vient de récupérer dans la poubelle. Et je ne peux pas essayer cette robe maintenant. Je pars en France.

26

Champagne, mardi 10 avril 2001, 12 h 15

Il est un peu plus de midi quand Kate s'engage sur la sortie de l'autoroute. Au moins, cette fois, elle n'a pas eu besoin de traverser Paris. L'expérience de l'année dernière lui a suffi. Philip avait tourné pendant des heures dans les rues du Quartier latin avant de trouver une place minuscule où se garer. « Comme une grenouille compressée », selon son expression.

La veille, la fin de sa conversation avec Marina s'est plutôt bien passée, surtout parce que son amie, un vrai moulin à paroles qui mélange plusieurs langues dans une sorte de cocktail linguistique, est cette fois restée sans voix. Kate n'a eu ni la force ni le désir de s'expliquer. « Plus tard », a-t-elle dit à Marina qui est partie furieuse. Encore un problème qu'elle devra régler à son retour, en plus de Carol Fletcher qui a continué de rôder devant sa porte et d'exiger des explications, en plus de Philip qu'il va falloir appeler à New York à une heure moins indue, en plus de Fiona qu'il faut joindre en Espagne pour obtenir le numéro de cette personne responsable qui va pouvoir nourrir son chat, en plus de Baboussia à qui elle n'a pas parlé depuis une semaine, alors qu'elle a tellement de choses à lui raconter. Au moins, elle n'a plus eu de nouvelles de l'inspecteur bègue qui l'a priée de ne pas quitter le pays. S'il savait…

Réalisant qu'elle conduit du mauvais côté de la route, elle fait une embardée. Ouf, elle a eu chaud ! Il faudrait qu'elle se concentre un peu plus. Elle passe devant une petite église en pierre de grès, au dôme surmonté d'une flèche pareille au bec d'un oiseau assoiffé attendant désespérément une goutte de pluie. Elle longe les devantures des commerces dont les enseignes lui rappellent ses cours de français : *pâtisserie*, boulangerie*, épicerie**. Elle a déjà eu l'occasion de pratiquer la langue, mais hélas sans grand succès.

Lorsqu'elle a composé le numéro de téléphone de l'archiviste, une voix lui a annoncé :

— *Service historique de l'armée de terre, bonjour**.

Jusque-là, ça allait. Elle avait tout compris.

— *Je voudrais parler avec M. Pierre Brisson, s'il vous plaît. C'est mademoiselle**…

Au moins son nom était le même dans toutes les langues.

Elle a quand même été surprise de constater combien elle avait retenu des cours de Mme Gamin. Mais ce qu'elle avait retenu n'était visiblement pas suffisant, parce que la voix gutturale lui a répondu en anglais :

— Lui-même. Bonjour, *mademoiselle**. Je me rappelle votre nom. Je vous ai écrit il y a deux semaines. En quoi puis-je vous aider ?

Vous pouvez m'aider en me disant que la lettre écrite par Iakov Poloubotko n'existe pas, pense-t-elle. *Dites-moi dans la langue qu'il vous plaira que vous avez mal lu ce nom. Ou du moins dites-moi que cette lettre n'est pas accessible au grand public et*

qu'il va me falloir six mois avant d'obtenir l'auto-
risation de consulter les archives. Je n'ai pas la
force d'entreprendre un nouveau voyage.

— Donc, vous me conseillez de venir en voiture, dit-elle à M. Brisson. C'est noté. Je serai là demain.

En arrivant à un carrefour, au milieu du village, Kate ralentit.

Le château n'est pas indiqué et elle ne le voit nulle part. Une nouvelle vague de panique l'envahit. Où est ce château ? À qui peut-elle demander sa route ?

Elle franchit un pont orné de monstres sculptés à la face triste, se gare et marche vers les courants rapides de la rivière peu profonde à cet endroit. Elle se penche au-dessus de l'eau pour s'y rafraîchir et s'asperger le visage.

Elle aperçoit devant elle un portail orné d'un blason formant deux épées en croix. Au-delà, une allée bordée de peupliers mène à un château. En s'approchant, elle voit que le bâtiment est une version miniature d'un vrai château avec ses tourelles et ses douves. Deux cygnes noirs, pareils à deux grands points d'interrogation, nagent sur les eaux sombres du fossé. L'archiviste qui lui a répondu au téléphone est venu l'attendre et ne ressemble pas du tout au petit homme rabougri qu'elle s'attendait à trouver. Il est au contraire très grand et robuste, une vraie constitution de fermier. Il lui annonce d'emblée qu'il sait qu'elle doit repartir dans la journée et, pour lui faire gagner du temps, il a déjà tout préparé.

Hélas, comme elle le comprend bientôt, la lettre est en français et elle n'a pas emporté son diction-naire. Elle a fait tout ce voyage pour rien, car elle n'a bien sûr pas le droit d'emprunter le document ni même de le photocopier. Mais, une minute plus tard, l'homme revient pour lui préciser qu'il a traduit le document en anglais. *Décidément*, se dit Kate, *mon*

français au téléphone hier devait être déplorable
pour qu'il prenne cette peine.

— Vous me pardonnerez mes fautes, ajoute Pierre
Brisson. Mon anglais n'est pas brillant.

Le temps qu'elle se tourne pour le remercier,
l'homme s'est déjà éclipsé. Il connaît les chercheurs,
il sait combien leur temps et leur intimité sont précieux.

S'il connaissait les véritables enjeux ! songe Kate
avant de se pencher sur le premier feuillet.

Champagne, 18 juillet 1748.
À l'attention d'Iakov Poloubotko. Votre humble servi-
teur Grégoire Orlik, comte Orly, vous présente ses res-
pects. Je vous suis infiniment redevable de m'avoir
envoyé votre brillante et courageuse fille pour œuvrer
en faveur de notre grande cause. La route sera longue
et difficile pour Sofia, mais je sais que sa foi et nos
prières l'aideront à parvenir jusqu'à vous sans
encombre.

Sofia retrouve à regret les ressorts fatigués des
roues et leur grincement incessant. Elle avait oublié
à quel point le carrosse d'apparat de son père était
inconfortable. Il sera tellement fier d'elle. Il lui faudra des jours, peut-être même des semaines pour lui
raconter son voyage.

Elle commencera par son souvenir le plus heureux. Par le jour où, revenue en France après son
séjour à Londres, le comte et la comtesse Orly l'ont
emmenée en visite chez leurs voisins qui vivaient à
deux heures de route de là. Sofia fut émerveillée par
la splendeur géométrique des jardins, par les carrés,
les triangles et les cercles de verdure séparés par les
lignes droites des allées gravillonnées. La maîtresse
des lieux elle-même ressemblait à l'un de ces instru-
ments mathématiques complexes que Sofia avait

aperçus au Cabinet de lecture, la librairie de leur académie. C'était une femme grande et maigre au maintien altier et presque raide, dont l'esprit allait avec son physique, le comte ayant rapporté à Sofia que la marquise du Châtelet était une savante qui travaillait huit heures par jour à la rédaction de traités de physique et d'algèbre.

La marquise prit le poignet de Sofia entre ses longs doigts noueux et guida son invitée jusqu'au vestibule, où résonnaient les éclats de rire d'une jolie fillette courant à travers l'enfilade des pièces dans un froufrou de taffetas blanc. Tel un léger nuage dans un ciel d'été, l'enfant était poursuivie par le grondement lointain d'une vieille servante qui tentait de la rattraper en criant.

— Mademoiselle Héloïse, voulez-vous bien arrêter !

Cette sensation de fraîcheur pareille à celle d'une pluie printanière n'avait pas quitté Sofia de toute la soirée. Les invités ressemblaient aux acteurs d'une comédie dirigée par un homme aux joues creuses. Il émanait de ce personnage au regard étincelant une énergie contagieuse qui poussait toute la maisonnée à bouger, bavarder et rire à chaque instant de la journée. Pendant le dîner, cet homme ne cessa pas une minute de parler. Il avait écrit la pièce du spectacle de marionnettes et récitait de la poésie à ravir. Pendant que ses invités dansaient le menuet, ce tempérament énergique invita Sofia ainsi que le comte et la comtesse dans son cabinet de travail. D'un mouvement vif, il prit sur une étagère un petit livre qu'il tendit à Sofia.

— Il veut vous l'offrir, expliqua le comte à la jeune fille. Il est le premier auteur en Europe à avoir jamais écrit au sujet de l'Ukraine.

Sur la couverture, elle lut : *L'Histoire de Charles XII par Voltaire, Rouen, 1731*. Elle se rappelait, du temps de ses études à l'académie, ce qui se murmurait à propos de ce Français qui osait attaquer l'Église dans ses écrits et tourner en ridicule les rois et les puissants.

— *Merci**, répondit-elle.

C'était le seul mot qu'elle était capable de prononcer en français.

Sofia sourit à l'idée de savoir le livre de Voltaire soigneusement caché dans son bagage. Mais, après cinq heures de route, le carrosse devient si inconfortable qu'elle doit prier Vassil de s'arrêter. Elle ne peut endurer davantage cette torture. Sur quoi, son cocher lui crie : « Accroche-toi, Sofia », avant de lancer ses chevaux au galop dans une descente abrupte.

Un toussotement poli ramène Kate dans le présent. Pierre Brisson se tient près d'elle et tente d'attirer son attention. Kate songe qu'elle en sait à présent tellement qu'elle pourrait écrire un livre entier sur les « schémas comportementaux des archivistes européens ». D'abord, ils vous présentent un document de nature à transformer votre vision du monde, puis un toussotement dans votre oreille, et d'autres documents sont déposés devant vous. Décidément, Pierre Brisson devrait rencontrer capitaine Roger, ces deux-là auraient beaucoup de choses à se dire.

— J'ignore si cela vous intéresse, mademoiselle, mais nous possédons également le brouillon d'une lettre du maréchal Lecoq au prince de Lituanie établi à Varsovie. Les noms d'Orly et de Poloubotko y sont cités. Je n'en ai pas parlé dans le courrier que je vous ai envoyé, car il ne s'agit que d'une ébauche, voyez-vous. Mais puisque vous êtes ici aujourd'hui, j'ai décidé de vous la montrer, au cas où.

Il place ladite lettre devant elle. Il n'y a que quatre lignes sur la feuille de papier jaunie. L'écriture en est tellement ampoulée que Kate a bien du mal à reconnaître dans quelle langue elle est rédigée. Mais ce détail n'a pas d'importance, puisque Pierre Brisson l'a déjà traduite en anglais pour elle.

... Or, tandis que j'avais hier cette conversation des plus spirituelles avec Elizabeth Montagu à la salle de café Child's, à deux pas de la Banque d'Angleterre, j'ai fait là-bas une autre rencontre ma foi fort plaisante. Mon vieil ami le comte Orly m'a présenté à une jeune personne petite russienne comme lui répondant au nom de Sofia Poloubotko...

— Monsieur Brisson, prononce Kate d'une voix si faible que l'archiviste doit se pencher pour entendre sa question. Savez-vous ce que Sofia Poloubotko faisait à Londres ?

— Je suis désolé, mademoiselle, mais son nom n'est mentionné nulle part ailleurs. J'en ai bien peur.

Kate aussi a peur. Peur de poser les yeux sur les deux lettres disposées devant elle.

... Je vous suis infiniment redevable de m'avoir envoyé votre brillante et courageuse fille pour œuvrer en faveur de notre grande cause...

... à la salle de café Child's, à deux pas de la Banque d'Angleterre... Mon vieil ami le comte Orly m'a présenté à une jeune personne petite russienne comme lui répondant au nom de Sofia Poloubotko.

Peur de tirer les conclusions qui sauteraient aux yeux de n'importe quel étudiant en histoire de première année. Si au contenu de ces deux lettres elle ajoute le fait que le testament est parvenu à la branche argentine de la famille Poloubotko en transitant par la France, par les descendants du comte Orly, et…

McPherson, son professeur d'histoire, en aurait bu du petit-lait. « De la grande histoire, se serait-il extasié. Vous pourriez en faire le sujet d'un mémoire, Kate, qu'en dites-vous ? Vous y présenteriez le parfait exemple d'une jeune femme ordinaire, petite-fille d'un Cosaque, et de son influence sur des décisions politiques de la plus haute importance. » À quoi Philip aurait objecté : « Mais cette jeune femme n'était pas si ordinaire, n'est-ce pas ? Son courage et sa détermination me semblent à moi plutôt hors du commun. »

De nouveau quelqu'un toussote à son oreille.

— J'aurais également dû vous dire que le château de Cirey n'est qu'à quelques kilomètres d'ici, prononce Brisson à voix basse. Sa propriétaire, Émilie, marquise du Châtelet, fut la maîtresse de Voltaire. Le philosophe a séjourné de nombreux étés dans ce château. Et les Orly y ont été reçus bien des fois. D'ailleurs, c'est Voltaire lui-même qui a présenté le comte à celle qui allait devenir sa femme. Je vous ai imprimé le trajet à suivre, si vous désirez vous y rendre.

Bien sûr qu'elle va s'y rendre. Qu'a-t-elle à perdre ? Elle a déjà tout perdu. Enfin, presque tout. Au moins, il lui reste la vie.

27

Londres, mercredi 11 avril 2001, 9 heures

« Bonjour à tous. Il est 9 heures, et vous écoutez Belinda Carson. » La radio lui parle, mais Kate n'écoute pas. Elle lit et relit ses notes sans parvenir à trouver de réponse. *Fais-le pour lui, fais-le, fais-le...* Le même refrain tourne dans sa tête, comme ce jour-là, à la gare. Au moment où elle pensait en être débarrassée, voilà que cette histoire la rattrape et se prépare à la terrasser.

Kate est à son bureau depuis 8 heures. La nuit dernière, éreintée par toute la route parcourue, elle n'a pris le temps que de jeter quelques notes à la hâte et maintenant elle s'efforce tant bien que mal de déchiffrer ce qu'elle a écrit.

1) Salle de réunion

Qu'est-ce que ça peut bien vouloir dire ? Ah, oui. Il y a une grande encyclopédie de l'histoire du monde dans cette salle.

Kate fonce vers les étagères, croisant en chemin la femme de service qui installe les tasses à café en prévision de la réunion matinale.

Elle prend un volume à reliure rouge intitulé *L'Europe au XVIIIe siècle* et survole la table des matières. « La Guerre franco-britannique », « La Russie et la Suède », « Influence du roi de Prusse ».

Elle a du mal à se faire une vision d'ensemble, tant les intrigues de cour et les mariages, les pactes et les alliances secrètes transforment la physionomie du continent, déplacent les centres du pouvoir et modifient les frontières.

De retour dans son bureau, pour mieux se concentrer, elle lit à voix haute :

Vers le milieu du siècle, la montée en puissance de la Russie et de la Prusse coïncida avec le déclin de la France. L'Angleterre et la France continuèrent à se disputer les nouvelles voies commerciales vers les Indes et les Amériques. En dépit de sa forte démographie et de ses richesses naturelles, la France n'avait cependant pas les meilleurs ports et devait sécuriser ses frontières menacées à l'Est. En outre, le pays avait de plus en plus de mal à contrer la Russie. Si bien que, vers les années 1750, l'Europe se trouvait plus ou moins divisée en deux camps avec d'un côté l'Angleterre, l'Autriche, la Russie et le Portugal et de l'autre la France, l'Espagne, la Prusse, le Danemark, la Pologne, la Turquie et la Suède. Dans une telle conjoncture, l'indépendance de l'Ukraine aurait considérablement renforcé le second de ces deux blocs. Ce qui explique pourquoi ce pays est devenu dans la première partie du XVIIIe siècle un enjeu politique majeur pour des États comme la France, la Suède et la Pologne.

Kate lit ensuite la deuxième de ses notes : *2) Voyage aéroport.*

À quoi cela fait-il référence ? Aux voyages de Sofia ? À un vol pour Kiev ? Non, il s'agit d'Orly. L'aéroport d'Orly, le comte Orly. Il avait parcouru l'Europe en tant qu'agent au service du roi Louis XV. N'aurait-il pas secrètement essayé d'organiser l'indépendance de son pays natal ?

Enfin, troisième note : *3) Financement projet !!!*

La question des financements. Sofia Poloubotko a traversé seule l'Europe dans l'unique but de rencontrer le comte Orly et de se rendre à Londres afin d'œuvrer avec lui en faveur de leur grande cause. C'était un projet insensé et des plus périlleux. Pour que Iakov Poloubotko consente à y mêler sa fille bien-aimée, il fallait que le jeu en vaille vraiment la chandelle. Les fils du grand hetman complotaient-ils réellement à rétablir la souveraineté de leur pays, ainsi que l'avait suggéré Martchouk ? Sofia avait été aperçue en compagnie du comte Orly dans un café non loin de la Banque d'Angleterre. Qui sait ? Les fonds destinés à financer la cause se trouvaient peut-être…

Dans la tête de Kate, le train fait entendre son sifflet et s'arrête, comme si une force puissante avait actionné le signal d'alarme.

Ce ne sont que des conjectures, lui souffle une voix intérieure. *Pose-toi et réfléchis. Tu es avocate. Il te faut des preuves.*

Elle décroche son téléphone et appelle la Banque d'Angleterre. La préposée lui répond du même ton las.

— Je voudrais consulter le registre de 1748, s'il vous plaît.

La femme l'a reconnue, car elle lui répond d'une voix pareille au froissement des feuilles mortes à l'automne.

— Vous connaissez la procédure. Vous devez remplir le formulaire et prendre un rendez-vous. Le registre sera prêt dans cinq jours.

Ravalant sa fierté, Kate implore :

— Je vous en supplie, c'est maintenant que j'en ai besoin.

— Désolée, mais c'est impossible. Les archives couvrant cette période sont conservées dans un autre bâtiment. Il faut le temps de soumettre le formulaire de demande et…

Capitaine Roger. Voilà la solution !

— Pourrais-je parler à Roger, s'il vous plaît ? s'enquiert-elle d'un ton plus posé.

Après un court moment d'attente, elle entend une voix chaleureuse qu'elle reconnaît aussitôt.

— Roger, je vous en supplie, aidez-moi ! s'écrie-t-elle. Je suis dans le pétrin et j'aurai de gros problèmes si je ne peux pas consulter aujourd'hui même le livre de 1748 et le registre des testaments pour la période allant de 1720 à 1734.

Visiblement peu perturbé par les cris de Kate ou par le fait que ses collègues puissent les entendre, Roger répond laconiquement :

— Venez dans trois heures, Kate.

Il a même retenu son prénom.

Cette fois, Kate est sincèrement ravie de le voir. Elle a plus que jamais besoin du savoir encyclopédique du jeune homme.

Sans passer par quatre chemins, elle demande :

— Avez-vous gardé une trace des transferts de fonds effectués entre l'Angleterre et la France vers le milieu du XVIIIe siècle ?

Roger fait non de la tête.

— Je crains qu'il ne se soit pas passé grand-chose pendant cette période. J'imagine mal comment des fonds auraient pu être transférés entre les deux pays alors qu'une guerre les a opposés de 1744 à 1748.

— Admettons qu'un étranger ait déposé de l'or dans votre banque, aurait-il pu le retirer facilement ?

Roger fixe le mur au-dessus de sa tête comme s'il lisait son texte sur un prompteur, puis la bombarde de toutes ses connaissances sur le sujet.

— La période qui vous intéresse englobe ce qui fut appelé le « Vendredi noir », c'est-à-dire le 6 décembre 1745, lorsque la crainte d'une invasion par la France déclencha une crise bancaire. Les échanges de lingots d'or à titre strictement privé n'étaient pas très rentables, et cette activité atteignit son niveau le plus bas au milieu des années 1740. Ses réserves s'épuisant, la banque mit tout en œuvre pour reconstituer son stock d'or.

C'était un usage fréquent à cette époque d'accorder des prêts à des conditions très avantageuses en contrepartie de dépôts en or faits par des étrangers. Toutefois, peu d'emprunts furent souscrits à titre privé. Ceux qui le furent sont tous consignés dans les minutes des réunions de l'assemblée des directeurs.

Sur ces mots, capitaine Roger dépose un épais volume devant Kate.

— Ceci pourrait vous éclairer sur la question des dépôts étrangers en or effectués durant cette période.

Kate retrouve l'extrait du testament qu'elle connaît déjà. Tandis qu'elle touche les pages, une sensation de froid gagne le bout de ses doigts et remonte le long de son bras jusqu'à sa poitrine. Car désormais les mots inscrits au bas de la page et qu'elle avait négligés la première fois prennent tout leur sens :

... Ma volonté est qu'alors ledit héritage soit confié à la charge de mes exécuteurs testamentaires, j'ai nommé Philippe Orlik, ses descendants ou leurs propres descendants, dans le cas où mon héritier serait âgé de moins de vingt et un ans si c'est un homme, et serait marié si c'est une femme de vingt et un ans et plus. Toutefois, par mesure de précaution, il est préférable de

recueillir l'avis du Conseil des banques sur la question de savoir si les exécuteurs pourront disposer du fonds principal.

Kate ouvre le livre que lui a aimablement fourni Roger. Il contient les minutes des réunions de l'assemblée des directeurs. Elle recherche leur avis de même que le fit jadis le comte Orly quand il vint les consulter en compagnie de Sofia et n'est nullement surprise par ce qu'elle lit à la date du 17 juillet 1748. Elle s'attendait à cette découverte tout en la redoutant, comme on redoute l'annonce d'un verdict ou la confirmation d'un diagnostic mortel. À la page 17 du registre, un employé consciencieux a pris la peine d'écrire noir sur blanc ce qu'elle savait au fond depuis le début. En dépit de leur élégance, les circonvolutions tracées par la plume de ce clerc ne parviennent pas à embellir la cruelle vérité :

Assemblée des directeurs de la Banque d'Angleterre du jeudi 17 juillet 1748

Sont présents les sieurs William Fawkener, gouverneur, et Charles Savage, vice-gouverneur.

Question à l'ordre du jour : stock d'or étranger.

Monsieur le vice-gouverneur déclare qu'après avoir examiné l'état du stock déposé dans ses coffres par le défunt colonel Poloubotko il a procédé, à la demande de son exécuteur testamentaire le comte Orly, né Grigori Orlik, au transfert dudit stock en faveur de la descendante du testateur, la dénommée Sofia Poloubotko, âgée de vingt et un ans et célibataire de son état. À l'unanimité, le Conseil rend un avis favorable à l'octroi d'un prêt nanti à hauteur de la valeur du stock d'or déposé dans ses coffres. Le Conseil ordonne par conséquent le prompt versement dudit prêt.

Kate n'a pas besoin d'ouvrir le registre couvrant la période de 1748 à 1763, car elle ne sait que trop bien ce qu'elle va y trouver. Une ligne, une simple ligne qui va tout oblitérer : la mort d'Andreï, son propre voyage à Kiev et des mois de recherches. La gorge nouée, elle tourne la première page de ses doigts raides et glacés.

... autorisation de retrait... dépôt... délivrée aux caissiers...

Elle passe à la page suivante, puis encore à la page suivante. Trois pages plus loin, elle trouve ce qu'elle cherchait.

Au caissier de la Banque d'Angleterre.
   Autorisation délivrée au comte Orly de retirer de mon compte toute somme d'argent dont il fera la demande. La présente vaut procuration.
   Signé : Sofia Poloubotko.

Kate sort de la banque, la tête basse. Elle passe devant la femme à la voix lasse, devant capitaine Roger, devant le poste de sécurité. Il faut qu'elle s'échappe de ce lieu et sorte à l'air libre. C'est comme s'ils savaient tous ce qu'elle sait maintenant. Elle a commis l'erreur classique de l'étudiante de première année. Elle a tiré des conclusions avant de connaître tous les faits. Une erreur idiote et impardonnable.

L'argent a été retiré de la banque il y a plus de deux cent cinquante ans afin de financer un grand projet politique. Cet emprunt a-t-il jamais été remboursé ? Le comte Orly a péri sur le champ de bataille en 1759, et Kate ignore ce qu'il est advenu de Sofia.

En essayant de réclamer aujourd'hui cet héritage au niveau suprême, elle ne ferait que reproduire la malheureuse tentative de faire sauter le Parlement britannique entreprise par Guy Fawkes. Seulement dans son cas, elle opérerait à découvert. C'est devant l'objectif des caméras de télévision qu'elle transporterait son tonneau de poudre à canon à travers la ville et franchirait le poste de sécurité en espérant réussir dans son entreprise.

Kate imagine parfaitement la scène. L'annonce du président ukrainien et la réponse flegmatique du gouvernement britannique exprimant en termes fort diplomatiques un message du genre : « Quelle bande de nuls ! Cet argent est sorti de nos coffres il y a plusieurs siècles. Oh, et rappelez-nous le nom de cette avocate qui a réussi à vous faire gober cette histoire ? Quel montant vous a-t-elle fait miroiter ? » Bref, un vaste scandale dont la presse ferait ses choux gras. Le président ukrainien perdrait la face. Le nom de Kate serait fatalement mêlé à ce fiasco.

Elle se souvient d'un échiquier microscopique vu au musée de la laure de Petchersk. Voilà ce qu'elle est maintenant, un pion pas plus gros qu'une tête d'épingle entouré par les territoires hostiles de l'histoire. Ce rouleau compresseur qui traverse les âges à la recherche de nouvelles victimes à broyer.

Il faut qu'elle agisse pour arrêter la mécanique qu'elle a enclenchée.

De retour à son bureau, elle prend sur sa table un carton d'invitation estampé : *Le président de la république d'Ukraine espère avoir le plaisir de vous accueillir.*

Le chef d'État doit assister le lendemain soir à un banquet organisé par la chambre de commerce et d'industrie de Grande-Bretagne. Kate a reçu une invitation et sera présentée au président après avoir patiemment attendu son tour dans une longue file d'ambassadeurs et de ministres. À ce moment-là, elle ne sera plus qu'à un battement de cils de sa dis-

grâce et n'aura que quelques secondes pour dire :
« Ne présentez pas les documents demain. Il y a
maldonne. La situation pourrait très mal tourner. Je
n'ai pas le temps de vous expliquer, mais je vous en
conjure, faites ce que je vous dis. »

28

Londres, jeudi 12 avril 2001, 16 h 55

Le pouvoir compte plus que la richesse. Désormais, il le sait. Assis sur l'appui de fenêtre de la suite présidentielle, il contemple à ses pieds la verte oasis que forme Hyde Park tout en songeant aux curieux événements survenus depuis un mois.

Il y a une semaine à peine, le métropolite l'a convaincu d'accorder une audience à cette Anglaise bizarre affublée d'un patronyme ukrainien. « Il est rare que je vous fasse de telles demandes, lui a dit le prélat, mais cet entretien pourrait avoir une grande importance pour vous et pour le pays. Accordez-lui cinq minutes. » Il n'a pas apprécié la façon dont l'homme a insisté sur les mots « pour vous ». Craignant une provocation, il a demandé à deux de ses gardes du corps d'assister à la rencontre.

La fille aurait pu être jolie si elle n'avait pas eu ce regard tourmenté et ces plis d'affliction au coin des lèvres. Sans se perdre en explications, elle lui a tendu une liasse de documents. Les papiers semblaient authentiques, mais la fille a refusé de dire comment elle se les était procurés.

Il n'a pas apprécié qu'elle ne sourie pas et ne l'ait jamais regardé. Quand il lui a demandé pourquoi elle faisait ça, elle est restée longtemps silencieuse avant de répondre :

— Je me contente d'obéir aux instructions de mon client.

Une réponse professionnelle et parfaitement neutre, mais était-ce la véritable raison ?

Après son départ, il a demandé au chef de la sécurité :

— Je veux tout savoir sur cette fille. D'où elle vient, où elle habite, ses centres d'intérêt, ses déplacements au cours des deux prochaines semaines. Les gens n'apportent pas ce genre de document à un chef d'État simplement pour obéir aux instructions d'un client. Et puis pour une affaire de cette importance, son cabinet aurait normalement dû nous adresser l'un de ses associés seniors. Pourquoi nous envoyer cette avocate débutante sans personne pour l'accompagner ?

La découverte de ces documents tombait à pic, à quelques jours de sa visite officielle en Grande-Bretagne. À peine trois mois auparavant, interviewé une fois de plus à ce propos, il avait déclaré que cette histoire de trésor n'était qu'une légende. Mais, au fond de son cœur, il avait toujours su qu'elle était vraie. Il s'était entretenu avec des experts, il avait lu des rapports sur la question, sans jamais avoir eu le temps de s'y intéresser de près. Et voilà que le destin lui souriait sous les traits de cette fille au visage fermé.

Il a prévu de présenter officiellement les documents au Premier ministre britannique le lendemain. Si cet argent leur est restitué, son pays ne sera plus en permanence au bord de la crise. Les salaires des mineurs, des enseignants et des personnels de santé seront enfin payés. La dépendance de l'Ukraine vis-à-vis du gaz russe ne sera plus une préoccupation majeure… Il passera ainsi du statut de bouc émissaire à celui de héros national, ce qui l'aidera sans doute à remporter les élections prochaines.

Sa journée a été longue. Il a serré des mains, hoché la tête, souri pendant des heures et n'aspire plus qu'à prendre une courte pause bien méritée à son hôtel avant d'attaquer le programme de la soirée. On ne lui laisse toutefois pas cette chance. Cinq minutes se sont à peine écoulées que le chef du protocole fait irruption dans sa suite pour lui annoncer :

— Le directeur de cabinet du Premier ministre est dehors, monsieur le président. Il vous demande sept minutes de votre temps pour une entrevue informelle. Je précise que cette rencontre n'ayant pas été inscrite au programme officiel convenu entre nos deux services du protocole, vous êtes parfaitement en droit de la refuser. D'un autre côté, il pourrait s'agir d'une affaire de la plus haute importance et un refus de votre part risquerait d'avoir des conséquences sur votre entretien officiel prévu demain avec le Premier ministre britannique.

Le président fouette l'air de sa main, un geste que le chef du protocole a appris à interpréter de différentes façons :

— Pour l'amour du ciel, n'ai-je pas le droit à un peu de repos comme le commun des mortels ?

Ou :

— Vous parlez trop. Contentez-vous de faire ce qui vous semble le plus approprié.

Ou alors :

— Eh bien, puisqu'il est là, autant le recevoir !

Pâle et les traits tirés, l'homme, harassé par cette première journée de visite officielle, finit par opter pour un mélange de la deuxième et de la troisième solution. Si bien que deux minutes plus tard, le chef du protocole revient accompagné d'un personnage grisonnant, au visage maigre, serré dans un costume bleu marine à rayures.

Après l'échange des politesses d'usage, le visiteur plonge son regard dans celui de son interlocuteur et dit :

— Le Premier ministre est impatient de vous rencontrer demain, monsieur le président. Toutefois, il y a à l'ordre du jour de votre rencontre un point qui le déconcerte quelque peu, et c'est pourquoi il m'a prié d'en discuter avec vous avant qu'il ne soit abordé officiellement demain. Je veux parler de la présentation des documents vous permettant de réclamer un certain héritage.

Comment font-ils ? s'interroge le président. Il n'était fait aucune mention de cet héritage dans l'ordre du jour présenté à la partie britannique pour l'entrevue du lendemain. Il avait prévu d'aborder le sujet inopinément lorsqu'ils arriveraient au septième point portant sur les questions diverses.

Est-ce que la fuite est venue de cette fille ? Non, elle a l'air beaucoup trop timide pour ça. Alors, c'est le chef du protocole ? Le président n'attend qu'un prétexte pour se débarrasser de ce type trop futé et fin diplomate, en un mot beaucoup trop dangereux.

— Le Premier ministre comprend que votre pays ait le désir de réclamer ces fonds, alors qu'il traverse une période des plus délicates pour son essor, enchaîne le directeur de cabinet. À supposer que tous les documents soient réunis et que cet héritage existe … (Ses mots sont choisis avec soin et l'interprète a le plus grand mal à en restituer toutes les nuances.) … le gouvernement de Sa Majesté fera tout ce qui est en son pouvoir pour vous aider à récupérer ces fonds. Je crois qu'il est également de mon devoir d'émettre ici une réserve, monsieur le président. La procédure risque de se révéler longue et de vous coûter des millions en frais de justice. Compte tenu de la somme en jeu, tout me porte à croire que c'est précisément ce qui se passera dans cette affaire d'héritage. Or, un scrutin présidentiel doit se tenir l'année prochaine en Ukraine et, en la circonstance, il ne sera pas facile au candidat sortant d'expliquer le bien-fondé d'une telle dépense.

Le président hoche la tête pour signifier qu'il a bien compris les préoccupations du Premier ministre, mais s'abstient de tout commentaire.

— Je voudrais également souligner que votre pays est une puissance émergente de tout premier plan en Europe et que nous serions ravis de soutenir son adhésion à diverses instances internationales.

Le président exprime sa gratitude par un nouveau hochement de tête. Bien qu'il reste muet, il comprend parfaitement le sens des paroles de son interlocuteur.

Finalement, l'homme se lève.

— Eh bien, je me félicite que nous soyons arrivés à nous entendre ! Je vous verrai donc demain, monsieur le président.

Quand il sort, le chef du protocole regarde sa montre. L'entretien a duré très exactement sept minutes.

Mais comment font-ils ? s'interroge-t-il admiratif.

Enfin seul, le président sait qu'il est face à un dilemme. S'il ne réclame pas l'héritage demain, il pourra exploiter longtemps cet atout avec l'espoir que ses amis britanniques soutiendront son pays dans ses aspirations européennes. Un échange de bons procédés, en quelque sorte. S'il parvient à ce que l'Ukraine, avec l'aide de la Grande-Bretagne, entre dans l'O.T.A.N., il pourra se servir de cet argument dans la campagne électorale qui s'annonce et affirmer qu'il met tout en œuvre pour garantir une paix durable à son pays. Les retraités qui n'ont pas oublié la Seconde Guerre mondiale râleront moins pour leurs pensions. Ils s'arrangeront de leur pauvreté tant qu'ils auront la certitude de ne pas connaître un autre conflit. Or, les retraités forment un électorat influent à ne pas sous-estimer. Ce sont eux qui iront aux urnes et feront pencher la balance, pas la génération désabusée des quadras qui ont été bercés d'idéaux socialistes dans leur enfance et s'obstinent à ne voir dans le libre-échange qu'un vaste bazar, et pas non plus celle des jeunes occidentalisés qui s'intéressent à tout, sauf à la politique.

Toutefois, l'Ukraine a désespérément besoin de cet argent. Son pays doit s'imaginer qu'il détient un billet gagnant à la loterie et qu'avec cet argent il pourra enfin s'extraire de la spirale de l'inflation et de la pauvreté. Certes, la procédure risque de durer de longues années, mais quelle publicité ! Il deviendrait le sauveur de la nation. D'un autre côté, si cette somme leur est payée rapidement, il aura à arbitrer les dépenses entre les prestations sociales et le développement du parc nucléaire, entre la défense et les salaires des mineurs, parce que tout le monde réclamera sans tarder sa part du gâteau. Il risque au final de se faire plus d'ennemis que d'amis dans cette affaire.

Au pied du mur, il doit choisir entre, d'une part, le gros lot et la publicité, de l'autre, le soutien du gouvernement britannique et les chicanes budgétaires.

Le président regarde par la fenêtre un groupe de cavaliers traversant Hyde Park. Soudain, un cheval part au galop. Le jeune garçon qui le monte est déstabilisé mais parvient à se maintenir en selle.

Le président ne peut pas se permettre d'être jeté à bas de sa monture. Il lui faut bien réfléchir.

Il se tourne vers son chef de cabinet.

— Cette avocate qui nous a apporté les documents. Lui a-t-on envoyé une invitation pour ce soir ? Je tiens à la remercier en personne quand je la verrai.

— Tout le nécessaire a été fait, le rassure son collaborateur.

Sur quoi, ce dernier s'éclipse discrètement pour laisser au président une chance de se détendre un peu pendant les vingt-deux minutes qui lui restent avant d'attaquer son programme de la soirée.

Lui-même a besoin de repos. Sa journée aussi a été longue, sans compter que cette fille lui a donné du fil à retordre.

Il a été très étonné, avant leur départ de Kiev, quand le président a accepté de recevoir au pied levé et en tête à tête une avocate anglaise parfaitement inconnue qui n'était même pas particulièrement jolie. Pour comble, il n'avait pas été autorisé à assister à l'entretien, alors même que le chef de la sécurité avait été appelé. Il avait donc décidé de mener sa petite enquête. Après avoir suivi la fille jusqu'à l'aéroport, il avait pris quelques photos qu'il avait envoyées à Moscou par messagerie spécialisée. Ce n'était pas de la trahison, non. D'ailleurs, ce mot était hors contexte. Au contraire, il avait agi par loyauté envers l'organisation qui l'avait pris sous son aile vingt ans auparavant. L'argent n'entrait pas en ligne de compte. À moins que…

Il regarde sa montre. Il a juste assez de temps devant lui pour prendre une tasse de thé et déguster une part de forêt-noire. Il est fou de ce gâteau au chocolat depuis qu'il y a goûté deux ans plus tôt dans ce même hôtel. Il l'a bien mérité, avec tout le mal qu'il s'est donné. Et tant pis si sa femme l'embête sans arrêt pour qu'il perde du poids. Chauve et rondouillard comme il est, elle trouve qu'il ressemble à une boule de billard.

29

TARAS

Londres, jeudi 12 avril 2001, 16 h 55

Il est 16 h 55 quand il remporte finalement la victoire. Il a passé la journée à tenter de persuader Amy de le laisser voir Kate, et le tableau pointilliste au mur n'a plus aucun secret pour lui. Quand il a appelé ce matin le numéro qu'elle lui a donné, la voix de la réceptionniste lui a tout de suite semblé étrangement familière.

Est-ce que toutes les standardistes de cabinets juridiques sont sélectionnées sur leur voix ? s'est-il interrogé. La jeune femme lui a répondu que Kate serait absente toute la journée, avant de lui donner l'adresse de leurs bureaux. En consultant son plan, la coïncidence ne l'a pas frappé tout de suite. Il savait que tous les avocats étaient regroupés dans un même quartier de Londres. Mais dans le hall d'accueil, en reconnaissant le fauteuil crème et le tableau pointilliste, il a tourné les talons. Une fois ressorti, il lui a fallu une demi-heure de marche sur les quais de la Tamise pour élaborer un nouveau plan d'action.

Amy a paru ravie de le voir ou plutôt de voir le beau baron polonais qui avait eu une entrevue avec Mlle Fletcher le mois précédent. Elle a écarquillé ses yeux un peu trop maquillés en entendant que le baron se souvenait de son prénom.

— Bonjour, Amy, je viens voir l'avocate que vous m'avez recommandée lors de ma dernière visite. Votre spécialiste des pays d'Europe de l'Est. Kate, c'est bien ça ?

C'est à ce moment précis qu'a commencé la bataille pour soutirer à la réceptionniste l'emploi du temps de Kate, son adresse personnelle et ses déplacements pour la journée.

La jeune femme lui a proposé un rendez-vous pour le lendemain, mais a obstinément refusé de donner à Taras la moindre information sur Kate. La tête haute, l'air déterminé, elle a tenu bon. Au point que Taras a fini par se demander si cette fille n'avait pas reçu un entraînement militaire.

Il a tenté toutes les stratégies : jouer l'effet de surprise à l'issue d'une longue attente silencieuse, feindre de partir en disant qu'il reviendrait après l'heure du déjeuner, commencer par poser des questions générales sur le cabinet pour l'amener progressivement sur le sujet qui l'intéressait. Rien n'y a fait.

Il en a finalement été réduit à intercepter le facteur au moment où il entrait dans l'immeuble. L'homme n'était que trop content de se décharger de son courrier sur un avocat nouvellement embauché par le cabinet. Hélas, aucune lettre n'était adressée à Kate. À 16 h 50, il a fini par rendre les armes quand Amy, sur le même ton aimable, lui a annoncé son intention d'appeler la police.

Mais, alors qu'il regagnait la sortie, il l'a entendue parler au téléphone :

— Comment ? Vous avez un cadeau de mariage à envoyer à Kate ? J'imagine qu'elle l'a commandé pour son amie et vous aura donné par erreur l'adresse du bureau. Je ne sais par pourquoi, mais elle me semble très distraite depuis quelque temps. Non, inutile de l'appeler, je connais son adresse personnelle. Soyez gentil de livrer le paquet au...

Taras quitte l'immeuble avec un gros soupir de soulagement. Il consulte encore une fois son plan : il aura plus vite fait de prendre un taxi.

KATE

Il est 16 h 55 quand elle retrouve enfin les clés de sa voiture. Elle inspecte une dernière fois son reflet dans la glace. Il faut qu'elle ait la tête de l'emploi. Sa robe de demoiselle d'honneur pour le mariage de Marina fait parfaitement l'affaire. Décolletée, fluide, mais tellement serrée à la taille que Kate a dû se retenir de respirer pour remonter la fermeture Éclair. Il ne lui reste plus qu'à espérer que les coutures ne vont pas lâcher en présence du président et de toute la presse. Les dernières vérifications faites, elle referme la porte de son appartement.

Dans la City, le dispositif de sécurité a bloqué tout le quartier, si bien que trouver une place où se garer est presque impossible. Elle est donc obligée de finir le trajet à pied, quitte à avoir l'air ridicule sur ses talons hauts et dans sa robe de soirée aux yeux des buveurs qui braillent devant les pubs. Le temps qu'elle arrive à l'entrée, la longue file d'attente des invités s'est réduite à un mince attroupement de retardataires.

Un homme en blazer frappé de l'emblème de Guildhall l'accueille avec un sourire.

— Avez-vous votre invitation, madame ?

Son invitation ! La seule fois où elle a été aussi embarrassée, c'est le jour où elle a renversé un verre de vin rouge sur le chemisier en soie blanche de l'épouse d'un associé du cabinet.

— Je suis désolée, je ne l'ai pas sur moi, mais... j'ai ma carte de la bibliothèque du barreau à mon nom et avec ma photo. Oh ! Et j'ai aussi mon permis de conduire.

— Je suis navré, madame, mais nous avons des consignes très strictes ce soir. Vous devez nous présenter votre invitation.

Le sourire de l'homme ne s'adresse déjà plus à Kate, mais à la personne qui se trouve derrière elle dans la file. Aux yeux de ce vigile, elle a cessé d'exister.

Elle réfléchit aux différentes options qui se proposent à elle.

Option A. Elle peut attendre à la porte jusqu'à ce que le président sorte et l'interpeller de loin. Cela ferait très bon effet auprès de la presse. Elle imagine déjà les gros titres des journaux le lendemain :

NOUVELLE OFFENSIVE DES DÉFENSEURS DE L'ENVIRONNEMENT

« Ne le faites pas, monsieur le président ! », hurlait hier soir la foule rassemblée devant Guildhall. Les militants écologistes protestaient contre la décision du président ukrainien de remettre en fonction deux réacteurs à la centrale de Tchernobyl.

L'article serait accompagné de la photo d'une jeune femme engoncée dans une robe-fourreau, transie, le nez humide et le cheveu plat après avoir fait le pied de grue pendant près de trois heures.

Option B. Implorer le type de la sécurité d'appeler le chef de cabinet du président, l'homme à la tête en boule de billard qui veillait sur elle à Kiev. Elle tourne son regard vers l'entrée qui vient d'avaler les derniers invités. Assurément, il peut bien s'arracher au président le temps de venir à la porte. Mais ce vigile dédaigneux n'acceptera jamais de lui rendre ce service.

Ce qui signifie qu'il ne lui reste que l'option C. Attendre le président dans le hall de son hôtel le lendemain et tenter de le prendre en embuscade quand il sortira pour se rendre à ses rendez-vous de la matinée. Elle risque de se ridiculiser devant les hommes de son escorte, mais avec un peu de chance il la reconnaîtra et se souviendra de leur entretien.

Il est 18 h 30. Au volant de sa Golf, Kate est coincée dans les embouteillages du vendredi soir. Elle ne peut pas se plaindre. Jusque-là, sur Marylebone Road en direction de Paddington, le flot avance, bien que lentement.

Derrière elle, une voiture a son pare-chocs presque collé au sien. Dans son rétroviseur, Kate regarde le conducteur qui a les deux mains crispées sur son volant. D'âge moyen, les cheveux bruns, le teint mat. Il n'est visiblement pas d'ici. Un Bulgare, ou peut-être un Roumain. Passé le pont, le trafic devient un peu plus fluide, et Kate peut enfin accélérer. Pas trop tôt ! Elle en a plus qu'assez de contempler les grandes lettres rouges formant les mots *Eastern European Logistics* sur le derrière du camion qui la précède.

J'ignorais qu'on autorisait les poids lourds à circuler aussi près du centre-ville, songe-t-elle. *Il est peut-être perdu et cherche l'autoroute. En attendant, il me bloque complètement la vue, et j'ai maintenant cet idiot derrière moi qui me colle au train.*

Elle s'apprête à déboîter pour le doubler, profitant d'un espace sur la voie rapide, quand soudain le camion freine, tandis qu'au même moment la voiture derrière elle heurte son pare-chocs. Kate enfonce son pied sur la pédale de frein, mais le camion est trop proche d'elle. Dans un énorme fracas, sa Golf compressée prend la forme cauchemardesque d'une œuvre de Dalí.

Une avalanche s'abat sur elle. Tout son sang lui monte à la tête. Elle plonge dans un puits sans fond à une vitesse terrifiante. Autour d'elle, des lumières clignotent de plus en plus vite, comme dans un kaléidoscope. Elle est happée par un monde de ténèbres silencieuses et indifférentes. Elle n'éprouve aucune douleur. *Est-ce que la mort ressemble à ça ?* pense-t-elle avant de sombrer dans un grand trou noir.

30

TARAS

Londres, vendredi 13 avril 2001, 9 h 55

À 9 h 55, Taras marche à contre-courant du trafic qui congestionne le quartier de l'Embankment. Escortée par des motards, une voiture ornée du drapeau bleu et jaune de l'Ukraine le dépasse. Taras a le temps d'entrevoir à son bord le visage du président penché sur ses dossiers.

Un quart d'heure plus tard, il se tient face au tableau pointilliste. Amy, le sourire crispé, le salue à peine.

Taras, qui n'a pas fermé l'œil de la nuit, en est réduit à implorer.

— Je vous en supplie, Amy, je dois voir Kate à tout prix. (Il lui montre le numéro de téléphone que la jeune femme lui a donné.) Elle voulait que je vienne la voir. Regardez, c'est elle-même qui m'a donné son numéro. Nous nous sommes rencontrés à Kiev, et je lui ai promis de passer lorsque je serais à Londres.

Amy reste de marbre.

— Vous ne comprenez pas, reprend-il, et son accent rend son ton encore plus rude et impatient. Je dois absolument la voir. Elle court un grave danger.

Taras n'a jamais assisté à une telle métamorphose.

Amy pince les lèvres pour retenir un sanglot et discrètement écrase une larme. En un instant, la jolie jeune femme aux yeux charbonneux prend les traits d'un samouraï fatigué.

— Je sais seulement que sa vie est en danger, dit-elle. Carol vient d'appeler de l'hôpital. Kate est toujours entre la vie et la mort. Sa voiture a été littéralement broyée.

Taras sort aussitôt sans prendre le temps de dire au revoir au samouraï qui occupe désormais le poste de la réceptionniste. Inutile de demander comment c'est arrivé, il a déjà sa petite idée.

De retour à son hôtel, il commande le plat le plus cher inscrit sur la carte du service d'étage.

— Combien de temps pour la préparation ? Trente minutes ? Ne vous pressez surtout pas. Vous n'aurez qu'à me l'apporter dans une heure.

Cela fait, il étale devant lui trois feuilles de papier et les examine soigneusement, étonné de voir combien leurs méthodes se répètent. Trois jeunes femmes, trois époques et toujours la même façon de procéder. Quel nom Sourikov donnait-il à cette méthode ? La « chevauchée mortelle », c'est ça.

Taras repousse du bout du doigt chaque feuille l'une après l'autre.

Une copie du rapport rendu par le commandant des dragons chargé d'arrêter l'ennemie de l'Empire Sofia Poloubotko. Une poursuite et un carrosse qui verse malencontreusement dans le fossé.

Une copie du compte rendu de l'interrogatoire d'Oxana Poloubotko accompagné du verdict de Karpov : « Garder en vie, au cas où l'identité ait besoin d'être utilisée à l'avenir. » Les montagnes russes d'une chevauchée pharmaceutique.

Un numéro de téléphone noté sur un morceau de papier froissé. Un accident de voiture, si banal, si facile à mettre en scène. Ils ont probablement utilisé la technique habituelle : un poids lourd devant qui roule à la vitesse d'un escargot et une voiture rapide derrière.

Son doigt s'arrête sur la première feuille.

À l'attention du maréchal Razoumovski.

Conformément à vos ordres d'arrêter l'ennemie de l'Empire Sofia Poloubotko, notre escouade de dragons s'est postée à la frontière polonaise pour attendre son carrosse. Après une courte poursuite, la voiture a versé dans le fossé. Le cocher est mort sur le coup, la jeune fille était pâle, mais respirait encore quand nous l'avons trouvée. Elle est décédée à l'aube sans avoir repris connaissance.

Nous avons retrouvé dans sa voiture :

Des coussins de brocart au nombre de cinq.

Une malle renfermant des vêtements féminins dans le style petit russien.

Des petites cuillères en argent au nombre de deux.

Une bourse de cuir contenant vingt-cinq florins or.

Un livre de Voltaire intitulé L'Histoire de Charles XII, *imprimé à Rouen en 1731, avec une page marquée et deux phrases soulignées :* « L'Ukraine est le pays des Cosaques, délimité par la basse Tartarie, la Pologne et la Moscovie. De tout temps il a aspiré à la liberté. »

Votre humble serviteur.

Commandant des dragons Morozov.

Taras plie méticuleusement la copie du rapport. Il ne saura jamais pourquoi ils ont agi comme ils l'ont fait. En ce qui le concerne, le dossier N1247 est clos.

Sofia avait bien failli y arriver. Mais ils ne lui ont pas permis d'aller jusqu'au bout. Quand Taras a lu ce qui lui était arrivé, il a immédiatement su que Kate serait la prochaine. Les photos que lui avaient montrées Karpov avaient été prises par une personne de l'intérieur. Ils savaient forcément qui elle était. Une journée, c'était tout le temps qu'il lui aurait fallu pour la prévenir et la protéger.

Comme dit le proverbe russe : « De l'amour à la haine, il n'y a qu'un pas. »

Personne ne lui avait jamais dit qu'il n'y avait aussi qu'un pas de la haine à l'amour, un simple pas à franchir vers une rose microscopique à l'intérieur d'un cheveu humain, vers un grain de beauté sur un long cou gracieux. Il se rappelle la façon qu'elle avait de mordiller le coin de sa lèvre en le regardant par-dessous sa frange. Le contact de sa peau brûlante sous sa main. Il se savait assez fort pour survivre à la souffrance physique, à la solitude, à l'humiliation, à vingt-quatre heures d'interrogatoire ininterrompu et à la torture sonore. Mais son entraînement à l'académie ne l'avait pas préparé à ça.

Certes, il avait déjà désiré une femme au premier regard, mais Carmen produisait cet effet sur tous les hommes. Ce qu'il éprouvait pour Kate était différent. Cette sensation d'étourdissement, cette vague de tendresse qui le submergeait, ce besoin pressant de l'enlacer et de la protéger du monde extérieur.

Était-ce sa fragilité qui l'avait attiré chez elle ? Ou bien une forme de possessivité qui le poussait à vouloir accaparer ce qu'Andreï avait eu avant lui ? À vouloir connaître les mêmes émotions avec la même femme ?

Il regarde le visage souriant de Kate sur la photo qu'il a gardée d'elle et dessine de son doigt l'ovale de son visage, sa chevelure qu'il n'a jamais caressée, ses lèvres qu'il n'a jamais embrassées.

Elle a la tête inclinée vers l'épaule de l'homme qui l'accompagne, et son regard est lumineux. Ses traits slaves lui rappellent vaguement ceux d'une autre femme. Cette autre femme qui ne le quitte jamais.

Taras se lève et va tirer les rideaux épais, se coupant ainsi de la lumière d'un jour exceptionnellement ensoleillé, du vacarme des sirènes et du crissement des pneus sur la chaussée. Il s'assied dans le noir, dos à la fenêtre. Isolé des vivants, il se laisse aller à une dernière faiblesse, une ultime réminiscence.

« *Nie-e-se Ha-a-a-lia... vo-o-dou...* » C'est sa mère qui chante, c'est pour lui qu'elle chante. Elle rit et lui fouette les cheveux avec une serviette de lin brodé. Elle n'aurait jamais dû le quitter. Elle lui manque encore. Chaque jour il se souvient de sa peau, de son odeur, de la manière qu'elle avait de s'agenouiller devant lui pour lui parler, afin que leurs yeux soient à la même hauteur. Il se rappelle comment elle retenait ses cris quand, dans ses accès de jalousie, son père ivre la battait. Elle ne voulait pas réveiller son petit garçon et ne savait pas que, caché derrière le rideau à fleurs, il observait toute la scène.

Je ne suis qu'un lâche, admet-il enfin. Il est tellement soulagé qu'aujourd'hui, enfin, il peut se l'avouer. Il aurait dû courir chercher de l'aide, il aurait dû se jeter sur son père, le mordre et lui donner des coups de pied quand il l'avait vu passer ses mains autour du cou de sa mère. Mais il était terrifié. Son père l'avait traînée dehors puis, soudain, le calme était revenu. Comme si rien ne s'était passé. Depuis ce jour, il ne supportait plus le silence. La radio, des gouttes tombant d'un robinet, le vacarme de la rue, tout était préférable à cette absence de bruit.

Deux jours après la disparition de sa mère, Taras avait vu son père dans les bois sous un grand *smeraka*, un « épicéa ». Assis sur un tas de feuilles mortes, il sanglotait et essuyait de sa main ses larmes d'ivrogne. Le lendemain, Taras s'était approché de l'arbre. Il s'était assis sur le même tas de feuilles, puis s'était mis à creuser dans les feuilles pourries, terrifié à l'idée de ce qu'il pouvait découvrir. Il avait creusé frénétiquement en se servant de ses ongles, puis en s'aidant d'une branche, mais il n'avait rien trouvé. Craignant que son père ne devine ce qu'il avait fait s'il voyait cette terre sur ses mains, Taras avait couru au ruisseau les plonger dans l'eau glacée. Il les avait longuement lavées et frottées en se servant d'un caillou acéré pour gratter la crasse sous ses ongles.

Quand son père était mort, il n'avait pas pleuré. C'était un accident qui devait finir par arriver tôt ou tard. À force de vider une bouteille de gnôle chaque matin dès le réveil, ce poivrot devait finir par trébucher sur une pierre du chemin. Vu l'état de son crâne brisé, on aurait pu croire que quelqu'un s'était acharné sur lui, avait déclaré la police. Mais c'était sans doute parce que, après sa chute, il avait roulé au bas du talus en se cognant la tête aux arêtes coupantes des rochers.

Taras avait attendu son heure pendant trois ans. Il avait tout planifié. Pourtant, la vengeance n'avait pas fait disparaître la douleur. Il n'avait pas su protéger sa mère. Quoi qu'il invente pour se justifier il ne pourrait jamais changer ça. Il n'avait pas su protéger Kate. Il ne l'avait pas aidée quand, assise face à lui à l'aéroport, elle le regardait en se mordillant la lèvre pour retenir ses larmes. « Avez-vous jamais eu cette sensation d'être seul et de penser que le monde entier était contre vous ? » Si, trop souvent.

« Pensez-vous qu'il soit possible de continuer à vivre dans ces conditions ? » Chaque jour, il doit lutter contre ses souvenirs. Il n'y a qu'un seul moyen de les arrêter.

Taras consulte sa montre. L'heure est venue. Il se lève lentement et marche jusqu'à la salle de bains. Il a répété tous les détails logistiques de l'opération, et ses gestes sont maintenant parfaitement calculés. Il place les documents, son billet de retour et la photo de Kate dans le lavabo et gratte une allumette. Peu à peu, lettre par lettre, il voit s'effacer le titre de l'article sur le morceau de journal : B...O...N...V...O...Y...A. Puis les flammes dévorent la main d'Andreï et le sourire de Kate. Bientôt il ne reste plus dans l'évier qu'une volute noire de papier brûlé et une tache jaune. Taras rince les restes avant de frotter la tache.

Ensuite, il se lave les mains plus longuement que d'habitude. Puis il étale de la mousse à raser sur sa lèvre supérieure et fait disparaître sa moustache. Il se rince de nouveau les mains, essuie un à un chacun de ses doigts et met sa serviette à sécher sur le rebord de la baignoire. Cela fait, il contemple son reflet dans la glace. Sa logeuse avait raison : il paraît plus jeune sans sa moustache.

De retour dans la chambre, il ouvre sa sacoche et en sort son vieux ceinturon de l'armée. « Tu connais les ficelles, jeune homme. Pourtant, fais bien attention de ne pas t'emmêler les pieds », l'avait mis en garde la diseuse de bonne aventure à Cambridge. Voilà donc ce qu'elle voulait dire.

Il sait que le ceinturon résistera à son poids. Celui qui avait été utilisé dans le même but à la caserne avait résisté cinq heures. Il se souvient du jour où l'une des jeunes recrues du régiment s'était pendue, incapable de supporter plus longtemps les sévices que lui infligeaient les Tchétchènes. Les autres soldats n'avaient pas eu le droit de le toucher avant l'arrivée des membres de la commission d'enquête et ils étaient restés là, immobiles et silencieux autour du cadavre. Taras avait remarqué non sans étonnement le sourire qui flottait sur les lèvres du mort. Un gars de Moscou qui en connaissait un rayon sur la question leur avait doctement expliqué que la suffocation peut parfois déclencher une sensation proche de l'orgasme.

Taras enfile une chemise blanche impeccablement repassée, la boutonne en partant du bas et laisse le col ouvert. Puis il marche jusqu'à la porte de sa suite et l'entrebâille. Voilà comment il veut qu'on le découvre : dans une chemise propre, les mains nettes. Sur ses lèvres flottera un sourire mystérieux que ne cachera plus sa moustache. Il partira en vainqueur.

Il n'entendra pas Monica, la femme de chambre polonaise, pousser un cri, puis se signer sans discontinuer pendant quarante minutes, il ne verra pas l'air contrarié du gérant contemplant son cadavre et écoutant les explications de son employée. « Ce qui m'a le plus terrifiée, répétera-t-elle entre deux sanglots, c'est l'étrange grimace imprimée sur les lèvres du mort. On aurait dit un sourire. »

À 10 heures, le président et sa suite arrivent au 10 Downing Street. Après les photos d'usage et l'inspection de la garde d'honneur, les deux chefs d'État et leurs directeurs de cabinet montent au salon de réception pour un entretien en tête à tête qui durera cinquante minutes au lieu des quarante-cinq minutes prévues au programme.

Sur le manteau de la cheminée du salon, l'aiguille de la pendule s'approche de 11 heures. L'ordre du jour officiel est épuisé, et le protocole a prévu une plage de cinq minutes pour les adieux. Toutefois, le point numéro sept n'a toujours pas été traité : les questions diverses n'ont pas été abordées.

Le Premier ministre regarde le président.

— Eh bien, je crois que nous en avons fini !

— Presque, monsieur le Premier ministre. (Le président se tourne vers son directeur de cabinet.) Où est le cadeau ? Je tiens à l'offrir en personne.

Les deux chefs de cabinet échangent un regard soucieux. Tous deux n'aiment guère les surprises.

— Vous me pardonnerez de bousculer le protocole, mais j'aimerais sincèrement vous offrir ce présent de mes mains. (Il ôte le papier entourant un coffret en bois ouvragé.) Cette année, la pâque orthodoxe ukrainienne coïncide avec la pâque protestante, qui sera célébrée dimanche prochain, poursuit le président en tendant le coffret à son hôte.

Avec une expression de politesse circonspecte, ce dernier ouvre le couvercle non sans une certaine appréhension et laisse échapper un soupir de soulagement en voyant dans la boîte un œuf de Pâques en bois peint.

— Nous les appelons « *pissanka* », précise le président. C'est une tradition chez nous. À Pâques, les enfants et leurs parents les décorent avec de la cire d'abeille et non de la peinture. Tous les motifs et les couleurs que vous voyez là ont leur symbolique. Le vert, par exemple, représente la santé, l'or, la sagesse. Celui-ci a été peint dans un orphelinat non loin du village où j'ai grandi. Nous consacrons tous les fonds que nous pouvons à aider les enfants défavorisés, mais hélas, notre budget ne nous permet pas…

Quelle manière habile d'amener son sujet, pense le Premier ministre en l'écoutant. *Je devine très bien où il veut en venir. Il vient de m'offrir un cadeau et maintenant il va lâcher sa bombe.*

— … mais nous ne nous laissons pas décourager. Quant au légendaire trésor des Cosaques…

Les deux chefs de cabinet s'observent, chacun scrutant les réactions de l'autre. L'un tapote son stylo sur la table, l'autre fait mine de regarder par la fenêtre en poussant un long soupir.

Le président esquisse un mince sourire.

— Quel dommage que le 12 avril, journée des Astronautes, soit déjà passé ! Nous aurions pu décrocher la Lune.

À son tour le Premier ministre scrute le visage de son interlocuteur. Est-il trop tôt pour souffler ?

— Mais je ne me ferai pas le porteur de mauvaises nouvelles un vendredi 13, poursuit le président. Quant à ce trésor qui dormirait dans les coffres de la Banque d'Angleterre… (Il marque une courte pause.) … ce n'est hélas qu'une légende.

Le chef de cabinet qui martelait nerveusement la table lâche son stylo et se renverse dans son siège avec un sourire de façade. Son homologue desserre d'un cran le nœud de sa cravate rouge. Le cap le plus délicat de la visite vient d'être franchi. La réunion est terminée.

Sur la cheminée, la pendule se met à carillonner.

ÉPILOGUE

KATE

Edmonton, Canada, juillet 2009

Le chaud et le froid ne se mélangent pas à Edmonton, pas plus qu'au robinet des auberges traditionnelles anglaises.

La première neige tombe d'ordinaire à la fin du mois d'octobre. En janvier la température peut tomber à − 40 °C, mais dans la vallée les parcs sont toujours pleins de gens venus là pour faire de la luge, du patin à glace ou du ski de fond.

En juillet, la ville passe en mode festif dans l'atmosphère surchauffée du festival Capital EX qui offre au public l'occasion de se replonger dans l'époque de la ruée vers l'or.

Celui qui veut échapper à la foule peut longer la pyramide de verre de l'hôtel de ville, puis l'élégant bâtiment du vieil hôtel McDonald avec ses seize étages et poursuivre en direction de la rivière. En descendant la vallée, il verra sur la rive sud les installations impressionnantes du campus de l'université d'Alberta, où les bâtiments de brique rouge des facultés côtoient les silhouettes futuristes de plusieurs constructions blanches abritant les centres de recherche et les bibliothèques.

La faculté de droit est l'une des plus anciennes de l'université. Il y a trois ans, un nouveau professeur a rejoint son équipe pédagogique, et cette enseignante est immédiatement devenue un sujet de débat pendant les pauses, entre deux études de cas pratiques.

Son cours consacré au droit des successions traite des testaments, de leur homologation, de la désignation des exécuteurs et des obligations des mandataires. Ses conférences sont passionnantes, car cette spécialiste connaît à l'évidence les côtés pratiques de la question. Toutefois, son accent anglais et sa réticence à donner des exemples tirés de sa propre expérience agacent une partie des étudiants. Certains la trouvent jolie, tandis que d'autres la surnomment la « Zombie » à cause de son regard éteint et de sa manière de pivoter son corps tout entier quand quelqu'un lui pose une question. Ses mouvements raides et sa claudication suscitent aussi beaucoup d'interrogations : infirmité congénitale ou suites d'un accident ? La femme vit seule en compagnie d'un chien aussi énigmatique qu'elle. On la voit souvent marcher avec son braque de Weimar qui répond au nom de Proby sur les sentiers du parc Emily Murphy, près de l'université.

Je sais ce qu'ils disent de moi. J'ai surpris plus d'une fois leurs conversations. Ils n'ont pas l'air de comprendre que j'entends parfaitement, bien que je n'arrive pas à tourner la tête. Mais je m'en moque. Je suis ce que je suis. Et j'aime cet endroit. Je me sens presque chez moi à Edmonton. Ici, un dixième de la population est d'origine ukrainienne, et personne n'a de mal à prononcer mon nom.

J'aime la lumière des longues journées de juin et ses reflets argentés sur le pelage de mon chien. J'aime faire de longues marches d'un parc à l'autre en suivant ce que l'on appelle ici le « Ruban vert » et voir Proby se fondre parmi les troncs gris métallisé des trembles. Ici, les étés sont joyeux. Il se passe toujours quelque chose dans la ville des festivals.

J'aime aussi les hivers. Parfois les samedis après-midi, quand la nuit tombe tôt, je fais une escapade au centre commercial de West Edmonton, le plus grand d'Amérique du Nord, à ce qu'on dit. On pourrait s'y perdre. Il y a même un itinéraire recommandé pour les marcheurs « dans un environnement sûr et climatisé ».

Parfois, je prends le train jusqu'à Rexall Place pour voir jouer l'équipe de hockey des Oilers d'Edmonton. Ensuite, je vais dîner chez Oncle Ted, un restaurant qui sert de la bonne cuisine ukrainienne, à une vingtaine de minutes à pied du stade, sur la 118e Avenue. Il y a dans cette ville d'autres endroits fabuleux où les Ukrainiens peuvent déguster des *pirojki*. Parfois, j'entends les vieux passer leur commande dans leur langue teintée d'un fort accent canadien, avec des voix que l'âge a réduites à un murmure rauque.

En suivant l'autoroute 16 vers l'est à partir d'Edmonton, dans les villes et les villages, l'ukrainien ne se chuchote plus. Il se crie haut et fort : la plus grosse *pissanka* du monde exhibée à Vegreville, l'énorme saucisson, *kovbassa*, à Mundare, l'écomusée de Kalyna Country et son domaine abritant un village dédié au patrimoine culturel ukrainien.

Conduire est la seule chose que je n'aime pas faire ici, parce que je sens la plaque de métal implantée dans ma jambe gauche dès que j'appuie sur la pédale, mais surtout parce que chaque fois que je m'installe au volant je dois me raisonner. Le fait de me concentrer excessivement sur la route me donne des migraines, mais ces maux de tête ne me perturbent pas plus que ça. Comme je l'ai appris, la douleur physique peut aussi nous distraire d'autres choses plus pénibles encore.

C'était un accident classique, m'ont-ils dit. L'absence de témoins était cependant surprenante. La police avait retrouvé une voiture de tourisme encastrée dans un mur à Tooting. En vérifiant la plaque d'immatriculation, ils avaient constaté qu'elle avait été volée le matin même sur le parking d'une maison de retraite. Elle appartenait à un vieil homme qui avait déclaré sa disparition une heure avant l'accident. En revanche, le camion d'Europe de l'Est n'a jamais été retrouvé, ce qui est étonnant compte tenu de sa taille.

Une odeur douceâtre et écœurante, voilà la première chose dont je me souvienne quand j'ai repris connaissance. Ça et les fleurs. Il y en avait partout, et des cartes aussi. De la part de copains de fac oubliés, d'anciens camarades de classe que j'avais depuis longtemps rayés de mon carnet d'adresses. Il y avait même une corbeille de fruits envoyée par Carol. Je me souviens de visages également. Le front soucieux de mon père, la barbe naissante de mon frère contre ma joue, le visage hâlé de ma mère, les traits de Marina penchée sur moi et la présence permanente de ma grand-mère. Curieusement, je ne me rappelle pas avoir vu Philip, bien qu'on m'ait rapporté qu'il était passé tous les jours. Enfin, presque tous les jours pendant le premier mois de mon hospitalisation, quand il n'avait pas de présentation à préparer, de réunion avec ses clients ni de partie de golf avec ses associés.

Il y avait chez moi tellement de choses à réparer que le spécialiste qui s'occupait de moi m'avait demandé la permission de présenter mon cas à ses étudiants. Mon dossier était digne de figurer dans les annales de médecine clinique :

> *Une fracture non stabilisée au niveau de la deuxième vertèbre cervicale consécutive à un violent traumatisme nécessitant le port d'une minerve et des dispositifs de fixation externe. (Ma tête avait heurté le pare-brise de la voiture.)*
> *Un fémur fracturé en plusieurs endroits nécessitant la pose d'une broche métallique pour maintenir les os en place. (Quand le capot avait été broyé, mes jambes avaient reçu tout l'impact du choc.)*
> Rupture de la rate.
> Fracture du tibia.

La simple lecture de cette longue liste m'épuisait.

Pourtant, le plus dur n'avait pas été l'hospitalisation. Assommée que j'étais par les antalgiques, je flottais dans un état comateux.

Le plus difficile avait été ma sortie. Il m'avait fallu apprendre à me déplacer dans la maison à l'aide d'un déambulateur, à pivoter mon corps d'un bloc quand on me parlait, à sentir dans ma bouche ce goût métallique quand je devais m'aventurer dehors et traverser une route, à éluder les questions de Philip auxquelles je n'avais pas de réponse. Il a finalement eu la sagesse de partir le premier.

Je suis venue ici il y a cinq ans pour un colloque consacré à la résolution alternative des conflits. Je n'avais guère d'alternative à proposer, mais je me réjouissais de fuir le cabinet et d'échapper à Carol.

J'avais vu l'annonce en passant devant le bureau du doyen. La faculté allait s'agrandir et « compte tenu de la mondialisation de l'économie et de l'internationalisation des professions juridiques », elle prévoyait d'embaucher des collaborateurs étrangers. J'ai tout de suite postulé et rapidement obtenu mon permis de travail. Après quoi, j'ai reçu une liste d'agents immobiliers et de déménageurs dignes de confiance, et c'est ainsi que je me suis retrouvée dans ce deux-pièces que je loue à Edmonton.

Mon appartement donne sur Whyte Avenue. Ce n'est pas le quartier le plus calme de la ville, mais il est très bien situé, à proximité de la vallée (qui offre quelques belles promenades pour Proby) et de l'arrêt de bus pour l'université.

La règle numéro un quand on croise dans une ruelle sombre une bande de jeunes avinés, c'est de traverser en gardant la tête baissée et de presser le pas. En maintenant ainsi une distance de sécurité avec le groupe, il y a peu de risques que la situation dégénère. C'est ce que j'ai fait ici depuis mon arrivée. Je me suis faite discrète, je me suis réfugiée dans mes souvenirs en regardant de loin les manifestations de joie et de colère, et j'ai traîné ma peine le long de la rivière en compagnie de mon chien.

Jusqu'à l'année dernière.

Jusqu'à l'arrivée de ce garçon. Je ne saurais expliquer ce qui me plaît le plus chez lui, peut-être sa façon de me tenir la main. Il commence par tapoter mon poignet du bout de ses doigts, puis d'un mouvement rapide glisse sa paume dans la mienne. Elle s'emboîte parfaitement, comme le couvercle sur un plumier de l'époque victorienne. À moins que ce ne soit sa façon de rire aux éclats quand Proby passe sur sa joue sa langue râpeuse.

Je n'avais pas prévu de l'accueillir. C'est arrivé comme ça l'été dernier, alors que je faisais du bénévolat au village ukrainien de Kalyna Country. Ce vaste muséum en plein air compte une trentaine de bâtiments, et tous ceux qui y travaillent prennent leur mission extrêmement au sérieux. Il faut marcher, parler et se comporter comme l'aurait fait un pionnier ukrainien arrivant à Alberta au tournant du XIXe siècle. Jouer la comédie ne me déplaît pas. De toute façon, je joue un rôle ici tous les jours. Au mois d'août, le village organise des camps de vacances pour les enfants. Les gosses adorent. Ils préparent la cuisine, passent une journée dans une école à classe unique, jouent à des jeux historiques comme le faisaient les gens il y a plus de cent ans.

Quand la coordinatrice du camp m'a demandé si j'aimais les enfants, j'ai failli répondre que je n'en savais rien, mais elle m'a devancée.

— Vous allez devoir les aimer très fort, ma grande, parce que nous nous préparons à accueillir un groupe d'orphelins ukrainiens dont le séjour est financé par une fondation privée.

C'est ainsi qu'ils sont arrivés : dix gamins calmes, effarouchés et dociles, le regard aux aguets, le geste étriqué. Ils ne réclamaient jamais rien, mangeaient tout ce qu'ils avaient dans leur assiette, couraient quand ils y étaient autorisés et s'accrochaient aux adultes avec toujours les mêmes questions muettes sur leur minois.

— Est-ce que nous nous tenons bien ? Vous n'allez pas nous punir ou nous renvoyer là-bas, hein ?

Un jour a débarqué le onzième enfant du groupe, un garçon prénommé Vovtchik, un diminutif de Vladimir très approprié dans son cas, puisqu'il signifie également « louveteau ». Et c'est exactement ce qu'il est avec ses yeux perçants, ses traits aiguisés, son air d'être toujours prêt à mordre. Ni suiveur, ni meneur, plutôt observateur.

J'ignore pourquoi il a jeté son dévolu sur moi. Peut-être parce que j'étais le premier adulte qui n'essayait pas de le dresser. Peut-être parce que son petit cœur très intuitif lui avait permis de comprendre que nous étions très semblables dans notre façon de nous forger une carapace, lui par une agressivité latente, moi par une distance polie.

Quand je me promenais le soir dans le camp, il avait l'habitude de surgir dans le noir. Alors il déposait un gros baiser sur le dos de ma main et la serrait entre ses menottes bouillantes. Il me pressait fort contre lui et puis soudain détalait sans un regard en arrière, sans attendre de moi une réaction ou bien craignant de n'en voir aucune. Jamais je n'avais été confrontée à des démonstrations d'amour aussi franches de la part d'un inconnu. Quand le groupe était reparti, il m'avait manqué, mais pour moi l'histoire s'arrêtait là.

Du moins, c'est ce que j'avais cru jusqu'en décembre quand Tania, la coordinatrice de la fondation, m'avait envoyé une carte de Noël contenant un dessin de lui. Il représentait deux êtres se tenant par la main, différents par la taille mais identiques pour tout le reste. Les membres étaient des bâtons. Sur les têtes rondes, de simples traits figuraient les yeux et les cheveux, et sur les bouches disproportionnées un sourire fendait le visage de part en part. Sous le dessin, Tania avait écrit de sa belle écriture ronde : *Vovtchik voudrait vous voir sourire plus souvent.*

Cette année, il va rester un mois chez moi. Tania s'est chargée de toutes les formalités. Assise sur le canapé, je le vois et je l'entends à travers la porte ouverte de sa petite chambre. Il grogne et repousse sa couverture à coups de pied. Il continue de se bagarrer même quand il dort. Un petit Mowgli qui a grandi dans une meute bien plus cruelle que les loups de Kipling. Je lui ai acheté un lit, mais il préfère coucher par terre, où il a dormi presque toute sa vie. On estime son âge à sept ans, m'a dit Tania, mais il souffre peut-être d'un retard de croissance et pourrait en réalité avoir huit ou neuf ans.

À la fin de ses journées bien remplies, il se débarrasse de ses vêtements qu'il laisse traîner en tas dans son sillage puis s'allonge par terre et sombre aussitôt dans le sommeil. Je ramasse son jean sur le tapis du couloir, ses chaussettes sur le seuil de sa chambre, son T-shirt roulé en boule masquant les fleurs du coussin brodé par Baboussia sur le fauteuil.

J'ai gardé plusieurs objets d'elle chez moi. Deux coussins, un napperon sous la photographie d'Andreï, cinq tasses à thé en porcelaine de Saxe dont la surface délicate est parcourue de lignes bleues pareilles à des veines. J'ai apporté tous ces trésors avec moi il y a deux ans, après son enterrement.

Alors que je me promenais dans sa petite maison vide, ramassant ces objets, je sentais flotter dans l'air une odeur de médicaments mêlée au parfum des fleurs séchées. J'aurais voulu rester là, enveloppée par mon monde imaginaire, me blottir dans son fauteuil avachi sous la véranda et observer les merles dans le jardin jusqu'à la tombée du jour, jusqu'à ce que mes jambes soient ankylosées, jusqu'à avoir faim et soif, pourvu seulement qu'elle revienne de cet ailleurs où elle était partie, qu'elle s'asseye près de moi, sa main contre la mienne, et réponde patiemment à toutes les questions que j'avais encore à lui poser.

Il n'y a qu'un seul sujet que je regrette d'avoir abordé avec Baboussia. Pourtant, je l'ai fait et je ne peux plus revenir en arrière. C'est ainsi.

Je ne me rappelle plus comment c'est venu dans la conversation. C'était en septembre, deux mois après ma sortie de l'hôpital. Nous étions au jardin par une journée encore chaude pour la saison. Le parfum de la menthe coupée emplissait la véranda, et les fils argentés de l'été indien nous unissaient l'une à l'autre. Pour la première fois depuis des mois, le monde ne me semblait plus un lieu hostile.

Alors je me suis mise à parler d'Andreï, du trésor des Poloubotko, de ce pays que Baboussia avait dû fuir des années auparavant. Je lui ai parlé de la lueur des cierges à la laure de Petchersk, des gosses qui faisaient du skate-board là où se dressait autrefois la statue de Lénine. Je lui ai livré des fragments sélectionnés par ma mémoire, des pièces d'un puzzle enjolivé.

Ma grand-mère m'a écoutée comme elle le faisait toujours, la tête légèrement penchée, son menton dans la main. Je lui décrivais les fontaines de la grande place de Kiev, quand soudain elle s'est levée et m'a pris la main pour me conduire à la cuisine. Elle a ouvert un tiroir dont elle a sorti une liasse de papiers qu'elle a posée sur la table. Des talons de paiement de sa retraite, des renouvellements d'ordonnances, un vieux bon de réduction pour une marque de céréales, tous ces documents qui font le quotidien des personnes de plus de quatre-vingts ans. Elle a tiré de ce tas une feuille de papier jaunie qu'elle m'a tendue.

Quand je l'ai dépliée, des caractères cyrilliques se sont étalés sous mes yeux. Des pattes de mouche à peine lisibles dans une encre violette. Sur le cachet, les lettres noires étaient celles des documents officiels, et près d'elles un nom était tracé en bleu de la main appliquée d'un employé aux écritures.

— Ce que tu tiens là est mon acte de naissance, m'a expliqué Baboussia. La seule chose que j'ai conservée après qu'on m'a fait monter dans ce train en partance pour l'Allemagne. Le seul souvenir de mon pays, de celle que j'ai été. Il porte mon nom de jeune fille. Je savais que tant que ce bout de papier survivrait, je survivrais aussi. À présent il t'appartient.

Quelque chose m'a immédiatement intriguée dans sa façon de me dire ça. Je crois que j'avais deviné avant même de déchiffrer les lettres en cyrillique :

ПОЛУБОТКО.

Je savais avant même de les transcrire :

POLOUBOTKO.

Voilà ce qu'elle avait voulu dire pendant toutes ces années quand elle me répétait que j'avais l'âme d'une Cosaque.

« Je n'en veux pas, ai-je failli lui répondre. Je ne veux pas savoir. Comment peux-tu me faire une chose pareille ? J'ai laissé cette histoire derrière moi, dans un autre pays qui fut autrefois le tien. J'ai remis à d'autres le dossier imprégné d'un parfum de mandarine, j'ai mis fin à la malédiction, accompli ma promesse. Regarde ce nom qui me nargue sur le papier jauni de ton acte de naissance, l'imprécation d'un hetman cosaque dans ces lettres parfaitement calligraphiées. Ce nom, c'est celui de Sofia et c'est aussi le tien, Baboussia. Comment l'histoire des Poloubotko peut-elle être aussi la tienne ? Et la mienne ? »

J'ai failli dire tout ça... Mais cette journée était bien trop parfaite, le monde, trop harmonieux, alors j'ai pris le document et j'ai remercié Baboussia. J'espérais avoir la force de lui en reparler bientôt, quand la douleur se serait apaisée, quand la peur aurait relâché son étreinte, quand les souvenirs n'auraient plus été que des images en noir et blanc.

— *Chovaï*, « cache-le », m'a-t-elle dit. *Khovati*, quel mot bien pratique, a-t-elle ensuite lâché dans un soupir. Toute l'histoire de mon pays se résume à ça : se cacher. « Élever » et « enterrer », *vi-khovati*, *po-khovati*, en ukrainien ces deux mots ont la même racine et portent en eux la même appréhension. Se cacher, se terrer, se protéger des ennemis. C'est ton tour à présent. Cache-le bien.

L'acte de naissance de Baboussia est ici, avec moi, dissimulé au dos de l'icône que j'ai rapportée de chez elle. L'avenir d'un autre pays protégé par les yeux en amande d'une Vierge qui m'observe de son mur tandis que je lui parle. Il n'y a pas de compassion dans son regard. Elle a déjà entendu cette histoire bien des fois, mais comme elle continue d'écouter, je lui ouvre mon cœur.

Quel dommage que je ne puisse pas utiliser ma propre histoire comme un cas d'école à présenter à mes étudiants ! Ils relèveraient tout de suite les incohérences et protesteraient : « Mais votre avocate n'a pas assez creusé. Elle aurait dû faire d'autres vérifications à la Banque d'Angleterre. Ce fameux prêt n'a peut-être jamais été payé, qui sait ? Elle aurait dû vérifier d'autres sources, envoyer une demande d'informations en France. Si le prêt n'a pas été versé ou bien s'il a été en partie remboursé, alors l'héritage est toujours là, attendant qu'on vienne le réclamer. Logique, non ? »

« Oui, imparable », leur répondrait-elle. Et ils se moqueraient de son accent britannique. « À propos, dans le livre Guinness des records cette année l'or des Poloubotko est encore une fois répertorié comme le deuxième plus gros héritage jamais réclamé. »

Hier, j'ai entendu l'ambassadeur d'Ukraine au Canada déclarer au micro de CBN Channel :

« Je suis un diplomate de profession, et je n'aime que la sobriété. Mais ce que je m'apprête à vous apprendre peut sans nul doute être considéré comme une nouvelle sensationnelle. Notre ambassade vient d'entrer en possession de l'unique preuve permettant à l'Ukraine de faire valoir ses droits au trésor des Cosaques. »

Cela représenterait à ce qu'on en dit près de un kilo d'or par citoyen ukrainien. C'est un beau parleur, cet ambassadeur. Cette découverte serait « de nature à infléchir le destin du pays et à transformer les équilibres politiques en Europe », a-t-il affirmé avant d'évoquer la nécessité de construire une nation forte, unie et démocratique.

Il ne s'est tu qu'une seule fois, quand le présentateur lui a demandé comment l'ambassade s'était procuré ces documents.

Alors il a adressé un clin d'œil à la caméra et répondu avec un petit sourire :

« Depuis des siècles il y a quelque chose de mystique dans toute cette histoire, et la manière dont nous avons mis la main sur cette nouvelle preuve s'inscrit dans cette tradition.

Les gens qui vivent dans les provinces occidentales du Canada n'ont pas toujours les moyens de venir dans nos consulats établis à Ottawa et Toronto. C'est pourquoi une fois par mois, un consul se rend pendant deux jours dans la ville d'Edmonton afin de délivrer des passeports et des visas. Le mois dernier, un pli a été glissé dans la boîte aux lettres du service consulaire de la ville pendant sa visite. Le pli contenait une lettre d'accompagnement, un bref historique de la quête du trésor des Cosaques au XXᵉ siècle, une attestation de l'auteur déclarant être en possession de l'acte de naissance d'un héritier et enfin des instructions pour retrouver le reste des documents. Le pli a été déposé à la nuit tombée, toutefois les caméras de surveillance ont réussi à filmer un adolescent qui s'enfuyait. Son visage était masqué par la capuche rabattue sur sa tête, mais sur les images il était visible qu'il boitait. »

L'ambassadeur s'est alors adressé à la caméra, au public qui le regardait et à moi-même.

« Nous encourageons vivement la personne qui nous a fourni ces informations à se faire connaître. Cela nous serait d'une grande aide dans nos investigations. »

Je me tourne vers la Vierge de l'icône et demande :

— Qu'est-ce que tu en penses ? Je leur ai fourni des instructions détaillées. Ils savent maintenant où chercher et où aller. Devrais-je m'en mêler ? Faut-il que je le fasse pour la femme aux pommettes slaves et au regard fatigué sous ses cheveux gris qui me regarde depuis sa photo sur le buffet, pour l'homme qui a effleuré ma main de ses longs doigts dans un restaurant de Buenos Aires, pour ce pays aujourd'hui encore manipulé comme un pion sur l'échiquier de l'Europe comme il l'a été depuis des siècles dans un éternel jeu de pouvoir et de cupidité ?

Je ne crains pas l'humiliation si jamais l'argent n'était pas là, ni les multiples conditions préalables que prévoit la loi pour l'obtention de l'héritage. Le monde a besoin de savoir et moi aussi. À défaut d'autre chose, une ligne sera peut-être modifiée dans la prochaine édition du livre Guinness des records.

Non, ce que je redoute, c'est de devoir me découvrir et pas seulement devant les caméras de sécurité du consulat. Il faudrait que je livre toute mon histoire. Depuis l'éclairage lugubre dans une morgue à Cambridge, depuis ma gueule de bois après une soirée trop arrosée avec Philip et ce colloque où tout a commencé. Depuis mes premiers souvenirs d'enfance et le festin de Noël préparé par Baboussia.

Je plonge mon regard dans les yeux en amande de la Madone et je demande :

— Alors, est-ce que je dois le faire ?

J'attends d'elle un signe, un hochement de tête imperceptible, un rayon de lune éclairant son visage, mais elle ne me voit plus. Son regard a glissé vers la porte d'une petite chambre d'où me parviennent des grondements étouffés.

Proby qui m'a entendue parler vient voir ce qui se passe. Planté au milieu de la pièce, il m'observe, et dans la lueur du clair de lune son pelage se couvre de reflets argentés. Je le regarde en pensant : *Quel trio nous formons ! Une femme zombie, un chien fantôme et un enfant loup.* Proby se replie vers la cuisine en se demandant sans doute pourquoi je reste assise là sans bouger.

Il est presque minuit quand je récite la prière de Baboussia.

Les mots qui roulent dans ma bouche comme des perles produisent un son long et clair, aussi pur et simple qu'une gamme en *do* majeur dont chaque note est à la fois nouvelle et familière. Qui sait ? Dans une langue désormais disparue, ce n'était peut-être qu'un même mot, magique et immortel, désignant l'harmonie, le début et la fin, le flot de la vie.

J'en répète lentement les paroles, comme si j'en avais toujours connu la mélodie sans jamais oser la chanter à voix haute. Aujourd'hui, j'ai ce courage.

NOTE HISTORIQUE

En Ukraine, l'histoire de l'or des Cosaques est plus qu'une légende, c'est un rêve national. Elle alimente de nombreux débats et interviews, elle est le sujet de publications et même d'une loi votée par le Parlement. Tout le monde sait où est l'or et comment le récupérer, tout le monde a sa propre version de l'histoire.

Ce roman en donne ma version, et il m'a été inspiré en grande partie par les légendes que me racontait ma grand-mère.

La famille Poloubotko a réellement existé, et la déclaration que Pavlo Poloubotko a faite à Pierre le Grand avant de mourir est citée dans beaucoup de livres et de manuels scolaires. Le comte Razoumovski (1709-1771) et le comte Orly, alias Grégoire Orlik (1702-1759), sont des personnages réels.

Pavlo Poloubotko a eu un fils appelé Iakov et une petite-fille prénommée Sofia. Mais, pour autant que je sache, celle-ci ne s'est jamais rendue en Angleterre pour une mission secrète.

Un certain Ostap Poloubotko a bien rendu visite à l'ambassadeur d'Ukraine à Vienne en 1922, mais il venait du Brésil et non d'Argentine.

Le congrès des descendants de Poloubotko a effectivement eu lieu en 1906, mais à Starodoub et non à Kiev.

Bien que les prétendants à l'héritage soient nombreux en Amérique du Sud, aux États-Unis et au Canada, tous les personnages modernes de ce roman sont fictifs.

Pour les besoins de l'intrigue, le Service historique de l'armée de terre est localisé dans le roman en Champagne, alors qu'il se trouve au château de Vincennes en réalité.

Enfin, les documents de la Banque d'Angleterre cités dans ces pages sont eux aussi entièrement imaginaires.

REMERCIEMENTS

Ce roman n'aurait jamais été écrit sans le soutien et l'aide que m'ont apportés beaucoup de gens.

Avant tout, j'exprime mon immense gratitude à mon grand-père, Fedir, un historien de talent et un grand homme. Il m'a enseigné que l'histoire n'appartient pas qu'au passé. Son journal de guerre m'a inspiré les carnets du chapitre 2 et a été la *raison d'être** de ce livre.

J'ai également une immense dette envers ma grand-mère Rosa qui m'a remis ce journal et m'a encouragée à raconter cette histoire.

J'aimerais remercier mon agent, Robert Kirby, pour sa patience infinie et pour avoir eu foi en ce projet avant moi, ainsi que mon éditrice, Flora Rees, pour m'avoir prise par la main et guidée tout au long de ce labyrinthe.

Je remercie tous les gens qui m'ont laissée entrer dans leur univers fascinant au cours de mes recherches : Chrystyne Kaye, qui m'a fait découvrir la communauté des Ukrainiens d'Edmonton ; Olga Kerziouk, qui m'a guidée dans l'immensité de la British Library ; et Carolyn Eardley, qui m'a initiée au monde secret de la grammaire anglaise.

Je tiens à exprimer ma sincère reconnaissance à Sarah Millard et à ses collaborateurs pour toute l'aide qu'ils m'ont fournie pendant mes recherches aux archives de la Banque d'Angleterre.

Je remercie aussi ma mère, Olga Shevchenko, pour m'avoir fait découvrir grâce à ses souvenirs la période du dégel qui a succédé à la guerre froide dans les années 1960.

Je voudrais par ailleurs adresser un remerciement spécial aux voix des générations perdues qui ont survécu au démembrement de l'Union soviétique. Ces gens ont tenu à garder l'anonymat, mais leurs récits des brimades endurées dans l'armée et de leur expérience de soignants en hôpital psychiatrique resteront à jamais gravés dans ma mémoire.

Enfin, j'adresse un immense merci à ma famille pour sa patience et pour m'avoir procuré la tranquillité d'esprit et la force dont j'avais besoin pour écrire ce livre.

n° 4602 - 7,50 euros

Habitué à abattre ses ennemis de sang-froid, l'agent du Mossad Eytan Morg est sur la brèche. Son mentor a été enlevé et son seul espoir de le retrouver est de s'allier avec sa plus grande rivale. Du Maryland à Tokyo en passant par la République tchèque, à l'heure où le présent semble prêt à répéter les erreurs du passé, s'engage un combat à la mesure de l'Histoire...

« Le *Projet Bleigberg* explorait les conséquences des recherches scientifiques folles des nazis. Khara se penche aujourd'hui sur les atrocités commises par les Japonais en Chine et dans le Pacifique [...] C'est haletant à souhait. »
Yann Plougastel - *M le magazine du Monde*

Impression réalisée par

La Flèche (Sarthe), 70742
Dépôt légal : novembre 2012
X05470/01

Imprimé en France